退職給付会計
実務の手引き　第3版

期中及び決算の実務一巡・数理計算・退職給付制度

公認会計士
井上雅彦 著

税務経理協会

第3版刊行にあたって

2014年から適用されている「(改訂後) 退職給付会計基準」は導入から10年以上を経たが、その間大きな基準の改訂はなく、また、退職給付会計の実務上の取扱いも大きな変更はなく、更に成熟してきている。その過程で重要論点も一層明確になってきている。

そうした状況の中、本書は実務の手引書として幸いにもご好評を得て、今般、「第3版」として上梓させて頂くこととなった。

本書は、第1部で、まず、数理計算も含めた「退職給付会計の実務一巡」を理解頂くためのポイントをコンパクトに解説している。次に、第1部の理解を踏まえて、第2部で「実務上の勘所と論点になるテーマ」を取り上げ、掘り下げて説明している。

続く第3部では、制度としての選択肢を増やす目的で導入された「リスク分担型企業年金」を取り上げ、制度と会計処理を記載している。

第3版の目玉は何といっても第4部として新たに新設し、書き下ろした15問のQ&Aにある。ゼロ金利から脱し、賃上げも現実となってきた最近の経済環境も踏まえ、実務上の判断をするにあたり、判断に迷う論点、重要な論点、制度移行を伴う論点、基準を読んでも理解が及ばない論点、などを中心に15のテーマを取り扱っている。応用論点もあるが、基準に準拠しつつ、適切な実務対応に繋げるための考え方や工夫をくみ取って頂き、実務対応に活かして頂ければ幸いである。

第3版が、初版、第2版にも増して読者の皆様のお役に立つことを願っている。

2025年4月

公認会計士　井上雅彦

第 2 版刊行にあたって

　2014 年（平成 26 年）から適用されている「改訂退職給付会計基準」に準拠した実務の手引書として発刊した本書は、幸いにも読者の好評を得て、内容をさらに充実させた「第 2 版」としてここに上梓することができた。

　本書では、第 1 部で「改訂後の退職給付会計の実務一巡」、第 2 部で「改訂基準を理解する勘所と実務上のポイント」を取り上げ、実務をスムーズに遂行するうえで必要な理解が得られるよう工夫してきた。

　第 2 版では、これらに加え、2015 年（平成 27 年）初版発刊後新たに生じている実務上の重要課題につき、第 3 部として詳しく取り上げ解説している。
　具体的には、マイナス金利政策が退職給付会計に及ぼす影響と、新たに導入されたリスク分担型企業年金の仕組み及び会計処理を書き加えた。
　引き続くマイナス金利政策は企業の経営戦略や業績にも大きな影響を及ぼしており、また、企業年金制度の多様化や柔軟化を図るために導入されたリスク分担型企業年金の理解は今後の企業の人事戦略策定に欠かせない。

　なお、本書の記述のうち意見にわたる部分は、筆者の所属する法人の見解とは全く関係ない。

　第 2 版が初版にもまして、読者の皆様のお役に立つことができれば望外の喜びである。

2018 年（平成 30 年）1 月
井上　雅彦

はしがき

　本書は、2012年（平成24年）に改訂され、2014年（平成26年）から適用となっている「改訂退職給付会計基準」に準拠した実務対応の手引書として執筆した。会計処理、数理計算、税務処理、退職給付制度に関する重要な論点を網羅しており、これ1冊で退職給付会計に関する実務対応は万全になるよう、項目、構成、解説の仕方などを工夫した。

　改訂基準に完全対応し、期中及び決算の実務一巡や数理計算の考え方、退職給付制度や税金との関係など、実務対応するうえで必ず理解しておくべき論点や課題を、網羅的にかつ噛み砕いて解説することで、真の意味で「実務の手引き」となるよう努めた。

　なかでも特に本書のキーとなる以下の点にこだわった。
1. 改訂基準を踏まえ、実務の「流れ」を重視した解説を徹底すること。
2. 当初想定しておらず改訂基準適用後に実務上明らかとなった課題や、影響を織り込んで解説すること。
3. 重要性基準の適用、期間帰属方法の選択、割引率の見直し等、バラエティーのある実務対応が可能なテーマについて、最善の選択に導く考え方とその根拠を明示したこと。
4. 仕訳、図表、ワークシート等を駆使して、肌感覚で理解ができる解説をすること。

　本書は、経理・財務、人事・総務、企画部署等の担当者及び責任者はもちろんのこと、経営意思決定に携わる役員の方々、制度や基金の運営、運用に携わる方々、公認会計士、税理士、アクチュアリーなど専門家の方々、退職給付会計に興味ある学生の方々など、幅広い読者を想定している。

本書の記述のうち意見にわたる部分は、筆者が所属する法人の見解とは全く関係がないことをお断りする。

　最後に、タイムリーかつ適切な校正をいただいた吉冨編集長に感謝申し上げる。

2014 年（平成 26 年）11 月

井上　雅彦

目　　次

第 3 版刊行にあたって
第 2 版刊行にあたって
はしがき

第 1 部　退職給付会計の実務一巡

退職給付会計とは
1　退職給付会計とは　*2*
2　退職給付債務と退職給付費用　*4*
　Ⅰ　退職給付債務とは　*4*
　Ⅱ　退職給付費用とは　*4*

数理計算の実務
3　数理計算～退職給付債務・勤務費用の算定方法　*11*
　Ⅰ　期待値とは～サイコロの論理　*11*
　Ⅱ　退職給付債務・勤務費用の計算ステップ　*12*
　Ⅲ　退職給付債務と勤務費用の算定　*15*
4　数理計算～期間帰属方法（図表 1-12 ステップ 3）　*24*
　Ⅰ　期間定額基準　*25*
　Ⅱ　給付算定式基準　*27*
5　数理計算～割引計算（図表 1-12 ステップ 4）　*32*
　Ⅰ　割引率とは　*32*
　Ⅱ　割引率の水準　*33*
6　数理計算～企業年金制度における退職給付債務の算定　*36*
　Ⅰ　退職一時金制度の企業年金制度への移行　*36*
　Ⅱ　一時金選択率の設定と実務上の留意点　*40*

会計処理
7　年金資産と期待運用収益の設定　*42*
　Ⅰ　年金資産の範囲　*42*

- 　　Ⅱ　年金資産の評価　*42*
- 　　Ⅲ　退職給付制度間の年金資産の充当と前払年金費用　*44*
- 　　Ⅳ　退職給付信託　*44*
- 　　Ⅴ　長期期待運用収益率　*47*
- 8　数理計算上の差異とその費用処理額　*49*
- 　　Ⅰ　数理計算上の差異とは　*49*
- 　　Ⅱ　数理計算上の差異の遅延認識〜将来の期間での費用化　*50*
- 　　Ⅲ　数理計算上の差異の費用化の方法　*52*
- 9　過去勤務費用とその費用処理額　*56*
- 　　Ⅰ　過去勤務費用とは　*56*
- 　　Ⅱ　過去勤務費用の遅延認識〜将来の期間での費用化　*57*
- 　　Ⅲ　過去勤務費用の費用化の方法　*57*

期中及び決算時の会計処理

- 10　退職給付会計一巡の会計処理：個別財務諸表編　*60*
- 　　Ⅰ　退職給付会計の仕組み　*60*
- 　　Ⅱ　退職給付債務及び退職給付費用と退職給付引当金との関係　*62*
- 　　Ⅲ　会計処理の概要　*62*
- 　　Ⅳ　退職給付引当金と前払年金費用　*64*
- 　　Ⅴ　退職給付費用と引当金増減の関係、及び引当金増減と退職給付引当金との関係　*64*
- 　　Ⅵ　数値例による解説　*66*
- 　　Ⅶ　個別財務諸表における会計処理例　*71*
- 11　退職給付会計一巡の会計処理：連結財務諸表編　*74*
- 　　Ⅰ　連結貸借対照表における遅延認識の廃止　*74*
- 　　Ⅱ　連結損益計算書における遅延認識の継続　*76*
- 　　Ⅲ　退職給付費用と損益計算書（包括利益計算書）との関係　*78*
- 　　Ⅳ　税効果との関係　*79*
- 　　Ⅴ　設例による連結財務諸表における会計処理　*81*
- 　　Ⅵ　連結財務諸表における会計処理例（個別財務諸表との比較）　*82*
- 12　簡便法　*85*
- 　　Ⅰ　簡便法とは　*85*

　　　　Ⅱ　簡便法における退職給付債務の求め方　　*86*
　　　　Ⅲ　簡便法を適用した場合の計算方法　　*87*
　　　　Ⅳ　簡便法を適用した場合の年金資産の評価　　*89*
　　　　Ⅴ　簡便法において数理計算上の差異や過去勤務費用を把握して
　　　　　　遅延認識することの可否　　*89*
　　　　Ⅵ　簡便法適用における実務上の留意点　　*90*

〔退職給付制度等〕

13　年金制度における財政計算の仕組みと会計上の退職給付債務計算
　　との相違　　*93*
　　　　Ⅰ　企業年金制度の財政の仕組み　　*93*
　　　　Ⅱ　予定利率が年金財政に与える影響　　*95*
　　　　Ⅲ　数理債務と退職給付債務、標準掛金と勤務費用の比較　　*96*

14　退職給付会計と法人税法　　*99*
　　　　Ⅰ　会計上の退職給付費用と税務上の損金算入額　　*99*
　　　　Ⅱ　勤務費用（会計上の費用）と標準掛金（税務上の損金）との異同　　*100*

15　複数事業主制度の会計処理　　*102*
　　　　Ⅰ　複数事業主制度とは　　*102*
　　　　Ⅱ　複数事業主制度の特徴と会計処理上の問題点　　*102*
　　　　Ⅲ　複数事業主制度における会計処理及び開示の基本的な考え方　　*103*
　　　　Ⅳ　確定給付制度としての会計処理を行う場合（原則的な取扱い）　　*103*
　　　　Ⅴ　確定拠出制度に準じた会計処理を行う場合（例外的な取扱い）　　*106*

第2部　基準を理解する勘所と実務上のポイント

〔前提として理解しておくべき事項〕

1　基準策定の経緯と今後の論点　　*113*
　　　　Ⅰ　基準策定にいたる経緯　　*113*
　　　　Ⅱ　ステップ2で議論を想定していた事項　　*114*
　　　　Ⅲ　名称等の変遷　　*116*

〔数理計算に関わるテーマ〕

2　期間帰属方法の見直し　　*117*

		Ⅰ	選択適用となった理由と労働対価の反映 *118*
		Ⅱ	期間定額的な費用配分が合理的な場合とは *119*
		Ⅲ	期間定額的な費用配分が合理的でない場合とは *120*
		Ⅳ	給付算定式基準とは *123*
		Ⅴ	給付算定式基準における均等補正 *124*
		Ⅵ	ポイント制（累積型制度）への給付算定式の適用 *126*
		Ⅶ	給付算定式が最終給与比例制度の場合の給付算定式基準の適用 *130*
		Ⅷ	給付算定式がポイント制の場合の給付算定式基準の適用（ポイント基準と類似した方法） *133*
		Ⅸ	給付算定式がポイント制の場合の給付算定式基準の適用（平均ポイント比例の制度として扱う方法） *135*
		Ⅹ	給付算定式基準適用に当たってのその他の留意事項 *136*
		Ⅺ	期間帰属方法変更の影響 *138*
	3	割引率の見直し（割引期間の考え方） *141*	
		Ⅰ	旧基準と現行基準の定め *141*
		Ⅱ	退職給付の支払見込期間ごとに設定された複数の割引率を使用する方法（Ⅰ法） *142*
		Ⅲ	退職給付の支払見込期間及び支払見込期間ごとの金額を反映した単一の加重平均割引率を使用する方法（Ⅱ法） *146*
		Ⅳ	デュレーションと、加重平均期間及び平均残存勤務期間等との関係 *150*
		Ⅴ	割引率見直しのポイント *151*
		Ⅵ	割引率見直しの影響 *152*
		Ⅶ	単一の加重平均割引率（Ⅱ法）適用に当たってのその他の留意事項 *153*
	4	その他の数理計算に関わるテーマ（昇給率の見直し等） *155*	
		Ⅰ	昇給率の見直し *155*
		Ⅱ	死亡率の見直し *156*

数理計算に関わらないテーマ

	5	数理計算上の差異及び過去勤務費用の処理方法 *158*	
		Ⅰ	個別財務諸表から連結財務諸表への調整 *158*

Ⅱ　個別財務諸表及び連結財務諸表におけるワークシートの作成　*163*
　　　Ⅲ　連結貸借対照表における遅延認識廃止の実務への影響　*165*
　　　Ⅳ　実務対応報告第18号の適用　*168*
6　基準と税効果会計　*172*
　　　Ⅰ　設例による連結財務諸表における税効果を伴う計算例　*173*
　　　Ⅱ　連単での一時差異の異同と連結修正仕訳　*175*
　　　Ⅲ　連単での会社分類（例示区分）の異同　*178*
　　　Ⅳ　将来解消年度が長期となる将来減算一時差異　*179*
　　　Ⅴ　回収可能性に見直しがあった場合の取扱い　*180*
　　　Ⅵ　回収可能性の判断と退職給付費用（PL）及び退職給付に係る
　　　　　調整額（OCI）の区分　*182*
　　　Ⅶ　子会社等への投資に係る税効果　*183*
7　重要性基準の取扱いと重要性基準がもたらす影響　*184*
　　　Ⅰ　重要性基準とは　*184*
　　　Ⅱ　重要性基準適用に当たっての問題点　*185*
　　　Ⅲ　重要性基準（＝「10％数値基準」）の判断を行う具体的な方法　*187*
　　　Ⅳ　当期末時点の適正な割引率に基づく退職給付債務の算定における
　　　　　実務論点　*189*
8　開示の拡充　*194*
表示
　　　Ⅰ　連結貸借対照表上の表示　*194*
　　　Ⅱ　損益計算書上の表示　*196*
　　　Ⅲ　連結包括利益計算書上の表示　*196*
　　　Ⅳ　連結株主資本等変動計算書上の表示　*197*
注記
　　　Ⅰ　退職給付の会計処理基準に関する事項　*199*
　　　Ⅱ　企業の採用する退職給付制度の概要　*200*
　　　Ⅲ　退職給付債務の期首残高と期末残高の調整表　*201*
　　　Ⅳ　年金資産の期首残高と期末残高の調整表　*202*

Ⅴ　退職給付債務及び年金資産と貸借対照表に計上された退職給付に係る
　　　　負債及び資産の調整表　*203*
　　Ⅵ　退職給付に関する損益　*204*
　　Ⅶ　その他の包括利益に計上された数理計算上の差異及び過去勤務費用の
　　　　内訳／貸借対照表のその他の包括利益累計額に計上された未認識数理
　　　　計算上の差異及び未認識過去勤務費用の内訳　*205*
　　Ⅷ　年金資産に関する事項（年金資産の主な内訳を含む）　*207*
　　Ⅸ　数理計算上の計算基礎に関する事項　*209*
　　Ⅹ　その他の退職給付に関する事項　*210*
　　Ⅺ　その他の包括利益に関する注記　*210*
　　Ⅻ　簡便法における注記　*211*
　　ⅩⅢ　複数事業主制度で確定拠出制度に準じた場合の注記　*212*
9　長期期待運用収益率の考え方の明確化　*215*

第3部　リスク分担型企業年金

1　リスク分担型企業年金の制度と会計処理　*218*
　　Ⅰ　リスク分担型企業年金とは～導入の背景と目的、制度の概要　*218*
　　Ⅱ　リスク分担型企業年金と既存の企業年金制度との比較　*221*
　　Ⅲ　リスク対応掛金の導入とその仕組み、構造　*224*
　　Ⅳ　リスク分担型企業年金の導入とその仕組み、構造　*231*
　　Ⅴ　リスク分担型企業年金の会計処理　*239*

第4部　Q&A　実務でよく問題となる15のテーマ

Q1　アセットシーリング　*250*
　　Ⅰ　アセットシーリングとは　*250*
　　Ⅱ　アセットシーリングの検討が求められる企業とは　*251*
　　Ⅲ　アセットシーリングの基本的な考え方　*251*
　　Ⅳ　アセットシーリング、最低積立要件に抵触する可能性がある
　　　　ケース　*254*

Ⅴ　実務上の留意事項　*255*
Q2　賃上げに伴う会計処理　*256*
Q3　後加重な給付の補正の要否　*258*
　　Ⅰ　できるだけ定額(均等)補正を行うことを原則とする考え方　*258*
　　Ⅱ　「給付の受給権確定を実質的に遅らせているもの」等に限定して均等補正を行うとする考え方　*259*
Q4　将来勤務部分を確定拠出年金制度に移行した場合の期間定額法の問題点　*261*
Q5　原則法と簡便法との間の変更に係る会計処理　*263*
Q6　年俸制導入に伴う退職給付債務の取扱い　*265*
Q7　数理計算上の差異に係る償却方法の変更　*267*
　　Ⅰ　償却年数及び償却方法の変更は認められるか　*268*
　　Ⅱ　数理計算上の差異の部分を特別利益に計上できるか　*268*
Q8　割引率の設定方法　*270*
　　Ⅰ　参照するデータと算定方法　*270*
　　Ⅱ　直線補間の方法について　*272*
　　Ⅲ　異なる割引率の使用　*273*
Q9　ポイント制導入に伴うポイント基準の採用と会計処理　*274*
　　Ⅰ　期間定額基準からポイント基準への変更　*274*
　　Ⅱ　遅延認識の可否　*275*
Q10　ポイント制導入後に確定拠出年金制度へ移行した場合の会計処理　*277*
Q11　将来勤務部分を確定給付企業年金に移行した場合の会計処理　*279*
Q12　キャッシュバランスプランの会計処理の留意点　*281*
　　Ⅰ　キャッシュバランスプラン(CB)の財政運営　*281*
　　Ⅱ　利息ポイントの割引率との連動の必要性　*282*
Q13　退職給付債務を仮想勘定残高により評価することの可否　*283*
Q14　成果型制度における期間配分方法　*286*
　　Ⅰ　労働の対価性の問題　*287*
　　Ⅱ　数理計算の信頼性の問題　*287*
Q15　貸借対照表日前のデータ等の利用　*289*

索　　引　*295*
著者紹介　*299*

第1部

退職給付会計の実務一巡

1 退職給付会計とは

　退職給付会計とは、「一定の期間にわたり労働を提供したこと等の事由に基づいて、退職以後に支給される給付（退職給付）」を扱う会計である。当該給付は、通常、労働協約または就業規則に基づく「退職金（年金）規程」で定められた後払賃金である。

　したがって、「退職金（年金）規程」に定められた退職金制度の内容により、退職給付が決まるため、退職金制度をよく知ることが退職給付会計を理解する前提となる。

　「退職金（年金）規程」に準拠して、事業主が従業員（制度加入者）に対して約束した給付が退職給付であり、このうち、認識時点までに発生していると認められる部分を割り引いたものを「退職給付債務（PBO：Projected Benefit Obligation）」という。

　退職金制度には、退職一時金制度の他に年金制度があるが、年金制度では事業主に代わり従業員（制度加入者）に退職給付を行うべく年金資産（主として株式や債券等で構成される）が積み立てられている。

　つまり、退職給付会計とは、「決算日において事業主に発生している従業員（制度加入者）等に対する退職金等の支払義務と、これに関する年金資産等の積立不足（超過）の状況を明らかにして、事業主が負担すべき退職給付費用を算定する会計」といえる。

　事業主の貸借対照表に着目すれば、退職給付に係る事業主の積立不足の状況を、退職給付に係る負債（退職給付引当金）として計上する。その結果図表1-1のイメージになる。

　一方、退職給付に要する主なコストを集積した金額が退職給付債務となるため、このうち事業主が当期に負担すべきコストを退職給付費用として損益計算書に計上する。

図表1-1　貸借対照表における退職給付に係る負債（退職給付引当金）のイメージ

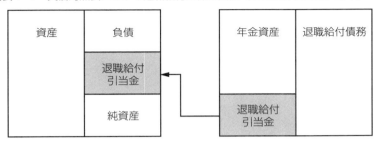

　また、退職給付会計には、すでに発生した費用を将来に期間に繰り延べて費用化する『遅延認識』という特有の会計処理がある（遅延認識は8のⅡ参照）。

　ここで、退職給付債務を計算する対象となるのは、退職一時金制度及び給付建ての年金制度（適格退職年金（平成24年3月末廃止）、厚生年金基金、確定給付企業年金法に定めた基金型企業年金、規約型企業年金等）である。また、キャッシュバランスプランも原則として給付建てに分類される。なお、掛金建ての年金制度（中小企業退職金共済、確定拠出年金法に定めた確定拠出年金（日本版401(k)）等）は退職給付債務を計算する対象外となる。

　給付建ての年金制度とは、給与や勤務期間に応じて定まる給付額を基準に掛金を定め、当該給付額を従業員に支払う業務を負う制度で、年金資産の運用リスク等を事業主が負う制度をいう。「確定給付型の年金制度」ともいう。

　一方、掛金建ての年金制度とは、制度へ払い込む掛金額を先に定め、給付額は積立金の運用実績に応じて定める制度で、拠出以後に事業主に追加的な負担が生じない制度をいう。「確定拠出型の年金制度」ともいう。

　なお、2012年（平成24年）5月17日付けで、企業会計基準委員会（ASBJ）から日本の新しい退職給付会計基準（企業会計基準第26号「退職給付に関する会計基準」及び企業会計基準適用指針第25号「退職給付に関する会計基準の適用指針」以下、あわせて「基準」という）が公表された。

　本書では、当該基準について統一的に「基準」と記載する。

2 退職給付債務と退職給付費用

退職給付会計とは

I 退職給付債務とは

　退職給付債務とは、『退職給付のうち認識時点までに発生していると認められる部分を割り引いたもの』（退職給付会計基準第6項）をいい、事業主が退職金規程等に基づき、制度の加入者に対して負っている支払義務を年金数理計算に準拠して会計上認識、測定したものである。

　例えば、ある会社の退職給付制度に加入している従業員について考えてみよう。当該従業員に関する退職給付が発生するのは、当期末ではなく将来のある時点である。

　退職金が退職時点の給与水準の一定倍率で支給されるとすれば、「将来退職するときの給付」を見積もるには、「いつやめるか」（退職（死亡も含む）確率）や「やめた時点での給与はいくらか」（昇給率）などを合理的に推定する必要がある。これらの推定に当たっては、確率や統計の考え方、期待値の考え方を援用する。

　このように、確率や統計の考え方、期待値の考え方を援用した計算を行うことから、退職給付債務等の計算を「年金数理計算」と呼称し、事業主は信託銀行や生命保険会社に所属する年金数理人（アクチュアリー）などの専門家に計算委託するケースが多い。

　「年金数理計算」の考え方、具体的な計算の方法については次章で解説する。

II 退職給付費用とは

　退職給付費用は主として以下（1）から（4）で構成される。ポイントは事

業主の「支払い」という行為（キャッシュアウト）とは関係なく、(1)の勤務費用、(2)の利息費用を中心に一定の計算方法や会計方針に従い、費用が規則的に積みあがっていくことである。

(1) 勤務費用

　1期間の労働の対価として発生したと認められる退職給付が「勤務費用（service cost）」で、これが勤務の対価に直接関係する退職給付費用である。勤務費用の計算方法は退職給付債務とほとんど同じで、年金数理計算により算定する（3～6参照）。

　事業主は、退職給付債務や勤務費用を算定するに当たり、信託銀行や生命保険会社に所属する年金数理人（アクチュアリー）などの専門家に計算委託するか、退職給付債務計算ソフトを活用して自ら数理計算を行う。年金数理計算に関する具体的な計算方法の説明をする前の段階なので、勤務費用のイメージがわきにくいと思われる。

　ここで、退職給付債務や勤務費用に関する簡単なイメージ図を以下に示した。

図表1-2-1　退職給付債務、勤務費用のイメージ（1期分のみ）

【前提】
■今年入社した従業員が1名で、期末時点で退職することが決まっている場合を想定
■退職金は期末時点での退職時（最終）給与の3倍で支給される
■退職時（最終）給与の額　10万円

⇒この場合、期末時点の退職給付債務は30万円（10万円×3）となる
⇒これは当期の労働の対価そのものなので当期の勤務費用も同じ30万円である。
⇒退職まで1期間を超えて経過していないので、
　・認識時点までに発生していると認められる部分を特定する必要なし
　・割引計算は必要なし

図表1-2-2　退職給付債務、勤務費用のイメージ（2期分）

【前提】
■図表1-2-1の条件で、当該従業員が当期ではなく翌期末で退職を迎える場合を想定
■給与額は同水準で推移し昇給しない（昇給率ゼロとする）
■当期末に退職した場合も退職金は支払われない

⇒翌期末の退職金は30万円（a+b）だが、うち半分の15万円（c）は当期末において獲得した給付で認識時点（当期）までに発生している。これは2年の勤務期間で均等に給付を期間帰属させるという仮定に基づく。
⇒当期の勤務費用は15万円（a）になる。ただし、正確には15万円（c）を1年間割り引くため、勤務費用は15万円（a）より少額となる。
本来考慮すべき割引計算をここでは無視している。
⇒翌期の勤務費用は15万円（b）。割引計算は必要ない。

（2）利息費用

　退職給付債務は、「退職給付のうち認識時点までに発生していると認められる部分を割り引いたもの」なので、1期間経過すると割引期間が1期間減少し、これまでに計上した費用やその累積たる債務に利息が生じる。

　これが「利息費用（interest cost）」で、割引計算により算定された期首時点における退職給付債務につき期末までの時の経過により発生する計算上の利息である。

　退職給付債務や勤務費用は割引計算をして算定するため、時の経過とともに利息が発生し、当該利息部分も退職給付債務を構成する。

　利息費用は、期首の退職給付債務に割引率を乗じて算定できるため、勤務費用と違い事業主が自ら計算できる。通常、債務とは費用の集積である。過去期間の勤務費用と利息費用をすべて合計した金額が退職給付債務になる。

(3) 期待運用収益

　図表1-1のとおり、貸借対照表上、退職給付債務と年金資産とを相殺してネットで退職給付に係る負債（退職給付引当金）を計上する。損益計算書上も「債務側の費用」と「資産側の費用のマイナス」とを相殺してネット計上する。

　具体的には、退職給付債務を構成する勤務費用と利息費用から、年金資産から生じると想定される運用収益を相殺する。当該運用収益を「期待運用収益（expected return on plan assets）」という。つまり、「期待運用収益」とは、年金資産の運用により生じると合理的に期待される計算上の収益をいう。

　退職給付会計では、期首に期待運用収益を合理的に見積もり、あらかじめ退職給付費用から控除することで勤務費用及び利息費用と相殺する。期待運用収益は、期首の年金資産に事業主が自ら期首に定める期待運用収益率を乗じて算定する。期待運用収益は、長期で見積もり、この「長期期待運用収益率」の算定方法は後述する（7のⅤ参照）。

(4) 数理計算上の差異、過去勤務費用の当期費用化額

　1で「退職給付会計には、すでに発生した費用を将来に期間に繰り延べて費用化する『遅延認識』という特有の会計処理がある」と述べた。会計の『発生主義の原則』の観点からは、極めて異質の処理である。遅延認識を認められた項目は3つある。

　「数理計算上の差異」、「過去勤務費用」、「会計基準変更時差異」である。

　このうち「会計基準変更時差異」は、2000年に退職給付会計基準が導入された際、移行時に生じた差異で、事業主が15年以内の一定の年数を選択し、当該会計方針に準拠して将来の期間にわたり退職給付費用（費用化）と退職給付引当金（負債）を計上するものである。2015年度決算時には概ね費用化の処理も済んだ事業主がほとんどと思われる。

　また、「数理計算上の差異」とは、①年金資産の期待運用収益と実際の運用成果との差異、②退職給付債務の数理計算に用いた見積数値と実績との差異及び③見積数値の変更等により発生した差異をいう。なお、このうち当期純利益

を構成する項目として費用処理（費用の減額処理又は費用を超過して減額した場合の利益処理を含む）されていないものを「未認識数理計算上の差異」という。

　退職給付債務に係る数理計算上の差異（②及び③）は、期末時の実際退職給付債務（Ⅱ）と期首の退職給付債務に勤務費用、利息費用を加え、給付支払額を減じた結果算定された予測退職給付債務（Ⅰ）との差額として計算する。

　イメージは下式及び図表1-3のとおりである。

$$\begin{bmatrix} \text{期首退職給付債務＋当期勤務費用(予定)＋当期利息費用(予定)－当期実際給付支払額＝(Ⅰ)予測(見積)退職給付債務} \Longleftrightarrow \text{(Ⅱ)実際退職給付債務} \\ \text{数理計算上の差異} \end{bmatrix}$$

図表1-3　退職給付債務から生じる数理計算上の差異

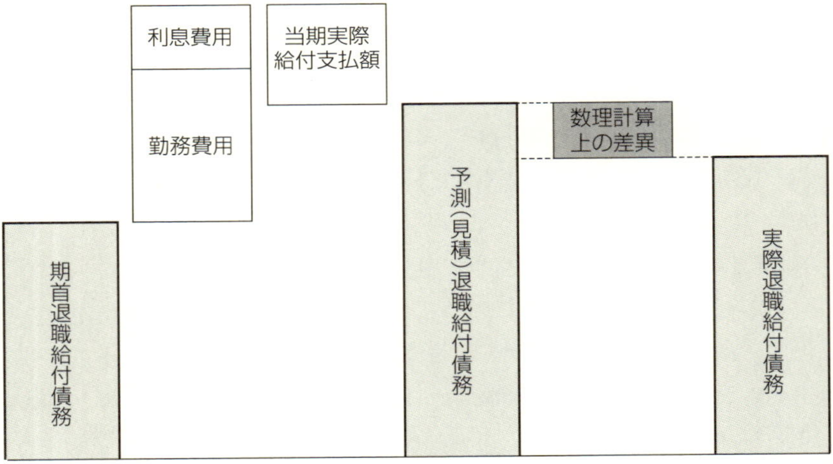

　年金資産に係る数理計算上の差異（①及び③）は、期末時の実際年金資産（Ⅱ）と期首の年金資産に掛金、期待運用収益を加え、給付支払額を減じた結果算定された予測年金資産（Ⅰ）との差額として計算する。イメージは下式及

び図表1-4のとおりである。

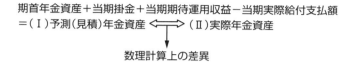

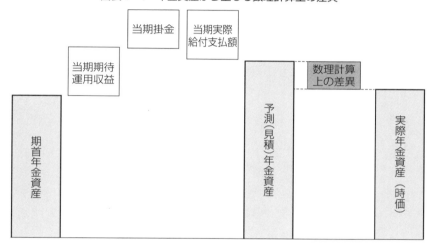

図表1-4　年金資産から生じる数理計算上の差異

　数理計算上の差異は、原則として各期の発生額について従業員の平均残存勤務期間以内の一定の年数（一時の費用化、平均残存勤務期間そのもので費用化も可能）にわたり按分した額を毎期費用処理する。退職給付費用となる「数理計算上の差異の当期費用化額」とは、当期に按分され費用化された金額をいう。
　次に、「過去勤務費用」とは、退職給付水準の改訂等に起因して発生した退職給付債務の増加又は減少部分をいう。退職金規程の改定等に伴い、給付水準が引上げられ将来受け取る退職金が増加すれば、退職時に見込まれる退職給付の総額が増加する。その結果、退職給付債務も増加する。イメージは下記のとおりである。

図表1-5 過去勤務費用

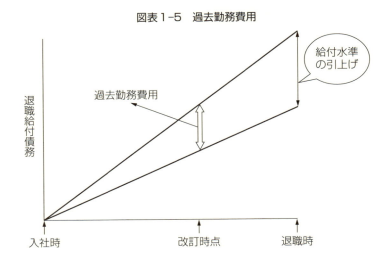

　過去勤務費用のうち当期純利益を構成する項目として費用処理されていないものを「未認識過去勤務費用」という。過去勤務費用は、原則として各期の発生額について従業員の平均残存勤務期間以内の一定の年数（一時の費用化も可能）にわたり按分した額を毎期費用処理する。退職給付費用となる「過去勤務費用の当期費用化額」とは、当期に按分され費用化された金額をいう。

3 数理計算〜退職給付債務・勤務費用の算定方法

数理計算の実務

I　期待値とは〜サイコロの論理

　既述のように、退職給付債務や勤務費用を算定するには、確率や統計の考え方、期待値の考え方を援用する。この計算を「年金数理計算」という。「年金数理計算」は専門的で複雑な計算だといわれるが、大枠の考え方を理解することは決して難しくない。

　年金数理計算の基本的な考え方は、「期待値」を算定することである。期待値とは、発生する事象から生じるキャッシュフローに当該事象に係る発生確率を乗じて求め、起こりうると期待される金額をさす。サイコロの例を用いて期待値の考え方を理解しよう。

　サイコロは目が1から6まで6つある。サイコロの目をキャッシュフローと考えよう。

　サイコロが歪な形でなく適切に作られていることを前提に、サイコロを振った際1の目、2の目、…6の目が出る確率は、それぞれ6分の1で正しいだろうか。答えは、「条件付で正しい」である。「条件」とは、サイコロを振る回数が相当程度多いという条件である。例えばサイコロを6回や12回、24回振っても1の目から6の目がそれぞれ1回、2回、4回ずつ出る確率は極めて低い。が、仮にサイコロを1000万回振ったらどうであろうか。

　この場合、1から6の目が出る確率はそれぞれ6分の1相当程度近づいていくという。サイコロを振る数が相当程度多ければそれぞれの目が出る確率（発生確率）は6分の1に収束していくという理屈である。これを「大数の法則」という。

　ここで大事なことは、母集団（サイコロを振る数）が相当程度大きければ、

発生確率を事前に合理的に予測できるということだ。退職給付会計でも、退職給付制度の参加者や従業員の数が相当程度多ければ、この「大数の法則」が成り立つとみなされ、退職という事象の発生確率を事前に予測できることになる。

Ⅱ 退職給付債務・勤務費用の計算ステップ

退職給付債務及び勤務費用は、次の(1)〜(3)のステップにより算定する。

(1) ステップ1：期待値（将来キャッシュフロー×発生確率）を求める

退職給付債務や勤務費用の算定に当たり、Ⅰで示した期待値の考え方を援用する。期待値とは【将来キャッシュフロー（サイコロの目）】×【発生確率（サイコロの目が出る確率）】で求められる。退職金が退職時点の給与水準によるとすれば、【将来退職するときの給付（将来キャッシュフロー）】を見積もるには、「やめた時点での給与はいくらか」（昇給率に基づく）を合理的に推定する必要がある。また、【発生確率（サイコロの目が出る確率）】を見積もるには、「いつ退職（死亡）するか」（退職（死亡）確率に基づく）を合理的に推定する必要がある。つまり、「退職時点の給与」を現在の給与分布に基づく昇給率（昇給指数）の見積もりとして推計し、「退職（死亡）時点」を発生確率としてとらえ、退職（死亡）確率の見積もりとして推計する。

(2) ステップ2：退職給付見込額のうち当期に帰属する額を把握する

退職給付会計では、退職給付は基本的に労働協約等に基づいて従業員が提供した労働の対価として支払われる賃金の後払いという考え方を採っている。このため、退職給付は、その発生が当期以前の事象に起因する将来の特定の費用的支出であり、当期の負担に属すべき退職給付の金額は、その支出の事実に基づくことなく、その支出の原因または効果の期間帰属に基づいて費用として認識する。この「支出の原因または効果の期間帰属」を行う方法が期間帰属方法であり、退職給付見込額のうち期末までに発生していると認められる額を把握

する。なお、期間帰属方法は、従来、勤務期間に応じて期間帰属を決定する「期間定額基準」(退職時の予想給付額を、期末までの勤務期間と退職時点までの全勤務期間との比率で期間帰属させる) が原則であった。このため、上述のステップを踏むが、基準において、期間帰属方法として「期間定額基準」とともに「給付算定式基準」も認められた。「給付算定式基準」では、退職給付制度の給付算定式（支給率カーブ）に従って各勤務期間に帰属させた給付に基づき見積もった額を、退職給付見込額の各期の発生額とする。同基準では各勤務期間に帰属させる「給付」に着目し、従業員が勤務を提供すれば、予想退職時期や退職事由とは関係なく給付算定式に基づく給付が発生すると考える。「給付算定式基準」を前提とすると、(1) 及び (2) のステップは、次のようになる。

　　ステップ1：給付算定式に基づいて期末までに割り当てられる給付を直接把握する
　　ステップ2：期末までに割り当てられた給付に予想退職時の退職確率や死亡確率を反映する

「給付算定式基準」を適用した場合の計算ステップは実質的に従来の考え方と変わりはなく、実務上の取扱いも大きな変更はないため、当章の説明では「期間定額基準」により期間帰属することを前提とする。期間帰属方法の考え方は4で詳述する。

(3) ステップ3：割引率を用いて割引計算を行う

　退職給付見込額は将来時点のキャッシュフローを基礎としているため、現時点の価値に引き戻す必要がある。現時点当期末までに発生していると認められる額に予想退職時点までの割引係数を乗じて計算する。割引係数は、$1/(1+割引率/100)^{予想退職時点までの年数}$ を用いる。割引計算された額を合計したものが退職給付債務である。

図表1-6 退職給付債務のイメージ図

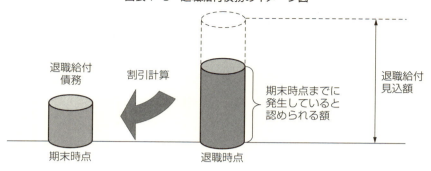

　退職給付見込額のうち当期に発生していると認められる額を現在価値に割り引いたものが当期の（期首時点の）勤務費用であり、退職給付見込額のうち期末までに発生していると認められる額を現在価値に割り引いたものが退職給付債務である。

　退職給付債務と勤務費用（及び利息費用）との関係を図表1-7に示した。

図表1-7　退職給付債務と勤務費用及び利息費用との関係

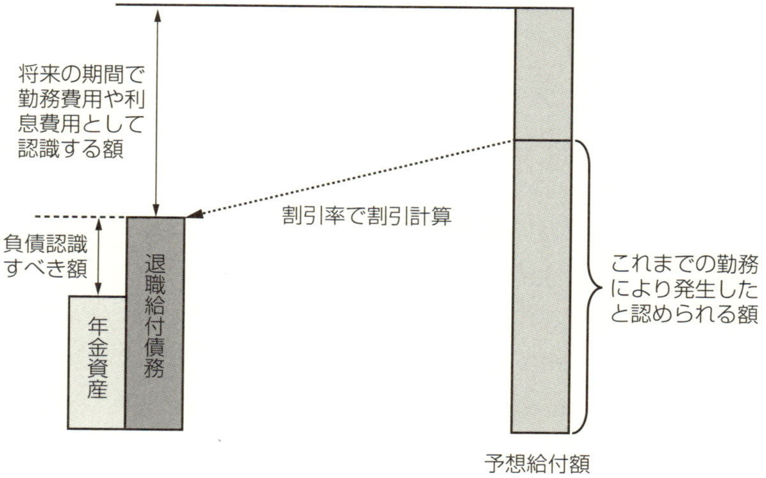

　以下、上記3つのステップについてさらに詳しくみていこう。

III 退職給付債務と勤務費用の算定

A 退職給付債務、勤務費用算定のステップにおける「期待値」の算定

退職給付債務、勤務費用を算定するに当たり、「期待値」の算定がその重要なステップを構成するが、「期待値」を求めるには、(1) 将来キャッシュフロー（退職金見積額）と (2) 発生確率（退職（死亡）確率）を算定することが必要になる。

ここでは、(1) 及び (2) で何をどのように計算するのかを具体的にみていこう。

(1) 将来キャッシュフロー（退職金見積額）

将来キャッシュフローたる退職金見積額を求めるには、「退職時点での給与はいくらか」を合理的に推定する必要がある。この推定に用いる計算の基礎が昇給率（昇給指数）である。退職金見積額は、退職時見積給与に退職金規程に定める支給倍率（死亡の場合も含む）を乗じ求める。退職時見積給与を求めるに当たり、将来の給与の上昇を織り込むため、昇給率（昇給指数）に基づいて予測する。具体的には、退職時見積給与は「現在給与×退職時年齢の昇給指数÷現在年齢の昇給指数」として予測する。

この予想退職時の給与に、生存退職支給倍率及び死亡退職支給倍率を乗じて生存退職金見積額及び死亡退職金見積額を算定する。実務的には「昇給率（昇給指数）」の定め方がポイントとなるが、年金数理の専門家たる年金数理人、アクチュアリーに計算委託する場合は、当該専門家がこれを見積もる。

では、実務において、年金数理人、アクチュアリー等は具体的にどのようにして昇給率やそれに基づく退職時の給与を求めるのか。図表 1-8-1 のイメージで年齢別指数の伸び率に基づき退職時給与を予測するが、これをもう少し具体的にみていくと、概ね次の方法で昇給率やそれに基づく退職時の給与を求めるのが一般的である（図表 1-8-2 参照）。

① 図表 1-8-2 のように、平面図上に年齢または勤続年数（x）を横軸に、

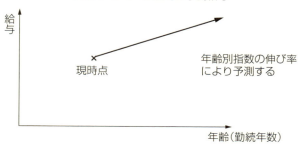

図表1-8-1　退職時の予測給与

給与（y）を縦軸にとる。
② 同図上に各年齢（勤続年数）ごとの現在給与をプロットする。

なお、算定に当たり、一定の若年齢で入社した（標準加入者）一定範囲のデータのみを使用する。例えば、高齢の中途採用者がいる場合、彼らの昇給額や昇給カーブは標準加入者のそれとは相違するのが一般的で、年齢別の凸凹が生じてくる。ここでは、右肩上がりの安定した昇給率線を前提としているため、こうした要因を除外して、標準加入者に係るデータのみを用いて昇給率を算定する。

③ ②でプロットした給与は、ばらつきが生じているため、これを補正して一定の昇給傾向をもった右肩上がりの補整給与を算定する。現在給与の補正には、一次式（直線）または二次式（曲線）による「最小二乗法」が用いられることが多い。

「最小二乗法」によれば、同図上にプロットした現在給与の各点からある一次直線 $y=Px+Q$ までの距離が最小となるような一次直線 $y=Px+Q$ を算定する（ただし、昇給カーブは一部または全部曲線を描く場合もある）。

④ 各従業員（制度加入者）の退職時給与は、y（補整給与）$=Px$（年齢、勤続年数）$+Q$ という直線上で表される昇給傾向に基づき昇給するものと仮定して計算する。

⑤ これにより、各年齢（勤続年数）ごとの昇給指数と現在給与から、各従

業員(制度加入者)の将来の給与を合理的に見積もることが可能となる。

各年齢ごとの昇給指数は、《各年齢の従業員の補整給与》／《標準的な加入年齢の従業員の補整給与》で算定する。

例えば、現在30歳のある従業員(現在給与300,000、30歳の昇給指数1.25)が、40歳(40歳の昇給指数1.5)になった時点での給与を見積もる場合には、

300,000(現在給与)×1.5(40歳の昇給指数)／1.25(30歳の昇給指数)＝360,000と算定することができる。

図表1-8-2に示したように、最小二乗法を用いて推計された直線の傾きを用いて、昇給の程度をある年齢を起点として指数化する。現時点の給与は、年齢を経るにしたがい、推計された直線の傾きで上昇すると考える。

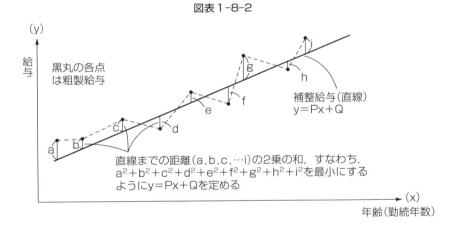

図表1-8-2

(2) 発生確率(退職(死亡)確率)

(1)で将来キャッシュフローたる退職金見積額を算定したら、当該退職金見積額が発生する確率を求める。発生確率を見積もるには、「いつ退職(死亡)するか」を合理的に推定する必要がある。つまり、「退職(死亡)時点」を発生確率としてとらえ、退職(死亡)確率の見積もりとして推計することにな

る。具体的には、(1) で求めた生存（死亡）退職金見積額に、退職（死亡）確率を乗じて「退職給付見込額」を算定する。実務的には「退職確率（死亡確率）」の定め方がポイントとなるが、年金数理の専門家たる年金数理人、アクチュアリーに計算委託する場合は、当該専門家がこれを見積もる。この際、年金財政計算上の予定脱退率と予定死亡率をもとに退職確率と死亡確率を作成することになる。将来の退職・死亡の発生を見込む計算基礎率である退職率及び予定死亡率は、年齢別に定められているが、この率は各年齢において1年間に退職・死亡が発生する確率を表しており、そのままでは使用できない。

なお、「退職確率」とは、退職者／当初人数を表しており、年金財政計算で用いる「退職率（退職者／期首人数）」を「退職確率」に置き換えて算定する。退職率と退職確率との関係を理解するための簡単な数値例を図表1-9に示した。

図表1-9　退職率と退職確率

年齢	A 期首人数	B 退職者数	C 退職率 B/A	残存人数	D 退職確率 B/当初人数
57	1,000人	50人	5%	950人	5%
58	950人	150人	15.8%	800人	15%
59	800人	200人	25%	600人	20%
60	600人	600人	100%	0人	60%

ここで、退職率の算定方法の一例を示すと、例えば次の手順で退職率を計算する。
① 過去3～5年間の退職者及び加入者に係る年齢別の人員異動表を作成する。
② 各年齢ごとの、過去3～5年間の「年初の在籍者の合計」と「退職者の合計」から各年齢ごとの粗製退職率（実績値に基づく）を算定する。
③ 5点移動平均法等を用いて、各年齢ごとの補整退職率を算定する。具体的には、ある年齢の粗製退職率とその前後2歳の粗製退職率の計5歳分

の粗製退職率の平均値により補整退職率を求める等の方法がある。なお、補整退職率を算定する際、スムージングのため、5点移動平均法を数度適用することも多い。
④ 生存退職率を算定する。算定した補整退職率には死亡退職者数が含まれているため、各年齢ごとの補整退職率から死亡退職率を控除して、各年齢ごとの生存退職率を算定する。

| B | 退職給付債務、勤務費用の算定方法（具体例） |

Ⅱ及びⅢAで示した算定方法に従い、具体的に数値をあてはめて考えよう。従業員が1000名在籍しているある会社が、退職一時金制度を有する場合を想定する。会社の定年60歳で、退職金の算定方法は会社を辞めたときの給与に比例する制度とする。つまり、退職給付は退職時給与×支給率という「給付算定式」に基づき算定する。

ここで、ある従業員Aさんをとりあげよう。ここではAさんの退職給付債務を算定するが、残りの従業員999人もAさんの算定方法と同じ方法で計算し、合計することになる。計算の便宜上、Aさんは次の条件下にあるとする。

(a) 20歳で入社後当期末で3年が経過して当期末現在23歳である。
(b) 定年は60歳で、Aさんは中途退職せず、定年（60歳）で退職するものとする。
(c) 誕生日は期末日で、期の中途でなく期末時に退職するものとする。

まず、ⅢA(1)で示した昇給率（昇給指数）を用いて「退職金見積額」を計算する。

60歳時点で退職する場合、まず、退職時（60歳時）の給与を推計する必要がある。60歳時点の給与がわかれば、その額に支給率（60歳時）を乗じて60歳時の退職金額が推計できる。ⅢA(1)でみたように、最小二乗法等を用いて推計された直線の傾きを用いて昇給の程度をある年齢を起点として指数化し、Aさんの現時点の給与もこの直線の傾きと同じ傾きで60歳まで上昇すると考える。

図表1-10では、Aさんが60歳で退職する場合の退職金額が400となって

いる。これは、上述の方法で昇給率(指数)を見込み、60歳時点での給与を推計した後、当該金額に退職金規程に基づく支給率を乗じたものである。

　次に、Aさんはいつ退職(死亡)するかを推定する。1年を単位に考えれば、現実には、24歳、25歳、26歳、……60歳の37通りの可能性が考えられる。これらの発生確率を推計し、37通りのキャッシュフロー(退職金見積額)にそれぞれの発生確率を乗じて「期待値」を算定する。37通りのいずれかの時点でAさんは退職(または死亡)するので、37通りの発生確率を足すと1(100％)になる。実務上は37通りの退職金を見積もり、それぞれにその発生確率を乗じる計算を行うが、一方、本件では、Aさんは中途退職せず定年(60歳)で退職する条件なので、60歳定年退職の発生確率は100％となる。Aさんが60歳で退職する場合の退職金見積額は400なので、これに発生確率100％を乗じて「期待値」は400となる。ここまでの計算が、Ⅱ(1)で述べた「ステップ1：期待値(将来キャッシュフロー×発生確率)を求める」に該当する。

　ここで、Aさんが当期末から37年後に獲得する400の退職金は40年間の勤務の対価としての給付であり、期末以後37年間の勤務の後に得るキャッシュフローである。各期の勤務により均等に給付を獲得する(期間定額基準による期間配分)と仮定すれば、当期末(勤続3年)までに発生した給付は、$400 \times 3/40 = 30$となる。残りの給付は今後37年間にわたって毎期10ずつ獲得する。これが、Ⅱ(2)で述べた「ステップ2：退職給付見込額のうち当期に帰属する額を把握する」に該当する。

　また、Aさんが当期末までに獲得した給付30は図表1-10上の(A)＋(B)＋(C)になるが、当該30の給付は、37年後に支払われる金額である。37年後に獲得する給付30を現在の価値におきかえるため、37年間での割引計算を行う。具体的には、$1/(1+割引率/100)^{37}$を乗じる。これが、Ⅱ(3)で述べた「ステップ3：割引率を用いて割引計算を行う」に該当する。

　以上の過程を経て算定される金額が退職給付債務で、図1-10のA″＋B′＋Cとなる。この例では、60歳で定年退職するケースだけをとりあげたが、実

第1部　退職給付会計の実務一巡／3　数理計算〜退職給付債務・勤務費用の算定方法

図表1-10

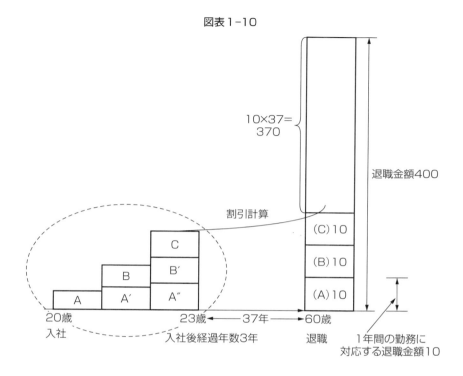

際は、24歳で退職するケースから60歳で退職するケースまでの37通りについてこれと同様の計算を行い期待値を計算する。そして、これを基礎として退職給付債務を算定する。

次に退職給付債務と勤務費用、利息費用との関係を確認しよう。図表1-11をみてほしい。同表は図表1-10の点線で囲んだ部分を拡大した図である。

退職給付債務は、当期末までに発生した給付を算定する。図表1-10で退職金見込額の400に、退職までの勤務期間40年に対する当期末までの勤務期間3年間の比率3/40を乗じて30を算定する。その結果、Aさんの勤続3年目となる当期末の退職給付債務はA″+B′+Cとなる。一方、勤務費用は当期に発生し獲得した給付で、これを現在価値に割り引いた金額である。図表1-10で退職金見込額の400に、退職までの勤務期間40年に対する当期の勤務

図表1-11　勤務費用、利息費用の算定

3年目の退職給付債務：A″＋B′＋C
3年目の勤務費用：C
3年目の利息費用：(A″－A′)＋(B′－B)

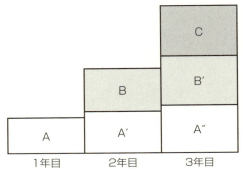

期間1年間の比率1/40を乗じて10を算定する。これが同表上（C）（＝10）でこれに $1/(1+割引率/100)^{37}$ を乗じて勤務費用を算定する。

　その結果、Aさんの勤続3年目に当たる当期の勤務費用はCとなる。同様に、図表1-11で、勤続1年目の勤務費用はA、勤続2年目の勤務費用はBである。同図表で、勤続1年目の勤務費用Aは、2年目にはA′に、また3年目にはA″と金額が増加する。同様に、勤続2年目の勤務費用Bは、3年目にはB′になり金額が増加する。このように時の経過に伴い、勤務の対価として獲得した給付である「勤務費用」及びその集積である「退職給付債務」が増加する金額部分を利息費用という。退職給付債務の計算では、将来に支給される給付を現在の価値にするため割引計算を行うが、1年経過すると割引期間が1年短くなるため、割引率分だけ勤務費用の集積たる退職給付債務に利息が付く。

　図表1-11では、Aさんの勤続3年目に当たる当期の利息費用は（A″－A′）＋（B′－B）となる。また、当期の退職給付費用（勤務費用＋利息費用）は、3年目の退職給付債務（A″＋B′＋C）－2年目の退職給付債務（A′＋B）として計算できる。

　なお、勤務費用は退職給付債務と同様、上述の数理計算を経て算定するが、

利息費用は期首の退職給付債務に割引率を乗じることで算定できる。
　これまで説明した退職給付債務は以下の計算式で表すことができる（ただしステップ3の期間帰属方法は期間定額基準とする）。同様に勤務費用も以下の計算式で表すことができる。

図表1-12　退職給付債務及び勤務費用の計算式（ステップ3が期間定額基準の場合）

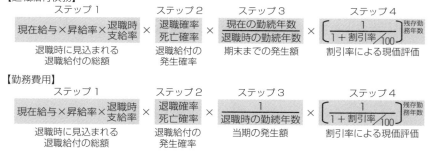

以下で、期間帰属方法及び割引率について、より詳しくみていこう。

4 数理計算～期間帰属方法（図表1-12 ステップ3）

　退職給付見込額のうち当期に帰属する額を把握し、退職給付見込額を期間帰属させるのが、3のⅡ(2)におけるステップ2（図表1-12ではステップ3）である。基準では、期間定額基準と給付算定式基準の選択適用をすることとしている。一旦採用した方法は、原則として継続して適用する。なお、基準ができる以前に適用していた2013年以前の旧基準（「旧基準」という）における支給倍率基準及びポイント基準は、一定の要件のもとで基準における給付算定式基準に近似する。

図表1-13　旧基準における4つの期間帰属方法

期間帰属方法	退職給付見込額のうち期末までに発生していると認められる額の割合	これまでの基準での取扱い
期間定額基準	退職時の勤務期間に対する期末における勤務期間の割合	原則的な方法
給与基準	退職時までの給与支給総額に対する期末までの給与支給総額の割合	全勤務期間の給与額を体系的に定めていて、退職給付の算定の基礎となる各期の給与額に各期の労働の対価が合理的に反映されていると認められる場合に使用可能
ポイント基準	退職時までに付与されたポイントの累計に対する期末までに付与されたポイントの累計の割合	ポイントの増加が各期の労働の対価を合理的に反映していると認められる場合に使用可能
支給倍率基準	退職時に適用される支給倍率に対する期末で退職した場合に適用される支給倍率の割合	支給倍率が勤務年数の増加に対してほぼ一定割合で増加している場合など支給倍率の増加が各期の労働の対価を合理的に反映していると認められる場合を除き使用不可

第1部　退職給付会計の実務一巡／4　数理計算〜期間帰属方法（図表1-12ステップ3）

> (1) 期間定額基準
>   退職給付見込額について全勤務期間で除した額を各期の発生額とする方法
> (2) 給付算定式基準
>   退職給付制度の給付算定式に従って各勤務期間に帰属させた給付に基づき見積もった額を、退職給付見込額の各期の発生額とする方法

なお、給付算定式基準による場合、勤務期間の後期における給付算定式に従った給付が、初期よりも著しく高い水準となるときには、当該期間の給付額が均等に生じるとみなして補正した給付算定式に従わなければならない。（以下、「後加重に伴う均等補正」）このため、実務上は、期間定額基準と給付算定式基準のどちらを選ぶか、また、「著しく高い」の判断をどう行うか、均等補正の対象期間をどう考えるかがポイントになる。

I　期間定額基準

　退職給付見込額を全勤務期間で除した額を各期の発生額とする方法である。旧基準では原則的な方法とされており、わが国の多くの企業グループが採用してきた。

　例えば、勤続30年で退職した場合に1,500万円の退職金が支給されるケースでは、入社から退職までの30年間にわたり退職金の30分の1である50万円が各期に均等発生するとみなす期間帰属方法である。

　退職給付見込額のうち認識時点までに発生したと認められる額は、退職時までの勤務期間に対する認識時点までの勤務期間の割合を退職給付見込額に乗じて算出する。

　つまり、退職時の予想給付額を、「期末までの勤務期間」と「退職時点までの全勤務期間」との比率で期間帰属させるため、帰属させるべき額が直線的に増加するイメージになる。図表1-14に期間定額基準による期間帰属のイメージを示した。

　期間定額基準の特長は、その適用の明確さである。わが国のこれまでの基準

において期間定額基準が原則的な方法とされた主な理由は次のとおりである。
- (a) 労働の対価として退職給付の発生額を見積もる観点からは、勤務期間を基準とする方法が合理的で簡便な方法であること。
- (b) わが国では旧基準設定時（2000年設定）以前では、長期勤続者を相対的に優遇するように設定され労働の対価性よりも報償的側面等を反映した支給倍率を有する制度が比較的多かったこと。

しかし、旧基準適用後、さらには基準適用後は長期勤続者を相対的に優遇する制度が減少してきており、また、将来給付の一部を確定拠出年金や退職金前払い制度に移行した後の退職給付制度のように、過去勤務分の給付と将来勤務分の給付が均質でない制度など、全勤務期間に均等に給付を帰属させる期間定額基準を採用することが適当でないケースが生じている。

図表1-14　期間定額基準による期間帰属

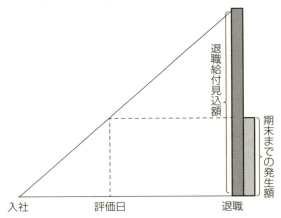

期間定額基準を適用し期間帰属させた場合、退職給付債務は次のように計算する。

図表1-15 期間定額基準の4つのステップ

ステップ1：昇給率を用いて予想退職時の退職給付額を予測する

▼

ステップ2：退職確率や死亡確率を用いて退職給付見込額を計算する

▼

ステップ3：適切な期間配分方法を適用し期末までに発生していると認められる額を算定する

▼

ステップ4：割引率を用いて割引計算を行う

II　給付算定式基準

　給付算定式基準とは、まず、「退職給付制度の給付算定式に従って各勤務期間に帰属させた給付」があり、当該給付に基づき退職給付見込額の各期における発生額を見積もる。また、給付が著しく後加重であるかどうかの判断も、この「退職給付制度の給付算定式に従って各勤務期間に帰属させた給付」について行う。

　給付算定式基準のポイントは、各勤務期間に帰属させる「給付」に焦点をあてている点である。従業員が勤務を提供すれば、予想退職時期や退職事由とは無関係に給付算定式に基づいた給付が発生する。このため、給付算定式基準における退職給付債務の計算手順は、まず給付算定式に従って勤務の各期に帰属させた給付を捉え、その給付に予想退職時期に応じた退職確率や死亡確率、さらには退職事由に応じて支給係数を定めている場合はその支給係数等を反映し、それを現在価値に割引計算して集計する。

　給付算定式基準を適用すると、このように次のようなステップとなる。

図表1-16　給付算定式基準の3つのステップ

ステップ1：給付算定式に基づいて期末までに割り当てられる給付を直接把握する

▼

ステップ2：期末までに割り当てられた給付に予想退職時の退職確率や死亡確率等を反映させる

▼

ステップ3：割引率を用いて割引計算を行う

　期間定額基準のように、退職給付見込額をまず算定したうえでそれを各期に割り当てるのではなく、「ステップ1：制度の給付算定式に基づいて各期に帰属させた給付」に基づいて計算（退職確率や死亡確率等を反映）した額を、「退職給付見込額のうち期末までに発生したと認められる額」とする。期間定額基準における「ステップ3」について、「ステップ1」を踏むことなく直接計算するイメージである。

　つまり、予想退職時の給付額に対する「退職給付制度の給付算定式に従って各勤務期間に帰属させた給付」の割合を退職給付見込額に乗ずることで、退職給付見込額のうち各勤務期間に発生したと認められる額を計算する方法といえる。

　このように考えれば、基準における給付算定式基準を適用した場合の計算ステップは、実質的には旧基準の考え方と変わりはない。

　次に、「退職給付制度の給付算定式に従って各勤務期間に帰属させた給付」がどのような給付であるかを考えてみよう。退職給付制度においては、給付算定式が各勤務期間に割り当てる給付を明確には示していない場合がある。こうした制度では、支給倍率等による給付の増加額が各勤務期間に帰属させた給付と考えることができる。給付算定式基準は給付カーブに従って期間帰属させる方法ということができ、ポイント基準や支給倍率基準が含まれると考えられる（図表1-17参照）。

図表1-17 給付算定式基準による期間帰属（支給倍率基準）

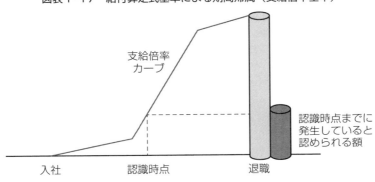

　給付算定式基準の場合、勤務期間の後期における給付算定式に従った給付が、初期よりも著しく高い水準となるときには、当該期間の給付額が均等に生じるとみなして補正した給付算定式に従わなければならない。しかし、均等補正を要する後加重がどの程度であるかについて、判断の基準や目安は一切示されていない。

　給付算定式に従って期間帰属を行っている欧米においては、直線的な給付カーブが一般的で、均等補正を行うかどうかの判断で迷うような局面はあまりないようだが、わが国では長期勤続者を相対的に優遇するような後加重の退職給付制度が少なくなく、判断基準が存在しないことによって、実務では判断に迷う可能性がある。

　そこで、まったくの私見とはなるが、立場の異なる2つの考え方を示しておく（第2部2のV参照）。

　判断の幅を広く捉えれば、次の2通りの考え方がありえると思われる。

> Ⅰ 均等補正する局面を限定的に捉える考え方
>   具体的には、「受給権確定を実質的に遅らせているもの」に限定して均等補正の対象とする「著しい増加」を捉える立場
> Ⅱ 後加重を広く捉えて定額補正を行う考え方
>   具体的には、「下に凸のグラフを有する(各期への給付の帰属額が単調増加している)もの」であっても均等補正の対象となるとする立場

図表1-18 給付算定式基準による期間帰属（均等補正を行う場合）

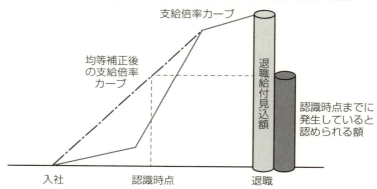

　Ⅰは、給付の過大な部分を勤務の後期に配分し、給付の受給権確定を実質的に遅らせている給付算定式に限定して均等補正の対象とする考え方である。

　ポイント制であればポイントが、最終の給与に比例する制度であれば支給倍率が、それぞれ断続的に、あるいは不連続に増加するケースなど「受給権確定を実質的に遅らせているもの」と判断できるケースを除いて定額補正を行わない。つまり、後加重で極端なジャンプ給付や不連続給付等を対象に定額補正を行う。

　Ⅱは、後加重の要素があればできるだけ定額補正を行うことを原則とし、退職給付債務の計算結果に重要性がない場合には均等補正しなくてもよいと考える立場である。給付の算定方法としてポイント制を採っている場合で、勤続（年齢）が増加するにつれてポイントが減らないケースは、給付カーブは「下に凸」となる（図表1-19参照）。また、給付が最終給与に比例する制度で、

勤務の後期における従業員の給付が、勤務の初期のそれより高い水準となるケースは、同様に給付カーブは「下に凸」となる。Ⅱの考え方では、「下に凸のカーブとなる給付」、あるいは「各期への給付の帰属額が単調増加しているもの」は原則として「著しく高い」の範疇に含めて均等補正を行うことになる。

図表 1-19 ポイント制で下に凸な給付カーブのイメージ

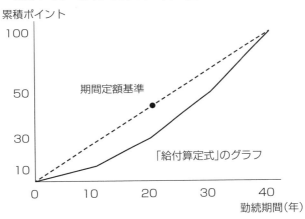

5 数理計算~割引計算(図表1-12 ステップ4)

数理計算の実務

I 割引率とは

　退職給付の支払は将来発生する事象のため、債務や費用を評価するに当たっては、割引計算が欠かせない。その割引計算に用いる率が割引率である。つまり、割引率とは、「将来発生する給付予想額を発生時点から現在までの期間において、現在価値を測定するために設定する利率」である。「割引計算する」とは、具体的には、$1/(1+割引率/100)^{残存勤務期間}$を乗じて債務や費用を算定することである。割引率が高くなれば退職給付債務や勤務費用の水準は低くなり、割引率が低下すれば退職給付債務や勤務費用の水準は高くなる。つまり、割引率の水準と、退職給付債務や勤務費用の金額とはトレードオフ(反比例)の関係にある。

　また、割引率の水準は、退職給付債務や退職給付引当金(負債)の金額に大

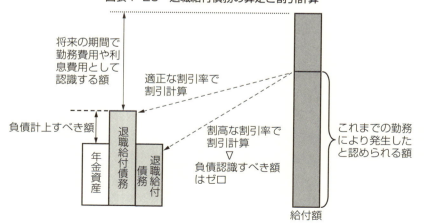

図表1-20　退職給付債務の算定と割引計算

きな影響を及ぼすことから、適正な水準に設定する必要がある。

なお、累乗した数値を分母として割引計算することから、勤務期間の増加すなわち残存勤務期間の減少に伴い、退職給付債務や勤務費用は逓増していくことに注意を要する。

つまり、残存勤務期間の短い、ベテランの従業員の退職給付債務や勤務費用は、残存勤務期間の長い、勤続まもない従業員の退職給付債務や勤務費用に比べて、逓増していく費用が集積するため、その残存勤務期間の差以上に大きな金額となる傾向がある。

Ⅱ　割引率の水準

具体的に、割引率の水準はどのようにして決めるのか、その考え方を整理しておく。

(1) 参照する債券の利回り

退職金は確実に給付を行う必要があるため、割引計算に当たり純粋な時間価値以外のリスクファクターを考慮することは合理的ではないとの考え方がある。この考え方は、資産だけでなく負債も一種の「公正価値（フェアバリュー）」によって評価する考え方に近い。退職給付に関する会計基準第20項では、『退職給付債務の計算における割引率は、安全性の高い債券の利回りを基礎として決定する』と定めており、同基準（注6）には、『割引率の基礎とする安全性の高い債券の利回りとは、期末における国債、政府機関債及び優良社債の利回りをいう』と規定されている。そして、退職給付会計に関する会計基準の適用指針第24項によれば、「安全性の高い債券」には、期末における国債、政府機関債のほかに、たとえば複数の格付機関よりダブルA格相当以上を得ている社債等が含まれるとしている。

このように、基準等では、安全性の高い債券の利回りを基礎としているため、実務上も、債務が給付額として実現するまでの期間に見合った「信用リス

クを考慮しないリスクフリー債券（具体的には国債）」かまたは「信用リスクが極めて低い債券」の利回りを参照することになる。ここで、退職給付債務の測定と年金資産の収益とは無関係なため、年金資産の期待運用収益率は割引率の設定には影響を及ぼさないことに注意を要する。

（2）どの期間の債券の利回りを参考とするのか

　割引計算は、原則として退職給付の支払時点から期末日までの平均期間、すなわち「給付の平均発生期間」を対象として行い、退職給付の見込支払日までの平均期間が原則となる。ここで、「退職給付の見込支払日までの平均期間」とは、企業年金制度がある場合には平均年金支給期間を加味することとしている。したがって、給付の平均発生期間が約20年の場合には、20年物国債の利回り等を参考に割引率を決定する。

　ただし、旧基準では、「実務上は従業員の平均残存勤務期間に近似した年数とすることも可能である」とされていたことから、実務上は、従業員の平均残存勤務期間に対応する市場金利に基づいて割引率を定めていた場合が多く、退職金制度だけでなく企業年金制度でも、計算受託機関から報告される従業員の平均残存勤務期間により割引率を決定していた企業が少なくなかったようだ。

　従業員の平均残存勤務期間は各従業員の退職までの残存期間を単純平均したものであるが、退職給付の支払見込までの平均期間については、それが単純平均なのか何らかの加重による平均なのかは明確になっていなかった。次項で改

（※1）平均残存勤務期間

　在籍する従業員が期末日から退職するまでの平均勤務期間。算定に当たっては、退職率や死亡率を加味した年金数理計算上の脱退残存表（予定脱退率を用いて年金制度の加入者の推移及び脱退者の発生状況を表にまとめたもの）を用いる。具体的には、脱退率表をもとに各年齢における残存勤務期間を求め、年齢別加入員数で加重平均して算出する。実務上は、標準的な退職年齢（定年年齢、退職給付算定上の終了年齢及び退職者の平均年齢等）から期末日現在の平均年齢を控除して算定する簡便的な方法も認められる。平均残存勤務期間は、原則として毎期末に算定するが、従業員の退職状況等に大きな変動がない場合には、直近時点で算定した平均残存勤務期間を用いることもできる。

訂前後において、割引率の利回りを参照する期間につき、どのような差異があるか確認しておこう。

(3) 基準における「割引期間」

旧基準では割引率の利回りを参照する期間について、割引率の基礎となる期間につき、退職給付の見込支払日までの平均期間を原則とするが、実務上は従業員の平均残存勤務期間に近似した年数とすることもできるとしていた。一方、基準では次の方法によるとしている。

> ■退職給付支払ごとの支払見込期間を反映するものでなければならない。
> ■「退職給付の支払見込期間及び支払見込期間ごとの金額を反映した単一の加重平均割引率を使用する方法」や、「退職給付の支払見込期間ごとに設定された複数の割引率を使用する方法」が含まれる。

退職給付債務の計算に使用する割引率の決定に当たっては、報告期間の末日時点の国債または優良社債のスポットレート（割引債の利回り）を参照し、かつ、給付支払の見積時期を反映させる必要がある。単一の割引率の設定する場合、旧基準では、通常、給付ごとの支払の見積時期や給付金額を考慮していなかった。そこで、時期や金額が異なる給付で構成される退職給付債務をより適切に割り引くものとし、かつ国際的な会計基準との整合性を図るため、退職給付の支払見込日を反映した割引率を使用するように基準では改訂されている。

そこで、「退職給付の支払見込期間ごとに設定された複数の割引率を使用する方法」（以下、「複数の割引率を使う方法」）と「退職給付の支払見込期間及び支払見込期間ごとの金額を反映した単一の加重平均割引率を使用する方法」（以下、「単一の加重平均割引率を使う方法」）のどちらを選択し、具体的にどのような方法で計算するかが問題となる。重要なのは、当該2つの方法に優劣や原則・例外の区別はないということである。

なお、割引率を決定する際に参照する債券の種類については、IFRS（国際会計基準）が優良社債を原則としているのに対し、わが国の基準は、国債、政府機関債及び優良社債であり、現行の基準でもそれ以前までの規定を継続している。

6 数理計算〜企業年金制度における退職給付債務の算定

数理計算の実務

I 退職一時金制度の企業年金制度への移行

わが国の企業年金制度は退職一時金制度からの移行として制度設計されるケースが多い。この場合、退職一時金給付額を年金原資として給付利率(及び年金換算率)に基づき年金給付額を設定している。以下、移行のパターンごとにみていこう。

(1) 確定年金への移行

確定年金は年金受給者の生死にかかわらず支給する年金である。このため、一時金給付を確定年金に移行することは、一時金給付額を給付利率で利息を付けて年金支給期間にわたり分割支給することに等しい。(※2)

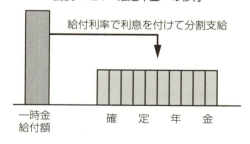

図表 1-21 確定年金への移行

(※2) 給付利率

企業年金制度において年金給付額の算定に用いられる利率で、通常、退職一時金を年金として分割支給するに当たって付与される利率をさす。従来の適格退職年金制度では、予定利率と同じ水準で設定するケースが多くみられた。

確定年金では、一時金給付額と年金給付を給付利率で割引計算した額が一致するように年金額を決定する。企業年金制度では、退職者の希望により年金に代えて一時金で支給する選択一時金制度が設けられており、選択一時金は当初の一時金給付額と同額になるように定められている。

ここで、設定した割引率が給付利率より低いと、その分だけ、年金給付を割引計算した額はもともとの一時金給付額より大きく評価される。この結果、図表1-22に示すとおり、企業年金制度の退職給付債務は退職一時金制度の退職給付債務より大きくなる。

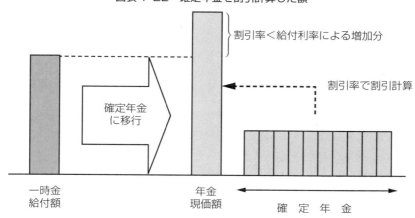

図表1-22　確定年金を割引計算した額

なお、年金による受取りを選択せず、一時金で受領することも可能である。年金に代えて一時金での受取りを希望する者の生存退職給付額は選択一時金額であり、年金での受取りを希望する者の生存退職給付額は年金給付を退職時まで割引計算した額である。年金に代えて一時金での受取りを希望する者の割合が予定一時金選択割合になる。選択一時金の額は、年金額に規程に定められた選択一時金乗率を乗じて算出する。

選択一時金乗率は、選択一時金額が年金給付を給付利率で割引計算した額となるように定められている。図表1-23の定年時生存退職給付額と比較すると、

割引率が給付利率より低いことから選択一時金額が年金給付を割引計算した額より小さくなるので、選択一時金を希望する確率を見込む分だけ小さく評価される。

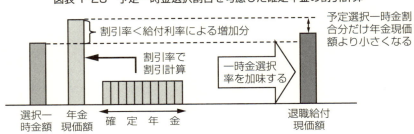

図表 1-23　予定一時金選択割合を考慮した確定年金の割引計算

（2）保証期間付終身年金への移行

　保証期間の年金給付は年金受給者の生死にかかわらず支給するのに対し、保証期間経過後の年金給付は受給者が生存していない限り支給されない。一時金給付を退職時支給開始の保証期間付終身年金に移行する場合は、選択一時金額が当初の一時金給付額と同額となるようにするため、一時金給付額と保証期間の年金給付を給付利率で割引計算した額が一致するように年金額を決定する。

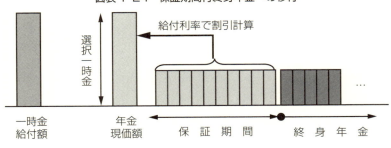

図表 1-24　保証期間付終身年金への移行

　年金給付を割引計算した額を確定年金に移行した場合と比較すると、保証期間経過後部分だけ保証期間付終身年金の方が大きくなる。退職一時金を保証期

間付終身年金に移行した場合は、退職一時金を原資として年金化されるのは保証期間部分の年金給付のみで、保証期間経過後の年金給付が企業にとってコストの持ち出しとなっている。

過去、厚生年金基金制度の加算部分等は、10年（15年）程度の保証期間を設け、その後終身年金として設定することが一般的だった。この場合、保証期間については、割引率よりも給付利率が高く設定されていることから退職給付債務が増大する。これは、図表1-22の確定年金のケースと同じだが、これに加えて、終身年金の部分がすべて事業主の追加負担となる。なお、終身部分については、生存している場合に限って支給される給付であるため、生存確率を加味して割引計算する必要がある。生存確率は、予定死亡率に基づいて各年齢ごとに算定する。(※3)

> (※3) 生存確率
> ある年齢に達した人がその後の期間に生存する確率。各年齢ごとに死亡確率を控除することにより算定する。終身年金は生死の状況が給付に関係するため、生存確率を考慮して給付額や債務額を見積もる必要がある。

また、年金支給が開始されるまでの一定期間、給付が据え置かれる場合があるが、この据置期間中も一定の利率（据置利率）が付利されることが一般的である。

図表1-25　保証期間付終身年金を割引計算した額

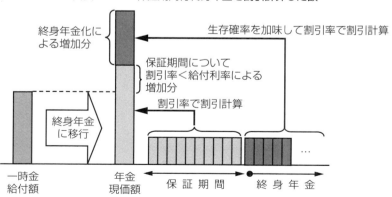

(3) 厚生年金基金制度（基本部分）の退職給付債務の計算方法

　厚生年金基金制度の基本部分では、死亡退職時の給付はなく、生存退職した場合に生存していることを条件に原則60歳から年金給付が支給される（ただし支給開始年齢は引き上げられる可能性がある）。退職時における<u>年金現価率</u>は、年金年額を1として60歳以降支給される年金給付を生存確率を考慮して退職時まで割引計算したものである。年金額に退職時における年金現価率を乗じたものを生存退職給付額とすれば、あとは通常の計算と同じである。

> （※4）年金現価率
> 　一定期間後に支払う（受け取る）金銭の現在時点における価額を現価といい、年金の各支払額の現価の総和を年金現価という。年金現価率とは金額1単位当たりの年金の現在価値をいう。
> 　すなわち、年金現価額は年金額に年金現価率を乗じた金額となる。

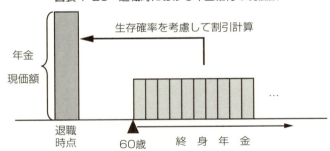

図表 1-26　退職時における年金給付の現価額

Ⅱ　一時金選択率の設定と実務上の留意点

　企業年金制度では、退職者の希望により年金に代えて一時金を支給することができる規定を設けるのが通常である。一時金選択率は、年金に代えて一時金を選択する割合（率）の見込である。年金に代えて一時金での受取りを希望する者の生存退職給付額は選択一時金額であり、年金での受取りを希望する者の生存退職給付額は年金給付を退職時まで割引計算した額である。

確定年金の場合、選択一時金の額は年金給付を給付利率で割引計算した額であり、給付利率と割引率が同じなら、年金給付を割引率で割引計算した額と選択一時金額は一致する。このケースでは一時金選択率は退職給付債務の計算に何の影響も与えない。給付利率が割引率より高い場合には、年金給付を割引率で割引計算した額が選択一時金額より大きくなるので、一時金選択率が小さい退職給付債務は大きく評価される。

　保証期間付終身年金の場合、選択一時金の額は保証期間の年金給付を給付利率で割引計算した額であり、給付利率と割引率が同じでも、年金給付を割引率で割引計算した額は保証期間経過後の年金給付の分だけ選択一時金より大きくなる。このケースでは予定一時金選択率が退職給付債務に与える影響は極めて大きくなる。

　保証期間付終身年金の場合、一時金選択率の変動が退職給付債務に与える影響は極めて大きい。これは、年金給付を割引計算した額が選択一時金額を大きく上回っているからである。また、保証期間が短いほど、保証期間経過後の給付が大きくなるので退職給付債務の変動が大きくなる。

　以上から、終身年金の場合や給付利率と割引率に大きな差がある場合には、予定一時金選択率は退職給付債務に大きな影響を与える重要な基礎率であることがわかる。

　一時金選択率は、過去の実績に基づいて設定し、毎年見直すことが望ましい。しかし、従業員規模がさほど大きくない場合や従業員の年齢構成が若い場合には、年金受給資格を満たして退職する者の数が多くないために毎年の実績の率が安定しない場合がある。この場合、過去の実績のトレンドと数年間の平均値等を参考にして設定する。

7 年金資産と期待運用収益の設定

会計処理

I　年金資産の範囲

　年金資産とは、特定の退職給付制度のために、当該制度につき事業主と制度加入者との契約に基づき積み立てられる資産をいい、もっぱら退職給付制度の受給者等に対する給付の支払に充てるものである。具体的には、厚生年金基金、確定給付企業年金法に基づく企業年金など制度的に担保された企業年金制度において保有する資産が該当する。

　年金資産として「適格な資産」とは、以下のすべての要件を充足する特定の資産であり、退職給付の支払に充当できるものでなければならない。

- ■退職給付以外に使用はできないこと
- ■事業主及び事業主の債権者から法的に分離されていること
- ■積立超過分を除き、事業主へ返還、事業主からの解約や目的外の払い出し等が禁止されていること
- ■資産を事業主の資産と交換できないこと

　退職給付制度につき、年金制度であれば外部に積み立てた年金資産の額は積立済みとみなされる。退職給付債務から年金資産を控除した額を「積立状況」とよび、未積立の退職給付債務となる。

II　年金資産の評価

　年金資産は、期末日現在の公正な評価額（時価）により評価して、期末の年金資産残高を確定する。「公正な評価額」とは、「資産取引に関して十分な知識と情報を有する売り手と買い手が自発的に相対取引するときの価格によって資

産を評価した額」(退職給付適用指針第20項)を指し、有効な市場が存在する場合、期末における時価評価額が該当する。

年金資産が増減するのは主として次の要因による。

> (a) 事業主が年金制度に対して掛金を拠出することによる増加
> (b) 制度加入退職者、年金受給者等に対して年金(及び一時金)を給付することによる減少
> (c) 資産運用の成果として株式の配当や利息の受領、運用対象資産の売却に伴う増減
> (d) 運用銘柄の期末時点での評価損益による増減

期末の決算数値に反映する退職給付に係る負債(退職給付引当金)を算定するのに必要な期末見積年金資産残高は、期首の年金資産に期待運用収益及び掛金を加算し、給付支払額を減算することにより算定できるため、期末時点までに把握できる。

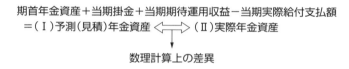

期首年金資産+当期掛金+当期期待運用収益−当期実際給付支払額
=(Ⅰ)予測(見積)年金資産 ⟷ (Ⅱ)実際年金資産
数理計算上の差異

年金資産は、通常、信託銀行や生命保険会社等の運用受託機関が運用管理しており、期末日現在の年金資産の時価評価額を算定する際には、これらの各受託機関に対して期末残高を把握する手続きが必要となる。

期末近傍に行う掛金受領や給付支払に伴い各受託機関の間で資金の授受が行われ、実務上は、掛金や給付の未収、預かり、未配布資金等が生じる。(※5)

> (※5) 未配布資金
> 年金資産の運用委託先は信託銀行や生命保険会社(投資顧問)が考えられるが、すべての運用受託機関を統括する総幹事受託機関と他の受託機関との間(または受託機関間)で、計算基準日時点において未だ授受が行われていない資金をいう。

Ⅲ　退職給付制度間の年金資産の充当と前払年金費用

　年金資産が退職給付債務に数理計算上の差異や過去勤務費用を加減した額を超える場合には、当該超過額を退職給付債務から控除できず、退職給付に係る資産（前払年金費用）として処理する。これは固定資産に属する勘定科目である。

　一方、複数の退職給付制度を採用している場合で、一つの制度では退職給付に係る資産（前払年金費用）を計上し、他の制度では退職給付に係る負債（退職給付引当金）を計上している場合、当該退職給付に係る負債（退職給付引当金）に前払となっている年金資産を充当し、貸借対照表上でこれらを純額処理することはできない。

　つまり、退職給付に係る負債（退職給付引当金）の計算は退職給付制度ごとに行い、一方の退職給付制度における年金資産の超過額を他の退職給付制度の退職給付債務から控除することはできない。これは、退職金の支払に年金資産を流用することはできないからである。この場合、貸借対照表上、退職給付に係る資産（前払年金費用）と退職給付に係る負債（退職給付引当金）は相殺することなく、資産と負債にそれぞれ計上する。

Ⅳ　退職給付信託

（1）退職給付信託の仕組みと効果

　退職給付信託とは、金銭や有価証券等企業の有する資産を信託の形で拠出し、信託財産をもって退職給付の支払や年金制度の掛金拠出に充てるものである。当該信託資産から生じる配当金や信託資産の売却代金は、退職給付の支払や年金制度の掛金拠出以外には充てることができない。退職給付信託は、信託設定にあたって有価証券を拠出し、信託銀行等にその管理や処分を委託する契約で、有価証券管理（及び処分）信託の一種である。

　退職給付信託が年金資産として認められるためには一定の条件が必要である

図表 1-27

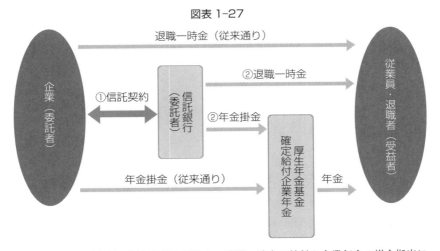

1．企業は、信託銀行と信託契約を締結し、退職一時金の給付や企業年金の掛金拠出にあてるために、保有する有価証券等を信託銀行に信託する。
2．信託銀行は、退職給付信託から、企業の退職者に対して退職一時金の全部または一部を給付したり、あるいは適格退職年金や厚生年金基金の企業年金の掛金の全部または一部を支払う。
　なお、企業が退職者に支払う退職一時金や、企業年金に払い込む掛金に、この退職給付信託の信託財産をあてる場合には、退職給付信託で全部を支払うものでなければ、従来通り、企業から直接退職者に退職一時金を給付し、あるいは企業年金に掛金として払い込むことができる。

(出典：一般社団法人信託協会ウェブサイト)

が、これを満たせば、退職給付信託の設定によって、例えば以下のような効果が期待される。

① 会計上の積立不足の解消：退職給付信託に拠出した資産は設定時の時価で評価されるので、同額だけ積立不足を解消することが可能。
② 従業員の退職給付の確保：事業主は信託資産を自由に解約・処分することができないほか、信託資産は事業主から法的にも隔離されているため、事業主が倒産した場合であっても、従業員の退職給付を確保することが可能。
③ 資産の効率化：持合株式等を退職給付信託に拠出することにより、事業主のバランスシートから切り離し、資産の効率的な運用を図ることが可能。

(2) 退職給付信託が年金資産として認められる要件

　退職給付信託を年金資産として認めるには、一定の要件を充足する必要がある。契約自由の原則のもと事業主と信託銀行等で締結される信託契約は、多様な契約内容が想定されるが、年金資産として認められるか否かは、契約の実質を重視して判断する必要がある。

　退職給付信託が年金資産に該当するためには次の要件をすべてを満たす必要がある。

(a) 当該信託が退職給付に充てられるものであることが退職金規程等により確認できること
　⇒企業年金だけではなく、退職一時金に対しても信託設定が可能
(b) 当該信託は信託財産を退職給付に充てることに限定した他益信託であること（※6）
　⇒事業主が受益者となることは不可
(c) 当該信託は委託者から法的に分離されており、信託財産の委託者への返還及び受益者に対する詐害行為が禁止されているものであること
　⇒事業主の倒産があっても年金資産は給付のために確保
(d) 信託財産の管理・運用・処分については、受託者が信託契約に基づいて行うこと
　⇒原則として事業主による資産の入れ替えは不可

> （※6）他益信託
> 　信託利益の帰属を基準として信託契約を区分すると、委託者が受益者となり委託者が自らの利益のために信託設定し信託利益の全部を享受する「自益信託」と、委託者と受益者が異なり委託者が自己以外の第三者に信託利益を享受させることを目的とする「他益信託」に区分できる。
> 　信託資産を退職給付に充てることに限定した他益信託であることを要請しており、配当等の収益が事業主に留保される自益信託は認められない。自益信託では、信託資産やそこから得られる果実は委託者の資産や損益に反映されるため、一度退職給付信託に入金された配当金等の現金を事業主に還元することとなり、退職給付に充てる目的に限定するという要件を満たさない。

(3) 信託資産の入れ替えと積立超過の取扱い

　信託資産は退職給付に充てる目的で設定するものであり、信託した資産を事業主の意思によって自由に事業主の資産等と交換することはできない。

信託資産の買戻しが行われると、会計上は、当該資産の信託設定時における損益は実現しなかったこととなる。現金と入れ替えることは資産の買戻しと同様であり、信託資産が事業主に戻ることとなるため、原則として認められない。会計上、信託資産の拠出時に退職給付信託設定損益が認識されるため、年金資産の交換を無条件に認めると信託契約の設定により有価証券の含み損益を恣意的に計上することができるため、信託資産の入れ替えは原則として認められない。

　また、退職給付信託の設定時に信託資産及び年金資産の合計額が対応する退職給付債務を超過する場合、退職給付信託の設定は認められず、当該信託資産はその全額が年金資産として認められない。したがって、信託設定時に積立超過となった場合には超過部分を直ちに事業主に返還する必要がある。ただし、見積もりの相違や評価時点の相違等による超過で金額的に軽微なものは、超過部分を事業主に返還する必要はない。

　また、信託設定後に積立超過となった場合には、直ちには超過額の取り崩しは強制されないが、積立超過の状況が継続することが見込まれるケースでは、信託設定の趣旨も考慮し、早期に取り崩すことが望ましい。

V　長期期待運用収益率

　退職給付債務と年金資産とは（年金資産が適格な資産である限り）相殺して貸借対照表に負債（「退職給付に係る負債」や「退職給付引当金」）として計上する。

　期待運用収益率は、退職給付費用を算定する際の要素である期待運用収益を見積もるために必要となる。年金資産の期待運用収益を控除して退職給付費用を算定することから、期待運用収益率の水準は退職給付費用に大きな影響を及ぼすため適正に見積もる必要がある。資産の運用実績が低迷すれば、期待運用収益として当該下落部分を考慮していない限り、時価下落分が「数理計算上の差異」として把握される。

期待運用収益率は、保有している年金資産のポートフォリオ、過去の運用実績、将来の運用方針及び市場の動向等を考慮して算定する。

　期待運用収益の対象となるのは、「短期」の収益か、「中長期」の収益かが問題となるが、基準では、退職給付の支払に充てられるまでの時期にわたる期待に基づくことを明らかにしている。年金資産が退職給付の支払に充てられるまでの期間（長期）に対応した運用利回りを求めることになる。

　年金資産には市場連動型ではない株式や、ハイリスクハイリターン型の株式などの「リスク資産」が多く含まれている場合がある。また、市場連動型の銘柄も景気状況や経済環境を反映して短期的には変動を繰り返すことがある。このように、単年度でみればパフォーマンスには相当変動があり短期的には大きなブレが生じるが、中長期的には長期期待運用収益率に収斂するものと考えられる。実務上は、単年度の運用収益率を見積もるのが難しいため、長期的な運用収益率を想定して期待運用収益率を設定していたケースもあるようだ。

　現行基準下では長期の期待運用収益率の設定方法が明確化されているため、年金財政計算上の「予定利率」と会計上の長期期待運用収益率とは、設定に当たっての考え方自体は近くなっているといえる。(※7)

> (※7) 予定利率
> 　年金数理計算で用いられる計算基礎率の一つ。年金資産の長期期待運用収益率を指すが、将来の給付額を現在価値に換算する割引率という意味も併せ持つ。事業主や基金等は年金資産の長期期待運用収益率や掛金負担能力などに照らし主体的に予定利率を設定する。企業年金制度の掛金は、将来発生する給付を賄うために事業主が拠出するものであり、将来発生する給付の予想額と予定される運用収益額（予定利率に基づく）に照らし将来の財政の均衡を保つことができるように定められる。

8
数理計算上の差異とその費用処理額

会計処理

2のⅡ(4)で、退職給付費用の一項目としての「数理計算上の差異の当期費用化額」を概説した。本項では、数理計算上の差異の内容と費用処理について説明する。

Ⅰ 数理計算上の差異とは

退職給付債務や勤務費用の計算に当たり、昇給率や退職確率等の計算の基礎(基礎率)を合理的に見積もったうえで将来の退職給付を予測するが、実際は設定した基礎率どおりには推移しない(図表1-12(再掲)参照)。

図表1-12 退職給付債務、勤務費用の計算式(再掲)(ステップ3が期間定額基準の場合)

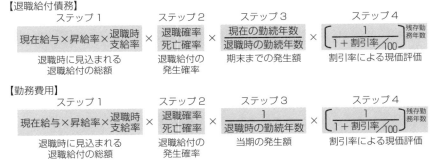

また、国債や優良社債の利回りの低下に伴い割引率を引き下げる場合が生じる。さらには、期待運用収益率を期首の年金資産時価に乗じて算出した期待運用収益どおりの運用実績となることも少ないだろう。つまり、期末時点でに実際の退職給付債務や年金資産をたな卸ししてみると、基礎率設定の「見積もり」と「実績」との間の差額や、「見積もり」自体の変更による差額が発生す

る。この差額が数理計算上の差異となる。

　つまり、数理計算上の差異とは、退職給付債務や年金資産を算定する際にあらかじめ設定した基礎率（昇給率、退職確率、死亡確率、一時金選択率、期待運用収益率、再評価率等）と各期の実績値との差異、及び基礎率（割引率、昇給率、退職確率、死亡確率、一時金選択率、再評価率等）を変更した場合に生じる差異をいう。

> **数理計算上の差異が発生するパターン**
> 　（a）年金資産の期待運用収益と実際の運用成果との差異
> 　（b）退職給付債務の数理計算に用いた見積もり数値と実際との差異
> 　（c）見積もり数値の変更等により発生した差異

II　数理計算上の差異の遅延認識～将来の期間での費用化

　退職給付会計では、「遅延認識」という特別の会計処理を行う。遅延認識とは、費用処理すべき事象が発生した期に費用を計上せず、将来の期間にわたり少しずつ費用化する方法である。遅延認識を行えば、各期での発生額から当期までに費用処理した累計額を控除した金額、つまり、将来の期間で費用化が予定されている残高が生じる。これを未認識数理計算上の差異（未認識債務）といい、負債計上する退職給付に係る負債（退職給付引当金）に加減する。図表1-28に示すように、未認識数理計算上の差異は、退職給付に係る負債（退職給付引当金）から控除する不利差異の場合（未認識損失）と、退職給付に係る負債（退職給付引当金）に加算する有利差異の場合（未認識利益）がある。

■未認識損失（不利差異）が生じる事象の例

・設定した年金資産の期待運用収益を下回る実際の運用成果
・設定した昇給率を上回る実際の昇給
・設定した退職率を下回る実際の退職
・年金財政計算上の給付利率が会計上の割引率よりも高い状況下での、設定した一時金（年金）選択率よりも低い（高い）一時金（年金）選択

- 金利低下に伴い国債の利回りが下がったことによる割引率の引下げ
- 設定してきた昇給率を実際の昇給実績が上回ったことに伴う昇給率の見直し
- 設定してきた退職率を実際の退職実績が下回ったことに伴う退職率の見直し

■未認識利益（有利差異）が生じる事象の例
- 設定した年金資産の期待運用収益を上回る実際の運用成果
- 設定した昇給率を下回る実際の昇給
- 設定した退職率を上回る実際の退職
- 年金財政計算上の給付利率が会計上の割引率よりも高い状況下での、設定した一時金（年金）選択率よりも高い（低い）一時金（年金）選択
- 金利上昇に伴い国債の利回りが上がったことによる割引率の引上げ
- 設定してきた昇給率を実際の昇給が下回ったことに伴う昇給率の見直し
- 設定してきた退職率を実際の退職実績が上回ったことに伴う退職率の見直し

図表1-28　未認識数理計算上の差異と退職給付引当金

退職給付債務に係る数理計算上の差異は、期末時の実際退職給付債務（Ⅱ）と、期首の退職給付債務に勤務費用、利息費用を加え、給付支払額を減じた結果算定された予測退職給付債務（Ⅰ）との差額として計算する。

$$\begin{bmatrix} 期首退職給付債務＋当期勤務費用（予定）＋当期利息費用（予定）－当期実際給付支払額 \\ ＝（Ⅰ）予測（見積）退職給付債務 \Longleftrightarrow （Ⅱ）実際退職給付債務 \\ 数理計算上の差異 \end{bmatrix}$$

年金資産に係る数理計算上の差異は、期末時の実際年金資産（Ⅱ）と期首の年金資産から掛金、期待運用収益を加え、給付支払額を減じた結果算定された

の予測年金資産（Ⅰ）との差額として計算する。

$$
\begin{array}{c}
\text{期首年金資産＋当期掛金＋当期期待運用収益－当期実際給付支払額}\\
=（Ⅰ）予測（見積）年金資産 \Longleftrightarrow （Ⅱ）実際年金資産\\
\downarrow\\
\text{数理計算上の差異}
\end{array}
$$

Ⅲ　数理計算上の差異の費用化の方法

　発生した数理計算上の差異を具体的にどのように費用化するかについてみていこう。ここで「費用処理」とは、費用の減額や費用を超過して減額し利益処理した場合も含む。

（1）費用処理方法のパターン

1　費用処理年数の決定方法

　費用処理年数の決め方には次の3通りの方法があり、（c）の中で複数の選択肢がある。

> （a）発生年度に全額費用処理する方法
> （b）平均残存勤務期間を費用処理年数とする方法
> （c）平均残存勤務期間以内の一定の年数を費用処理年数とする方法

　上記（a）、（b）及び（c）の費用処理年数の決定方法が合理的な理由により変更される場合には、会計方針の変更となる。Ⅱの方法を採用する場合で、平均残存勤務期間が短縮されると、期首残高に係る費用処理年数の変更を行うため、会計事実の変更に伴う会計上の見積りの変更となる。（c）の方法を採用している場合は、変更を行う理由により、会計方針の変更あるいは会計事実の変更に伴う会計上の見積りの変更となる。

　例えば、事業再構築に伴う従業員の大量退職などにより平均残存勤務期間の再検討を行った結果、平均残存勤務期間が費用処理年数より短くなったことを原因として費用処理年数を変更する場合は、会計事実の変更に伴う費用処理年

数の変更であり、会計上の見積りの変更となる。

また、これ以外の合理的な理由により変更する場合は会計方針の変更となる。

なお、一度選択した費用処理年数を毎期継続して適用しないと、会計年度間で異なる方法により利益が算出される結果、期間比較可能性が確保されない。このため、一度採用した費用処理年数は、正当な理由により変更する場合を除き、各期間を通じて継続して適用する必要がある。図表1-29に費用処理年数の変更に係る取扱いをまとめた。

> (※8) 会計事実の変更に伴う会計上の見積りの変更と会計方針の変更
> 選択が可能な会計処理が複数存在することを前提に、会計処理を行う前提となる環境や事実が変わったこと（を理由とした会計処理等の変更）を「会計事実の変更に伴う会計上の見積りの変更」、当該環境や事実が変わらないなかでの会計処理の変更を「会計方針の変更」という。会計方針の変更は合理的な理由がなければ許容されない。また、会計方針を変更すれば、変更の旨、理由、影響額の開示が要請されており、また原則として過年度に遡及する処理も求められる。一方、会計事実の変更に伴う会計上の見積りの変更では当該開示及び遡及処理は原則として要請されないが、事象の重要性に応じ追加情報としての開示が要請される場合がある。

図表1-29　費用処理年数の変更に係る取扱い

費用処理年数の決定方法（A）	Aの方法の中での年数の変更	(a)〜(c)の方法の間での変更
(a) 発生年度に全額を費用処理する方法	N/A	費用処理年数に係る決定方法の変更であり、会計方針の変更となる
(b) 平均残存勤務期間を費用処理年数とする方法	平均残存勤務期間という会計事実の変更に伴う変更で会計方針の変更ではない	
(c) 平均残存勤務期間以内の一定の年数を費用処理年数とする方法	平均残存勤務期間が「一定の年数」より短くなったことを原因として費用処理年数を変更する場合は、会計事実の変更に伴う会計上の見積もりの変更で会計方針の変更ではないが、その他の理由による変更は会計方針の変更となるため、変更には合理的な理由が必要	

2 費用処理の方法

定額法が原則だが、定率法を採ることもできる。

> (a) 定額法
> (b) 定率法

1で示したように、数理計算上の差異に係る費用処理年数の決め方には（a）～（c）の3通りの方法があるが、各期の発生額につき、予想される退職時から現在までの平均的な期間（平均残存勤務期間）以内の一定の年数で按分した額を毎期費用処理することが原則となる。

この費用処理方法は定額法を前提とするが、定率法を採ることもできる。

定率法とは、未認識数理計算上の差異の残高の一定割合を費用処理する方法だが、この「一定割合」は、数理計算上の差異の発生額が平均残存勤務期間以内に概ね費用処理される割合としなければならない。定額法では、数理計算上の差異の発生年度ごとに未認識数理計算上の差異を按分計算する。一方、定率法では、発生年度ごとに管理せず、一括した残高に一定年数に基づく定率を乗ずる。この場合の定率は、費用処理期間内で発生額の概ね90％が処理できるよう決めることになる。

3 費用処理の開始時期

必ずしも数理計算上の差異が発生した期から費用化する必要はない。

> (a) 数理計算上の差異が発生した当期から費用化
> (b) 数理計算上の差異が発生した期の翌期から費用化

当期純利益を構成する損益項目への影響を考慮すれば、経営の観点からは(b)法を採ることに利点がある。例えば、期末に年金資産の時価が大幅に下落した場合、数理計算上の差異を(a)法のように当期から費用化したら、大幅な時価下落の影響の一部（または全部）が、当期純利益を構成する損益項目へ影響を及ぼす。しかも、その事実は期末にならないと判明しない。さらに、(b)法を採れば、当期に発生した数理計算上の差異に関する費用化額は当期に

は計上されないため、期末を待たずして、早ければ期首の段階で当期の損益は概ね確定する。予算作成や経営管理の観点からも(b)法に利点がある。

(2) 数理計算上の差異の内容ごとの費用処理年数や費用処理方法の設定

　数理計算上の差異の内容ごとに数理計算上の差異を把握し、異なる費用処理年数や費用処理方法を適用することはできない。原則として一つの年数や方法を適用する。例えば、次のケースにおいても独自の費用処理年数や費用処理方法を設定することはできない。

・年金資産の急激な時価下落に伴い生じた数理計算上の差異
・金利変動に伴う国債の利回り変動から割引率を変更したことで生じた数理計算上の差異
・退職給付信託設定した個別株式銘柄が大幅な時価下落して生じた数理計算上の差異

　上記の事由で生じた数理計算上の差異だけ一時に費用化し、その他の数理計算上の差異は将来の期間にわたり少しずつ費用化する方法を採ることはできない。

(3) 費用処理額の計上科目

　数理計算上の差異については、その費用化額が営業損益に及ぼす影響を最小限にするため、遅延認識という特別の会計処理を認めている。また、その費用処理額は通常原価性を有し、原則として営業費用を構成する。このため、退職給付費用の一構成要素として、原則として売上原価ないし販売費及び一般管理費に計上する。

9
過去勤務費用とその費用処理額

会計処理

I 過去勤務費用とは

　経営者は、周りを取り巻く競争環境下で、自らの経営戦略や人事戦略のもと、従業員の合意を得て、退職金（退職年金）の規程を改訂し給付水準を見直す場合がある。

　過去勤務費用とは、退職給付水準の改定（初めて退職給付制度を導入した場合で、給付計算対象が現存する従業員の過年度の勤務期間にも及ぶときも含む）に起因して発生した退職給付債務の増加又は減少部分である。これは、退職金規程等の改訂に伴い退職給付水準が変更された結果生じる、改訂前の退職給付債務と改訂後の退職給付債務の改訂時点における差額を意味する。なお、このうち当期純利益を構成する項目として費用処理されていないものを「未認識過去勤務費用」という。

　過去勤務費用は、原則として各期の発生額について、平均残存勤務期間以内の一定の年数で按分した額を毎期費用処理する。また、当期に発生した未認識過去勤務費用は税効果を調整の上、連結損益及び包括利益計算書の「その他の包括利益」（「退職給付に係る調整額」）を通じて純資産の部「その他の包括利益累計額」（「退職給付に係る調整累計額」）に計上する。「その他の包括利益累計額」（「退職給付に係る調整累計額」）に計上した未認識過去勤務費用のうち、当期に費用処理された部分につきその他の包括利益の調整（組替調整）を行う。

　数理計算上の差異は、将来事象を合理的な計算仮定を見積もって数値化する関係から、期末時点で不可避に生じるが、過去勤務費用は、退職給付制度の変更や退職金規程の改訂など経営意思決定を経て不定期に発生する点に特徴がある。

過去勤務費用につき実務上留意すべき事項として例えば以下があげられる。
- 退職金規程等の改訂により支給開始時期の変更を行った場合に、その結果生じた退職給付債務の増減額は、過去勤務費用の発生に該当する。一方、いわゆる「ベースアップ」など給与水準の変動による退職給付債務の変動は、過去勤務費用には該当せず、数理計算上の差異に該当する。
- 過去勤務費用と数理計算上の差異は発生原因または発生頻度が相違するため、費用処理年数はそれぞれ別個に設定することができる。
- 過去勤務費用は頻繁に発生するものでない限り、発生年度別に一定の年数にわたって定額法による費用処理を行うことが望ましい。
- 給付利率の改定に伴う退職給付債務の増減分は、数理計算上の差異ではなく、過去勤務費用として認識する。

Ⅱ 過去勤務費用の遅延認識～将来の期間での費用化

　退職給付債務の増額となる過去勤務費用の発生は、従業員の勤労意欲が将来にわたって向上するとの期待のもとに、平均残存勤務期間以内の一定の年数で規則的に処理することとされている。遅延認識（将来の期間での費用化）が認められていること、会計処理に当たり使用する勘定科目など「8 数理計算上の差異とその費用処理額」Ⅱと同じである。

Ⅲ 過去勤務費用の費用化の方法

　費用処理方法のパターンのうち、費用処理年数の決定方法、費用処理の方法とも、「8 数理計算上の差異とその費用処理額」Ⅲと同じである。ただし、過去勤務費用は、頻繁に発生するものでない限り、発生年度別に一定の年数にわたって定額法による費用処理を行うことが望ましい。

　費用処理の開始時期は、数理計算上の差異の取扱いとは異なることに留意を要する。

退職金規程の改訂等は制度が継続することを前提とするため、給付水準の改定という事実の発生をもって過去勤務費用を認識する。また、その費用化は退職金規程の改訂日の属する期（発生した期）から行う。改訂日が期の途中の場合、会社の採用する費用処理方法に従い改訂日から期末までの月数等に応じた額を当期に費用処理する。^(※9)

　このように過去勤務費用が発生すると、翌期以降に費用処理する方法は選択できず、当期の損益に一定の影響を及ぼす。この点、発生年度の翌期から償却することが認められ、当期の損益に影響を及ぼさない数理計算上の差異との取扱いとは相違する。

> **（※9）規程の改訂日**
> 　労使の合意の結果、規程や規約の変更が決定され周知された日をいう。一方、施行日は、改訂された規程や規約の適用が開始される日と定義される。過去勤務費用は、改訂日現在で認識・測定され、決算日現在における退職給付債務に係る数理計算が行われる。改訂日が事業年度の途中であるときには、会社の採用する費用処理方法に従って改訂日から期末までの月数等に応じた額を当期に費用処理する。

　退職金規程等の改訂が行われた場合、通常、改訂日以後、最初に到来する決算日現在における退職給付債務は、施行日前の退職者については改訂前の規程による給付、施行日後の退職者については改訂後の規程による給付に基づいて計算する。

　なお、退職金規程等の改訂が当期に行われ、その施行日が翌期である場合でも、過去勤務費用は改訂日現在で認識、測定され、改訂日が事業年度の途中であるときには、会社の採用する費用処理方法に従って改訂日から期末までの月数等に応じた額を当期に費用処理することが合理的である。これは、退職給付債務の増額となる過去勤務費用の発生は、従業員の勤労意欲が将来にわたって向上するとの期待のもとに、平均残存勤務期間以内の一定の年数で規則的に処理することを勘案した会計処理である。

　また、退職金規程等の改訂により、退職給付債務の減額となる過去勤務費用が発生した場合は、原則として、改訂日から平均残存勤務期間以内の一定の年

数で按分した額を費用から減額処理する。

　次に、費用処理額の計上科目について、過去勤務費用の費用処理額は退職給付費用の一構成要素であり、原則として営業費用（売上原価ないし販売費及び一般管理費）に計上する。ただし、新たに退職給付制度を採用したときまたは給付水準の重要な改訂を行ったときに発生する過去勤務費用を発生時に全額費用処理する場合などにおいて、その金額が重要な場合は、当該金額を特別損益として計上することができる。

10 退職給付会計一巡の会計処理：個別財務諸表編

期中及び決算時の会計処理

　当章では、退職給付会計一巡の手続き及び会計処理を概観し、個別財務諸表上の取扱いを確認する。

I　退職給付会計の仕組み

　退職給付会計においては、次のステップを経て退職給付費用や負債（退職給付引当金）を算定する。起票する会計処理仕訳は、すべて退職給付引当金に集約される。

① 　数理計算により退職給付債務及び勤務費用を算定する。実務上は、計算受託機関のアクチュアリー(※10)に算定を委託するか、退職給付債務計算ソフト(※11)を用いて会社グループが自ら算定する。

② 　年金資産の公正な評価額を算定し、積立状況（退職給付債務から年金資産を控除した額）を把握する。実務上は、年金資産の計算委託をしている各計算受託機関から期末時点での確認書（残高証明書）を入手し、これらを適切に集計して年金資産の公正な評価額を算定する。

③ 　遅延認識する数理計算上の差異等の費用処理額を含んだ退職給付費用を算定する。退職給付費用は、2のⅡで示したとおり、主として勤務費用、利息費用、期待運用収益（退職給付費用のマイナス）、数理計算上の差異の当期費用処理額、過去勤務費用の当期費用処理額からなり、退職給付費用（期待運用収益は退職給付費用のマイナス）を計上する際の相手勘定は負債たる退職給付引当金となる。

④ 　退職給付費用計上の仕訳と現金支出項目（退職一時金の支払及び年金掛金の支払）に係る退職給付引当金の取崩しの仕訳により退職給付引当金残高を確定する。

退職給付費用計上の仕訳と，現金支出項目に係る退職給付引当金の取崩しの仕訳は以下の3通りであり、退職給付引当金に集約される仕訳として起票するのはこの3通りの仕訳に限られる。

【退職給付費用計上の仕訳】
(借) 退 職 給 付 費 用　×××　　(貸) 退 職 給 付 引 当 金　×××
　　退職給付費用
　　　＝勤務費用＋利息費用＋過去勤務費用の当期費用処理額
　　　　＋数理計算上の差異の当期費用処理額－期待運用収益額

【現金支出項目に係る退職給付引当金の取崩しの仕訳】
■退職一時金の支払
(借) 退 職 給 付 引 当 金　×××　　(貸) 現 金 及 び 預 金　×××
■年金掛金の支払
(借) 退 職 給 付 引 当 金　×××　　(貸) 現 金 及 び 預 金　×××

退職一時金の支払及び年金掛金の支払のいずれも、現金支出時の借方科目は損益項目ではなく、負債（退職給付引当金）のマイナスとなる。

退職給付会計では、貸借対照表上の科目である「退職給付引当金」（企業年金制度においては借方残となりその結果「前払年金費用」となる場合もある）、

（※10）アクチュアリー、年金数理人
　数理、確率、統計の知識・手法を用いて年金数理業務に従事する専門家。生命保険会社、信託銀行等の計算受託機関に在籍するケースが多い。年金財政計算における掛金の計算、数理債務の算定の業務の他、退職給付会計適用に係る退職給付債務や勤務費用を算定する業務も行う。昭和63年の厚生年金保険法改正により、厚生年金基金につき、年金分野を専門とするアクチュアリーで厚生労働大臣が定める資格要件を満たすものとして認められた年金数理人が年金財政の健全性を確認することが義務付けられた。
　確定給付企業年金も同様の取扱いとなっている。

（※11）退職給付債務計算ソフト
　退職給付債務や勤務費用を算定するに当たって使用する計算ソフト。自社の退職金規定の実態を当該ソフトのロジックに反映させ、基礎率を適正に設定したうえで、退職給付債務等の計算を行う。

損益計算書上の科目である「退職給付費用」に計算結果が集約される。将来の退職給付のうち当期の負担に属する額を、支出の事実に基づくことなく当期の費用として「退職給付引当金」に繰り入れ、当該引当金の残高を貸借対照表の負債の部に計上する。

Ⅱ 退職給付債務及び退職給付費用と退職給付引当金との関係

退職給付債務、退職給付費用、退職給付引当金の関係は以下のとおりである。
① 退職給付費用は、「勤務費用」、「利息費用」、「期待運用収益（費用のマイナス）」「数理計算上の差異、過去勤務費用の当期費用処理額」で構成されており（この他、臨時的に支払われた給付等も含む）、年金掛金拠出額や退職一時金支払額等、現金支払とは無関係に決まる。
② 退職給付引当金の増減に影響を及ぼすのは、（Ⅰ）退職給付費用の計上、（Ⅱ）年金掛金拠出額、（Ⅲ）退職一時金支払額の3要素であり、退職給付費用と現金支払額との差額が退職給付引当金の当期増減額となる。このため、当該増減額に期首の退職給付引当金を加えた金額が当該期における期末退職給付引当金となる。
③ 貸借対照表上は、退職給付債務から数理計算上の差異や過去勤務費用を加減した金額から年金資産の時価を控除した金額が当該期における期末退職給付引当金となる。これは、②で求めた期末退職給付引当金と一致する。

Ⅲ 会計処理の概要

（1）期中の会計処理

年金資産の評価は期末時に行うが、退職給付債務及び勤務費用の測定は、実務上期中に行う。期中は以下の手続きにより会計処理を行う。
① 前期末までに実施した年金数理計算の結果より、期首時点で勤務費用を

② 利息費用を期首退職給付債務×割引率により、年金資産の期待運用収益を期首年金資産時価×期待運用収益率により算定する（割引率と期待運用収益率は事業主が設定する）。
③ 数理計算上の差異、過去勤務費用の費用処理方法、費用処理年数に係る会計方針を決定し、当該方針に準拠した当期費用処理額を算定する。

以上の①〜③の手続きにより、当期の退職給付費用を計算する。

④ 年金制度への掛金拠出額、及び退職一時金制度における退職金支払額について、退職給付引当金を減少させる。

さらに、期中に①から④の会計処理により、退職給付費用の計上額と現金支払額（年金掛金及び退職一時金支払額）との差額である退職給付引当金の当期増減額を算定する。この当期増減額に期首の退職給付引当金残高を加えると、期末の退職給付引当金となる。

⑤ 期首の退職給付債務に、勤務費用及び利息費用を加え、年金制度からの退職者への給付支払額を減じて、予測（成行）の退職給付債務を計算する。（年金制度の場合）
⑥ 期首の年金資産に、年金制度への掛金拠出額及び期待運用収益を加え、年金制度からの退職者への給付支払額を減じて、予測（成行）の年金資産を計算する。

(2) 期末の会計処理

① 期中に行った退職給付債務の棚卸結果から「転がし計算」等をするなどの方法で期末の実際退職給付債務を算定する。(※12)
② 期末は年金資産のたな卸しを行い期末の実際年金資産の時価を算定する。
③ 「期末の会計処理」①で算定した期末の実際退職給付債務と、「期中の会計処理」⑤で算定した予測（成行）の退職給付債務との差額を数理計算上の差異として把握する。
④ 「期末の会計処理」②で算定した期末の実際年金資産と、「期中の会計処

理」⑥で算定した予測（成行）の年金資産との差額を数理計算上の差異として把握する。

> **（※12）転がし計算**
> 期末の実際退職給付債務は期末時にたな卸しして確定するのではない。期中の一定時点（データ等の基準日）で一旦退職給付債務を測定した後、理論計算上の勤務費用、利息費用を加え、当期退職者への実際給付支払額を減じる方法（「転がし計算」）により、期末の実際退職給付債務を確定する方法が実務上適用されている。このように、期末の実際退職給付債務を算定するために、データ等の基準日にたな卸しした退職給付債務に行う補整計算を「転がし計算」という。

Ⅳ 退職給付引当金と前払年金費用

　退職給付債務から年金資産を控除した金額、つまり、積立状況として算定された不足（超過）額に数理計算上の差異や過去勤務費用を加減して会計上の負債である退職給付引当金を算定する。この結果、退職給付債務から数理計算上の差異や過去勤務費用を加減した額より年金資産のほうが大きくなる場合には、当該超過額を退職給付債務から控除する処理を行わず、前払年金費用（通常固定資産）として資産計上する。

　退職一時金制度において「退職給付引当金」が、一方、企業年金制度において「前払年金費用」が認識された場合には、両者を相殺することなく、それぞれ退職給付引当金と前払年金費用を計上する。

Ⅴ 退職給付費用と引当金増減の関係、及び引当金増減と退職給付引当金との関係

　図表1-30（A）に示すように、退職給付費用は、①勤務費用、②利息費用、③過去勤務費用、数理計算上の差異の当期費用処理額、④期待運用収益で構成されており（この他、臨時的に支払われた給付等も含む）、年金制度への掛金支額や退職一時金の支払額など現金支払額（キャッシュアウト）とは無関係に

図表 1-30　退職給付費用と引当金増減の関係、及び引当金増減と退職給付引当金との関係

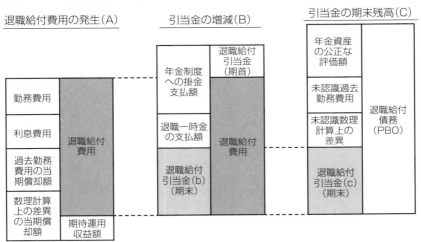

決まる。

　また，(B) に示すように、退職給付引当金の増減に影響を及ぼすのは、(A) の退職給付費用の計上額のほか、「年金制度への掛金支払額」、「退職一時金の支払額」という事業主の支払を伴う額であり、これ以外の取引は退職給付引当金の増減に影響しないため、会計仕訳は生じない。例えば、年金制度から退職者に退職給付を行う場合、退職給付債務から退職者に支払った退職給付額を減じるが、その原資は年金資産であり年金資産も同額減少する。

　このため、退職給付引当金に及ぼす影響はなく、会計仕訳は生じない。

　さらに (B) に示すように、退職給付費用の計上額と現金支払額との差額だけが退職給付引当金の当期増減額を構成する。当該増減額に期首の退職給付引当金を加えた金額が当該期における退職給付引当金 (期末) となる。

　図表 1-30 (B) では、「退職給付引当金 (b) (期末)」と表されており、この金額は、退職給付引当金に関わる会計仕訳 (フローベース) を集計することで求められる。その意味で、「退職給付引当金 (b) (期末)」はフローベースで算定する退職給付引当金といえる。

次に,（C）は期末の貸借対照表上の負債（退職給付引当金）の金額、つまり期末時点の「断面図」である。期末の実際退職給付債務から数理計算上の差異（図表1-30では借方不利差異のケース）、過去勤務費用（図表1-30では給付が増加する給付改訂のケース）を加減した金額から、期末の実際年金資産の時価を控除した金額が当該期における「退職給付引当金（c）（期末）」となる。これは、（B）で求めた「退職給付引当金（b）（期末）」と一致する（数理計算上の差異は発生した期の翌期から費用化する方針とする）。「退職給付引当金（c）（期末）」の金額は、期末の実際退職給付債務及び実際年金資産（時価）をもとに、未認識項目（数理計算上の差異及び過去勤務費用）の残高を加減することで求められる。その意味で、「退職給付引当金（c）（期末）」はストックベースで算定する退職給付引当金といえる。

VI　数値例による解説

ここで、簡単な計算例（設例1）を用いて、これまで説明してきた退職給付会計の構造をみていこう。退職給付費用や退職給付引当金の計算手順を確認してほしい。

設例1

■期首現在の状況
　退職給付債務　1,000、年金資産900
■未認識項目の費用処理方法・費用処理年数に係る前提
　数理計算上の差異及び過去勤務費用は、従業員の平均残存勤務期間（10年）で定額法により費用化する。過去勤務費用は月割で費用化する。数理計算上の差異は発生した期の翌期から費用化する。
■未認識項目の費用処理方法・費用処理年数に係る前提
　割引率は3％、期待運用収益率は3％で設定する（第一年度、第二年度とも）。

■期首現在の積立状況

年金資産　900	退職給付債務　1,000
退職給付引当金　100	

第一年度

(1) 第一年度の状況

■勤務費用　1,200（年金数理計算による）
■利息費用　30（期首退職給付債務 1,000 × 割引率 3％）
■年金制度に対する年度中の掛金拠出額　1,000
■期首の年金資産に対する期待運用収益　27（年金資産 900 × 期待運用収益率 3％）
■期中退職者に対する年金制度からの給付支払　100
■期末において退職給付制度の改訂が行われた
　　　－改訂前の退職給付債務　2,000（数理計算）
　　　－改訂後の退職給付債務　2,300（数理計算）
■期末年金資産の実際残高（時価）　1,800

(2) ワークシート（第一年度）

	X1期首	勤務費用	利息費用	期待運用収益	償却（費用化）	制度からの給付	掛金	見積	数理計算上の差異の発生	X1期末実際改訂前	過去勤務費用の発生	X1期末実際改訂後
退職給付債務	(1,000)	(1,200)	(30)			100		(2,130)	130	(2,000)	(300)	(2,300)
年金資産	900			27		(100)	1,000	1,827	(27)	1,800		1,800
超過額（不足額）	(100)	(1,200)	(30)	27	—	—	1,000	(303)	103	(200)	(300)	(500)
未認識数理計算上の差異	—							—	(103)	(103)		(103)
未認識過去勤務費用	—							—			300	300
退職給付引当金	(100)	(1,200)	(30)	27			1,000	(303)	—	(303)		(303)

(3) 会計仕訳（第一年度）

（勤務費用の計上）
（借）　退 職 給 付 費 用　　1,200　　（貸）　退 職 給 付 引 当 金　　1,200
（利息費用の計上）
（借）　退 職 給 付 費 用　　　 30　　（貸）　退 職 給 付 引 当 金　　　 30
（期待運用収益の計上）
（借）　退 職 給 付 引 当 金　　 27　　（貸）　退 職 給 付 費 用　　　　 27
（掛金の拠出）
（借）　退 職 給 付 引 当 金　1,000　　（貸）　現預金（年金掛金）　　1,000

(4) 第一年度末の積立状況

年金資産　1,800	退職給付債務　2,300
未認識過去勤務費用　300	
退職給付引当金　303	未認識数理計算上の差異　103

第1部　退職給付会計の実務一巡／10　退職給付会計一巡の会計処理：個別財務諸表編

第二年度

(1) 第二年度の状況

■勤務費用　1,300（年金数理計算による）
■利息費用　69（期首退職給付債務2,300×割引率3％）
■期末退職給付債務　3,300
■年金制度に対する年度中の掛金拠出額　1,100
■期首の年金資産に対する期待運用収益　54（年金資産1,800×期待運用収益率3％）
■期中退職者に対する年金制度からの給付支払　110
■期末年金資産の実際残高（時価）　2,800
■数理計算上の差異の当期償却額　10　（103÷10年）
■過去勤務費用の当期償却額　30　（300÷10年）

(2) ワークシート（第二年度）

	X2期首	勤務費用	利息費用	期待運用収益	償却（費用化）	制度からの給付	掛金	X2期末見積	数理計算上の差異の発生	X2期末実際
退職給付債務	(2,300)	(1,300)	(69)			110		(3,559)	259	(3,300)
年金資産	1,800			54		(110)	1,100	2,844	(44)	2,800
超過額（不足額）	(500)	(1,300)	(69)	54	―	―	1,100	(715)	215	(500)
未認識数理計算上の差異	(103)				10			(93)	(215)	(308)
未認識過去勤務費用	300				(30)			270		270
退職給付引当金	(303)	(1,300)	(69)	54	(20)	―	1,100	(538)	―	(538)

(3) 会計仕訳（第二年度）

（勤務費用の計上）
（借）退職給付費用　　1,300　　（貸）退職給付引当金　　1,300
（利息費用の計上）
（借）退職給付費用　　　69　　（貸）退職給付引当金　　　69
（期待運用収益の計上）
（借）退職給付引当金　　　54　　（貸）退職給付費用　　　54
（未認識数理計算上の差異の償却）
（借）退職給付引当金　　　10　　（貸）退職給付費用　　　10
（未認識過去勤務費用の償却）
（借）退職給付費用　　　30　　（貸）退職給付引当金　　　30
（掛金の拠出）
（借）退職給付引当金　　1,100　　（貸）現預金（年金掛金）　1,100

(4) 第二年度末の積立状況

年金資産　2,800	退職給付債務　3,300
未認識過去勤務費用　270	
退職給付引当金　538	未認識数理計算上の差異　308

Ⅶ 個別財務諸表における会計処理例

以下の簡単な計算例（設例2）を用いて、各期の会計仕訳を確認したうえで、各期別の貸借対照表、損益計算書への計上額をみていこう。

設例2

■適用初年度の退職給付債務1,000、年金資産700、発生した数理計算上の差異は、年金資産の実際運用収益が期待運用収益を下回ったために生じた250である。
■数理計算上の差異の費用化は発生した期の翌期から2年で行う。
■数理計算上の差異は適用初年度の翌期以降は発生していない。税効果は考慮しない。
■数理計算上の差異の費用化以外の事項は考慮していない。

---

(1) 適用初年度（数理計算上の差異が発生した期 X0期）

1 会計仕訳

年金資産の実際運用収益が期待運用収益を下回ったために生じた数理計算上の差異や、前期より金利が下がって割引率が下落したことに伴い生じた数理計算上の差異は、発生した期には期末に金額を把握し注記開示をするが、会計処理はせず翌期以降費用化するため、発生した期は費用化を行わず、会計仕訳はない。

結果として、数理計算上の差異は簿外となっている。

2 貸借対照表

退職給付債務から年金資産を控除（年金制度を採用している場合）した額に、当該数理計算上の差異を控除した額を退職給付引当金（前払年金費用）として計上している。

設例2では、退職給付債務1000から年金資産700を控除した300から、翌期以降2年で費用化する数理計算上の差異250を控除した額50を退職給付引当金に計上する。

3 損益計算書
翌期以降費用化し、発生した期は費用化を行わないため、何も発生しない。

(2) 適用初年度の翌期（数理計算上の差異の費用化を開始する期X1期）
1 会計仕訳
発生した期に繰り延べた数理計算上の差異について、採用した費用化の方法（会計方針）に基づき費用化する。費用化の仕訳は、（借方）退職給付費用（貸方）退職給付引当金、になる。

設例2では、前期に発生した数理計算上の差異が250で、費用化を2年で行う方針なので、費用化の仕訳は、（借方）退職給付費用125（貸方）退職給付引当金125となる。

2 貸借対照表
前期末に計上した退職給付引当金に、当期の仕訳で計上した退職給付引当金を加算する。また、数理計算上の差異の費用化に伴い退職給付費用を同時に計上するため、同額だけ利益剰余金が減少する。

設例2では、前期に計上した退職給付引当金50に、当期の仕訳で計上した退職給付引当金125を加算して、退職給付引当金残高は175になる。また、数理計算上の差異250の費用化に伴い、当期に退職給付費用125を計上したため同額だけ利益剰余金が減少する。

3 損益計算書
数理計算上の差異の費用化に伴い退職給付費用を計上する。

設例2では、数理計算上の差異250の費用化に伴い当期に退職給付費用125を計上する。

適用初年度の翌々期（X2期）も、②適用初年度の翌期（X1期）同様に会計処理し貸借対照表損益計算書へ反映する。図表1-31に、適用初年度、その翌期、さらに翌々期にわたり、会計処理、貸借対照表及び損益計算書を示した。

第1部 退職給付会計の実務一巡／10 退職給付会計一巡の会計処理：個別財務諸表編

図表1-31 設例2の会計処理、貸借対照表及び損益計算書（個別財務諸表）

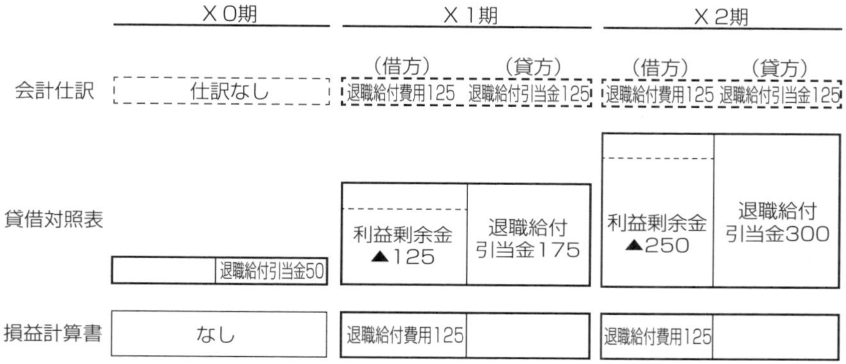

	X0期	X1期	X2期
		（借方）　　（貸方）	（借方）　　（貸方）
会計仕訳	仕訳なし	退職給付費用125　退職給付引当金125	退職給付費用125　退職給付引当金125
貸借対照表	退職給付引当金50	利益剰余金▲125　退職給付引当金175	利益剰余金▲250　退職給付引当金300
損益計算書	なし	退職給付費用125	退職給付費用125

11 退職給付会計一巡の会計処理：連結財務諸表編

期中及び決算時の会計処理

I　連結貸借対照表における遅延認識の廃止

　個別財務諸表では、数理計算上の差異等について、発生した後の期間で少しずつ費用化する遅延認識を認めている。

　しかし、連結貸借対照表においては、発生した期に即時に計上し、遅延認識を認めていない。

　つまり、個別財務諸表では、数理計算上の差異や過去勤務費用はそれらが発生した期以降の期で少しずつ費用計上（退職給付費用）するとともに負債計上（退職給付引当金）される。

　一方、連結貸借対照表では、図表1-32のとおり、数理計算上の差異や過去勤務費用は、発生した期にその全額を負債計上（勘定科目は「退職給付に係る負債」）する。相手勘定は退職給付費用ではなく、連結損益及び包括利益計算書の「その他の包括利益（退職給付に係る調整額）」をとおして、連結貸借対

図表1-32　連結貸借対照表における遅延認識の廃止

旧・退職給付会計基準　　　　　　　現行基準（連結財務諸表）

年金資産	退職給付債務	⇒	年金資産	退職給付債務
数理計算上の差異			退職給付引当金（退職給付係る負債）	
過去勤務費用				
退職給付引当金				

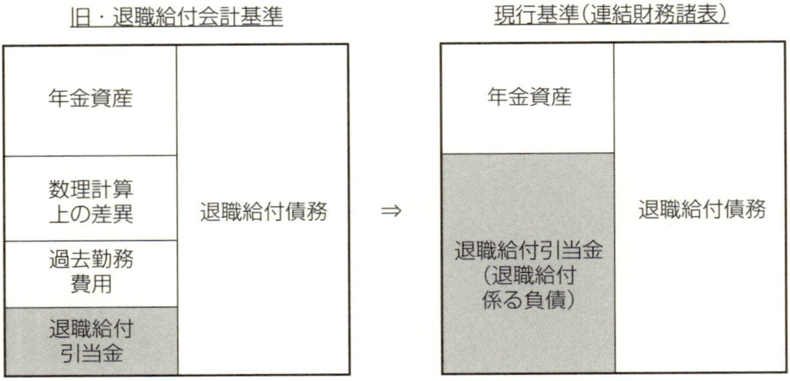

照表の「その他の包括利益累計額（退職給付に係る調整累計額）」になる（ただし税効果を考慮する）。

この結果、積立状況（退職給付債務から年金資産を控除した額）がそのまま「退職給付に係る負債（または資産）」となる。

なお数理計算上の差異及び過去勤務費用につき、退職給付引当金（退職給付に係る負債）の相手勘定は、退職給付費用（当期純利益の項目）ではなく、当期純損益を経由せず貸借対照表の純資産の部に直接計上（税効果調整後）する必要がある。そこで、当該処理を行う前提として、損益計算書に包括利益計算書を導入することが必要になる（包括利益計算書のイメージは図表1-33参照）。

個別財務諸表では未だ包括利益計算書は導入されていない。このため、数理計算上の差異や過去勤務費用をその発生時に認識し、積立状況をその発生時に負債及び純資産へ計上する取扱いを見合わせることとした。その結果、個別財務諸表においては、従来の会計処理である数理計算上の差異を将来の期間に繰

図表1-33　連結財務諸表における包括利益計算書のイメージ

【2計算方式】		【1計算方式】	
〈連結損益計算書〉		〈連結損益及び包括利益計算書〉	
売上高	10,000	売上高	10,000
⋮		⋮	
税金等調整前当期純利益	2,200	税金等調整前当期純利益	2,200
法人税等	900	法人税等	900
少数株主損益調整前当期純利益	1,300	少数株主損益調整前当期純利益	1,300
少数株主利益	300	少数株主利益（控除）	300
当期純利益	1,000	当期純利益	1,000
		少数株主利益（加算）	300
〈連結包括利益計算書〉		少数株主損益調整前当期純利益	1,300
少数株主損益調整前当期純利益	1,300	その他の包括利益	
その他の包括利益		その他有価証券評価差額金	530
その他有価証券評価差額金	530	繰延ヘッジ利益	300
繰延ヘッジ利益	300	為替換算調整勘定	△180
為替換算調整勘定	△180	持分法適用会社に対する持分相当額	50
持分法適用会社に対する持分相当額	50	その他の包括利益合計	700
その他の包括利益合計	700	包括利益	2,000
包括利益	2,000	（内訳）	
（内訳）		親会社株主に係る包括利益	1,600
親会社株主に係る包括利益	1,600	少数株主に係る包括利益	400
少数株主に係る包括利益	400		

（「包括利益の表示に関する会計基準」から引用）

り延べて費用化する方法（遅延認識）を貸借対照表、損益計算書ともに継続し、数理計算上の差異や過去勤務費用については、個別財務諸表と連結財務諸表との間で会計処理が異なることになった。

II　連結損益計算書における遅延認識の継続

　一方、損益計算上は従来の遅延認識を当面継続する。つまり、数理計算上の差異及び過去勤務費用の費用処理方法につき、従来どおり遅延認識の方法により、その後の平均残存勤務期間以内の一定の年数で規則的に費用処理する。

　個別財務諸表では、退職給付費用の計上に伴い、同時に負債（退職給付引当金）を計上したが、連結財務諸表では、数理計算上の差異及び過去勤務費用の発生時に負債（退職給付に係る負債）は全額計上済みである。当該負債（退職給付に係る負債）の相手勘定は、連結損益及び包括利益計算書の「その他の包括利益（退職給付に係る調整額）」であり、当該勘定をとおして、連結貸借対照表の「その他の包括利益累計額（退職給付に係る調整累計額）」に計上する。（税効果考慮後）仕訳イメージは以下のとおりである。

　税効果の考え方については、Ⅳで解説し、ここでは仕訳イメージだけ示す。

【税効果を考慮しない仕訳】

（借）　その他の包括利益　　×××　　（貸）　退職給付に係る負債　　×××
　　　　（退職給付に係る調整額）

【税効果を考慮した仕訳】

（借）　その他の包括利益累計額　×××　　（貸）　退職給付に係る負債　　×××
　　　　（退職給付に係る調整累計額）

（借）　繰 延 税 金 資 産　　×××　　（貸）　その他の包括利益累計額　×××
　　　　　　　　　　　　　　　　　　　　　　（退職給付に係る調整累計額）

　したがって、費用処理するに当たり一旦計上した「その他の包括利益（退職給付に係る調整額）」から営業費用たる「退職給付費用」に振り替える。仕訳イメージは以下のとおりである。

【税効果を考慮しない仕訳】
(借)　退　職　給　付　費　用　×××　　(貸)　そ　の　他　の　包　括　利　益　×××
　　　　　　　　　　　　　　　　　　　　　　　(退職給付に係る調整額)

【税効果を考慮した仕訳】
(借)　退　職　給　付　費　用　×××　　(貸)　そ　の　他　の　包　括　利　益　×××
　　　　　　　　　　　　　　　　　　　　　　　(退職給付に係る調整額)
(借)　そ　の　他　の　包　括　利　益　×××　　(貸)　法　人　税　等　調　整　額　×××
　　　(退職給付に係る調整額)

　一旦計上した「その他の包括利益（退職給付に係る調整額）」は連結損益及び包括利益計算書内の項目であり、広義の「損益計算書」内である。当該勘定から振り替える先の「退職給付費用（営業費用）」もまた「損益計算書」内なので、当該振り替えは、広義の「損益計算書」内の組替調整にすぎない。このため、こうした振り替えを「リサイクル」という。

　このように、数理計算上の差異及び過去勤務費用の当期発生額のうち、費用処理されていない部分を「その他の包括利益（退職給付に係る調整額）」を通じて、連結貸借対照表の「その他の包括利益累計額（退職給付に係る調整累計額）」に計上する。

　その後、退職給付費用を将来の期間にわたり少しずつ計上（遅延認識）するため、組替調整（リサイクル）を行う。つまり、数理計算上の差異の発生時に一旦計上した「その他の包括利益（退職給付に係る調整額）」から、営業費用たる「退職給付費用」に振り替える。

　このように、勘定科目は一部相違するものの、退職給付費用を計上する方法やタイミングは個別財務諸表と変わらない。退職給付費用を計上する際の相手勘定は、個別財務諸表のように負債（退職給付引当金）ではなく、「その他の包括利益（退職給付に係る調整額）」になる。負債（「退職給付に係る負債」）は、数理計算上の差異が発生した期にすでに全額計上したからである。

Ⅲ 退職給付費用と損益計算書(包括利益計算書)との関係

Ⅰ、Ⅱの取扱いをまとめると以下のとおりである。

> **連結貸借対照表上の取扱い**
> ■数理計算上の差異や過去勤務費用は、その発生時に負債(退職給付に係る負債)計上するとともに、税効果を調整のうえ、「その他の包括利益(退職給付に係る調整額)」(連結損益及び包括利益計算書)をとおして、「その他の包括利益累計額(退職給付に係る調整累計額)」に計上する(連結貸借対照表の純資産の部)。
> ■積立状況を示す額をそのまま負債(退職給付に係る負債)又は資産(退職給付に係る資産)として計上する。
> **連結損益計算書、包括利益計算書上の取扱い**
> ■平均残存勤務期間内の一定の年数で規則的に費用処理する。
> ■数理計算上の差異及び過去勤務費用の当期発生額のうち、当期に費用処理されない部分を「その他の包括利益(退職給付に係る調整額)」に計上する。
> ■その後の期間において、当期純利益を構成しない「その他の包括利益(退職給付に係る調整額)」からリサイクルを行い、当期純利益を構成する「退職給付費用」に組替調整する。
> ■退職給付費用を計上する方法やタイミングは個別財務諸表と変わらない。

また、退職給付費用の内訳と、損益計算書(包括利益計算書)との関係を示したのが、図表1-34である。

図表1-34 退職給付費用の内訳と損益計算書(包括利益計算書)の関係

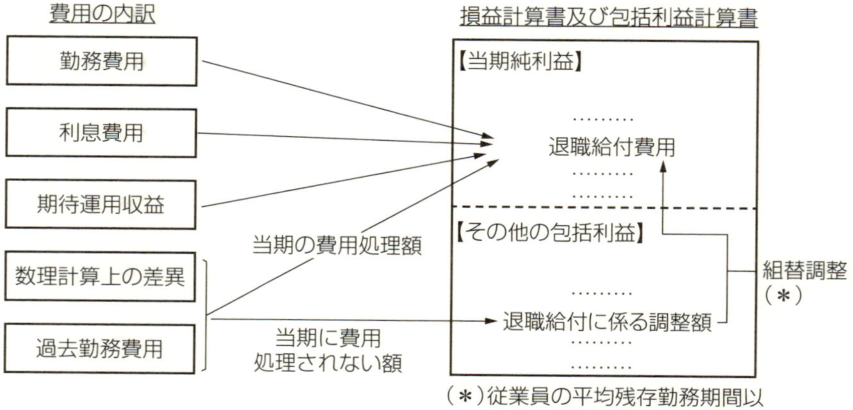

(*)従業員の平均残存勤務期間以内の一定の年数で費用処理

Ⅳ 税効果との関係

(1) 数理計算上の差異等の発生時における税効果

連結財務諸表上は数理計算上の差異や過去勤務費用の発生額につき、その発生した期に当期純利益を構成しない「その他の包括利益(退職給付に係る調整額)」に直接計上するため、個別財務諸表と連結財務諸表とで税効果の認識に差異が生じる。

【個別財務諸表】

遅延認識する場合、数理計算上の差異や過去勤務費用が発生した翌期以降に費用処理し、それに伴い負債計上するため、将来減算一時差異は発生せず繰延税金資産も計上しない。(※13)

【連結財務諸表】

数理計算上の差異の発生した期に退職給付に係る負債が同額増加する。この負債の増加に伴って生じる将来減算一時差異に対して繰延税金資産を計上する。仕訳は以下のとおりである。

(借) その他の包括利益　×××　　(貸) 退職給付に係る負債　×××
　　　(退職給付に係る調整額)

(借) 繰 延 税 金 資 産　×××　　(貸) そ の 他 の 包 括 利 益　×××
　　　　　　　　　　　　　　　　　　　　　(退職給付に係る調整額)

(※13) 将来減算一時差異

貸借対照表に計上された資産及び負債の金額と、課税所得計算上の資産及び負債の金額との差額。主として会計における収益及び費用と、法人税法における益金及び損金の認識時点の相違により生じる。当該相違により、会計上の資産または負債の額と、法人税法上の資産または負債の額との差異が生じる。この認識時点の相違により生じる差異を「一時差異」とよび、将来の税金を減少させる効果(前払税金としての効果)のある一時差異を、将来減算一時差異という。一時差異は会計と法人税との認識時点が異なることから生じるものであり、将来時点で必ず解消する。その解消される時点までその税額に対応する額が繰延税金資産(繰延税金負債)として貸借対照表に計上される。

(2) 数理計算上の差異等の費用処理時における税効果

　数理計算上の差異を費用処理するタイミングでは、退職給付に係る負債及び将来減算一時差異の残高に変動はないため、繰延税金資産は変動しない。一方、費用処理に伴い法人税額の調整を行う必要がある。

【個別財務諸表】

　費用化に伴い負債が増加するため将来減算一時差異が生じ繰延税金資産を計上する。

(借)　退 職 給 付 費 用　×××　　(貸)　退 職 給 付 引 当 金　×××
(借)　繰 延 税 金 資 産　×××　　(貸)　法 人 税 等 調 整 額　×××

【連結財務諸表】

　連結財務諸表上は、数理計算上の差異の発生時に、その全額を負債（退職給付に係る負債）とその他の包括利益（退職給付に係る調整額）に計上済みである（税効果考慮後）。

　過去に計上したその他の包括利益（退職給付に係る調整額）は税効果を伴っていることから、この減額に対しても税効果の影響を考慮し、その他の包括利益（退職給付に係る調整額）を調整する。

(借)　退 職 給 付 費 用　×××　　(貸)　その他の包括利益　×××
　　　　　　　　　　　　　　　　　　　　　　（退職給付に係る調整額）
(借)　その他の包括利益　×××　　(貸)　法 人 税 等 調 整 額　×××
　　　（退職給付に係る調整額）

V　設例による連結財務諸表における会計処理

設例3を用いて、以上述べた連結財務諸表における会計処理を確認しよう。

> **設例3**
> ■期首の退職給付債務1,000、年金資産700、数理計算上の差異の残高250（前期末に期待運用収益と実際運用成果との差異として発生）、退職給付引当金50。
> ■数理計算上の差異は発生の翌期から15年で費用化する。
> ■繰延税金資産の回収可能性は問題はなく、実効税率は40％とする。

期待運用収益と実際の運用結果との差が250、不利差異として生じたケースを考えてみる。

【個別財務諸表】

数理計算上の差異250を退職給付債務1,000から控除したうえで、年金資産700との差額の50を退職給付引当金とする。税効果を考慮すれば実効税率対応分の20（50×40％）を繰延税金資産に計上する。

【連結財務諸表】

数理計算上の差異250も含む積立不足300（退職給付債務1,000－年金資産700）を「退職給付に係る負債」に計上し、数理計算上の差異250の6割分（1－実効税率0.4）150を「その他の包括利益（退職給付に係る調整額）」に計上し、当該勘定をとおして、連結貸借対照表の「その他の包括利益累計額（退職給付に係る調整累計額）」（純資産の部のマイナス）に計上する。税効果を考慮すればその実効税率対応分の100（250×40％）を繰延税金資産に計上する（この100に加え、積立不足300のうち数理計算上の差異250以外の部分、すなわち50の40％である20が繰延税金資産に計上される。このため繰延税金資産は合計120となる）。その結果、「その他の包括利益（退職給付に係る調整額）」をとおして、「その他の包括利益累計額（退職給付に係る調整累計額）」としては150を計上する。

退職給付費用の計上については、数理計算上の差異250を発生した期の翌期から15年にわたり費用化する。「その他の包括利益（退職給付に係る調整

額）」をとおして、「その他の包括利益累計額（退職給付に係る調整累計額）」として純資産の部のマイナスに計上した150のうちその15分の1（15年償却の方針に準拠）の10を、組替調整し、当期純利益を構成する「退職給付費用」に振り替える。会計処理後の連結貸借対照表のイメージを図表1-35に示した。

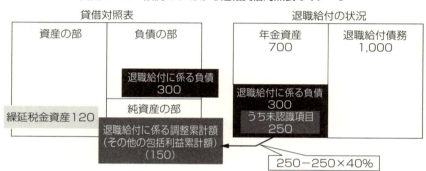

図表1-35　設例3における連結貸借対照表のイメージ

VI　連結財務諸表における会計処理例（個別財務諸表との比較）

10のⅦで用いた設例2を再掲し、連結各期の会計仕訳を確認する。

また、各期別の連結貸借対照表、連結損益計算書及び包括利益計算書への計上額につき、個別財務諸表と比較してみる。

設例2（再掲）

- 適用初年度の退職給付債務1,000、年金資産700、発生した数理計算上の差異は、年金資産の実際運用収益が期待運用収益を下回ったために生じた250である。
- 数理計算上の差異の費用化は発生した期の翌期から2年で行う。
- 数理計算上の差異は適用初年度の翌期以降は発生していない。税効果は考慮しない。

(1) 適用初年度（数理計算上の差異が発生した期　X0期）

1　会計仕訳

　税効果は考慮しないため、数理計算上の差異250を退職給付に係る負債に計上するとともに、同額を「その他の包括利益（退職給付に係る調整額）」をとおして、連結貸借対照表上「その他の包括利益累計額（退職給付に係る調整累計額）」に計上する。「その他の包括利益」及び「その他の包括利益累計額」は借方計上するが、これは剰余金のマイナスを意味するため、マイナスの250を計上する。

2　連結貸借対照表

　退職給付引当金として計上してきた50と、数理計算上の差異として将来の期間に費用化を繰り延べてきた250の合計額300を「退職給付に係る負債」として計上する。結果として、退職給付債務1,000から年金資産700を控除した積立状況300を、全額「退職給付に係る負債」として計上する。

　税効果を考慮しないため、数理計算上の差異の全額250（マイナス）を「その他の包括利益（退職給付に係る調整額）」（連結損益及び包括利益計算書）をとおして、「その他の包括利益累計額（退職給付に係る調整累計額）」に計上する。

3　連結損益及び包括利益計算書

　数理計算上の差異250（マイナス）を「その他の包括利益（退職給付に係る調整額）」に借方計上する。

(2) 適用初年度の翌期（数理計算上の差異の費用化を開始する期　X1期）

1　会計仕訳

　数理計算上の差異について、採用した費用化の方法（会計方針）に基づき将来の期間にわたり費用化する点は個別財務諸表と同じだが、費用化の仕訳が違う。仕訳は、（借方）退職給付費用（貸方）その他の包括利益（退職給付に係る調整額）、になる。

　連結貸借対照表「その他の包括利益累計額（退職給付に係る調整累計額）」

に計上した未だ費用化されていない数理計算上の差異のうち、適用初年度の翌期に費用化される金額につき、連結損益及び包括利益計算書上、その他の包括利益の調整（組替調整）を行う。

設例2では、適用初年度に発生した数理計算上の差異250のうち、今期以降2年で費用化する方針のため、250÷2で125を「その他の包括利益（退職給付に係る調整額）」から「退職給付費用」に組替調整する。「その他の包括利益（退職給付に係る調整額）」125は貸方に仕訳するが、これは剰余金のプラスを意味する。

2 連結貸借対照表

適用初年度に退職給付債務から年金資産を控除した額（積立状況を示す額）を「退職給付に係る負債」として計上したが、これは適用初年度の翌期も変わらない。設例2では、これが300になる。

組替調整（リサイクル）により、「その他の包括利益（退職給付に係る調整額）」から「退職給付費用」に振り替えた結果、「その他の包括利益累計額（退職給付に係る調整累計額）」の適用初年度残高が当該振替額だけ増加する。

設例2では、125を組替調整（リサイクル）したため、「その他の包括利益累計額（退職給付に係る調整累計額）」の適用初年度残高250（マイナス）から125だけマイナスが減少し、当該期の残高は125（マイナス）になる。

組替調整（リサイクル）により、退職給付費用を純損益を構成する営業費用に計上するため、利益剰余金は当該振替額だけ減少する。設例2では、125を退職給付費用に振り替えたため、利益剰余金は125だけ減少する。

3 連結損益及び包括利益計算書

組替調整（リサイクル）により、連結損益及び包括利益計算書上で、「その他の包括利益（退職給付に係る調整額）」及び「退職給付費用」を計上する。

設例2では、125を「その他の包括利益累計額（退職給付に係る調整累計額）」（マイナス）から、「その他の包括利益（退職給付に係る調整額）」をとおして「退職給付費用」に振り替えたため、「その他の包括利益（退職給付に係る調整額）」と、「退職給付費用」がそれぞれ125増加する。

12 簡便法

期中及び決算時の会計処理

I 簡便法とは

　前章までの議論は、確率や統計の考え方、期待値の考え方を援用した「年金数理計算」を行い退職給付債務や退職給付費用の計算を行うことを前提としてきた。ここでは、一定の要件を満たせば、年金数理計算を行わない簡便な方法によって退職給付債務を計算する「簡便法」を取り扱う。適用対象とこれを認めた趣旨を簡単にまとめると次のとおりである。

> **簡便法の適用対象**
> 　加入員が300人未満の場合など、適正な数理計算を行うことができない、または退職給付に重要性がない小規模企業等が対象となる。
>
> **簡便法を認めた趣旨**
> 　従業員数が少ない場合や、勤務状況に著しい偏りがある場合など、高い水準の信頼性をもって数理計算上の見積りを行うことが困難なケースがあることを考慮して、退職給付債務の計算方法について例外的で簡便的な方法を認めたもの。なお、この場合の従業員数とは退職給付債務の計算対象となる従業員数を意味し、複数の退職給付制度を有する事業主では制度ごとに判断する。

　従業員数が300人以上の企業であっても年齢や勤務期間に偏りがあるなどにより、原則法による計算の結果に一定の高い水準の信頼性が得られない場合は、簡便法によることができる。ただし、規模の予測を踏まえて決定する趣旨に鑑みれば、加入員が300人未満であっても、合理的な数理計算を行うことが可能なケースは存在するため、この場合には原則法を適用することが望ましい。また、数年に一度原則法による計算を行う方法を採用している場合、原則として、当該方法は継続して簡便法を適用しているものとして取り扱うことが適当である。

国際会計基準（IAS 第 19 号）や米国会計基準では、こうした「簡便法」の適用は認めていない。複数の退職給付制度を有する場合は、それぞれの制度ごとに原則法を採るか、簡便法を採るかを検討する。

II　簡便法における退職給付債務の求め方

簡便法では「年金数理計算」を行わず、事業主が自ら比較的簡単に計算できる数値を使うか、すでに計算されている年金財政計算上の数値を用いることで、退職給付債務を求める。具体的には、「期末自己都合要支給額」や「<u>数理債務（責任準備金）</u>」という年金財政計算上の債務の評価額を用いて債務を計算する。簡便法により退職給付債務を算定する方法には、いくつかの方法があるが、選択可能な算定方法をまとめたのが、図表 1-36 である。

> （※14）数理債務（詳しくは 13. 参照）
> 年金財政計算上の数理債務の額とは、企業年金制度における将来の給付現価から将来の標準掛金による収入現価を控除したものである。数理債務は、厚生年金基金制度及び確定給付企業年金制度における責任準備金とは異なるものであるが、旧指針においては、こうした数理債務と責任準備金が必ずしも明確に区別されていない部分があったことから、基準（適用指針）ではこの点を明確化している。

ここに記載の方法を任意に選択することが可能である。しかし、ある一定の年齢や勤続年数に到達した場合に年金制度からの受給資格が生じるいわゆる『縦割り型の企業年金制度』へ移行している場合、年金の受給資格を未だ満たしていない従業員について、図表 1-36 の①の方法によって計算すると債務計算が重複する。将来受給資格を満たす確率をふまえて数理債務を算定したうえに期末自己都合要支給額もあわせて加算するからである。この場合は②の方法による。

図表 1-36　簡便法における退職給付債務の求め方

退職一時金制度	企業年金制度
①期末自己都合要支給額×比較指数（注1） ②期末自己都合要支給額×平均残存勤務期間に基づく割引率及び昇給率の係数 ③期末自己都合要支給額	④直近の数理債務の額×比較指数（注2） ⑤在籍者：左記②又は③ 　年金受給者及び待期者：数理債務の額 ⑥直近の数理債務の額
退職金制度の一部を年金に移行しているケース	
①移行分：上記④〜⑥の各方法により算出 　未移行分：上記①〜③の各方法により算出 ②在籍者：期末自己都合要支給額を基に計算した額 　年金受給者及び待期者：直近の数理債務の額	

(注1) 適用初年度の期首における「原則法による退職給付債務」と「自己都合要支給額」の比
(注2) 適用初年度の期首における「原則法による退職給付債務」と「数理債務」の比

Ⅲ　簡便法を適用した場合の計算方法

　数理計算を行う原則法とは違い、期末の退職給付債務を簡便的な方法で計算（または他の数値をあてはめ）を行う。簡便法を適用した場合の計算の特徴は次のとおりである。

> (a) 退職給付債務を計算した後に退職給付引当金（負債）を算定し、期首と期末の退職給付引当金の差額計算によって、退職給付費用を算定する。
> (b) 退職給付費用は、期末退職給付引当金を先に計算してその後に当該金額と、期首退職給付引当金から一時金支払額や掛金拠出額を調整した金額との差額によって算定する。
> (c) したがって、退職給付費用も退職給付引当金も期末になって初めて数値が確定する。

　次の前提条件で、簡便法における退職給付引当金及び退職給付費用の算定の方法を確認しよう。

【前提条件】
・退職一時金制度から企業年金制度へ一部移行している。

- X1年度期首の自己都合要支給額100、年金資産時価40
- X1年度期末の自己都合要支給額120、年金資産時価30
- 退職者に対する退職一時金制度からの給付支払額20、年金制度への掛金拠出額10

図表1-37を用いて、計算過程を以下で説明する。

① X1年度期首時点で期末自己都合要支給額100、年金資産の時価40であるため、期首時点の退職給付引当金は、退職給付債務100－年金資産40＝60となる。

② X1年度期末時点で期末自己都合要支給額を算定し、期末の退職給付債務は120となり、期末の年金資産の時価は30となったため、期末時点の退職給付引当金は、退職給付債務120－年金資産30＝90となる。

③ 期末退職給付引当金が90と算定されたら、期末退職給付引当金90－｛期首退職給付引当金60－（退職一時金支払額20＋年金掛金拠出額10）｝から、退職給付費用は60と算定する。

④ 仕訳として、事業主が現金を支出する「退職一時金支払額」と、「年金掛金拠出額」を起票した後、期首期末の退職給付引当金の差額で求めた「退職給付費用」の仕訳を起こす。

(借) 退 職 給 付 引 当 金	20	(貸) 現 　 金 　 預 　 金	20
(借) 退 職 給 付 引 当 金	10	(貸) 現 　 金 　 預 　 金	10
(借) 退 職 給 付 費 用	60	(貸) 退 職 給 付 引 当 金	60

図表1-37 簡便法における退職給付費用、退職給付引当金の計算

Ⅳ　簡便法を適用した場合の年金資産の評価

　企業年金制度を採っている場合、簡便法においても、退職給付債務から年金資産を控除して退職給付引当金を算定する。年金資産の評価を期末の公正な評価額により行うことは原則法の場合と同様である。ただし、簡便法であることをふまえ、実務上の便宜を考慮して、実務指針では「期末日における年金資産の公正な評価額を入手する代わりに、直近の年金財政計算における評価額を基礎として合理的に算定された金額（例えば、直近の公正な評価額に期末日までの拠出額及び給付額を加減し、当該期間の見積運用収益を加算した金額）を用いることもできる。

　企業年金制度上、数理債務は、期中に、標準掛金及び利息によって増加し、給付支払額によって減少する。また、年金資産は、期中に、標準掛金や特別掛金及び運用収益によって増加し、給付支払額によって減少する。直近の年金財政計算における公正な評価額にこれらの期中増減項目を調整した金額は、合理的に算定された年金資産の評価額として認められる。したがって、例えば、特別掛金が僅少で、運用収益が利息費用と概ね同じ程度であれば、年金資産と数理債務の期中増減額はほぼ同額とみなすことが可能と思われる。

Ⅴ　簡便法において数理計算上の差異や過去勤務費用を把握して遅延認識することの可否

　簡便法ではその計算構造から、数理計算を行わずまた当期の費用を発生原因別に区分して把握することを予定していない。このため、遅延認識を行ったり、発生原因別に区分計上する根拠がない。したがって、その発生原因にかかわらずすべて当期の退職給付費用とすることが原則的な取扱いとなる。したがって、「年金資産時価の下落」、「給付水準の改訂」、「予定利率変更」等による影響額を、数理計算上の差異や過去勤務費用として別途把握し、遅延認識することはできない。すべて一時の期間損益になることに留意を要する。

　企業年金制度を採用していて年金資産の時価が大幅に下落した場合、原則法

では、期待運用収益と実際の運用成果との差額を、数理計算上の差異として遅延認識することができる。一方簡便法ではその全額が当期の退職給付費用となり、年金資産の時価下落に伴い多額の損失が一時に生じる可能性がある。当該損失は経営が管理できない「不測の損失」である。

また、年金財政計算上の予定利率の変更や給付の増減に伴い、年金財政計算上の数理債務が変動する。この変動は、退職給付債務の金額に直接影響を及ぼすため、退職給付引当金や退職給付費用に大きな影響を及ぼす。これらについても、原則法では、数理計算上の差異や過去勤務費用として遅延認識できるが、簡便法では、一時の損益となる。

VI 簡便法適用における実務上の留意点

（1）簡便法から原則法への変更

簡便法から原則法への変更は、当期になって適正な数理計算を実施することが可能となったなど合理的な理由があれば認められる。ただし、移行に伴う原則法による退職給付債務と簡便法による退職給付債務との差額は、一時の損益となることに留意を要する。当該差額は数理計算上の差異としての性格を有しておらず、遅延認識する根拠に乏しいからである。

移行に係る会計処理について、例えば、期中は簡便法による退職給付費用を計上し、期末の実際退職給付債務は原則法で評価する方法などが考えられる。

（2）原則法から簡便法への変更

簡便法から原則法への変更は認められるが、原則法から簡便法への変更は原則として認められない。変更が認められるのは、従業員数の著しい減少若しくは退職給付制度の改訂等により、高い水準の信頼性をもって数理計算上の見積りを行うことが困難になった場合または退職給付に係る財務諸表項目の重要性が乏しくなった場合に限られる。

(3) 連結グループにおける方法の統一

簡便法は、高い水準の信頼性をもって数理計算上の見積りを行うことが困難である場合などに認められるものであり、その適用は制度ごとに判断される。このため、子会社及び持分法を適用する関連会社を含め、連結グループのすべての制度について、原則法と簡便法のいずれかに統一する必要はない。なお、親会社と同一の連合型厚生年金基金に加入している子会社等の場合には、小規模企業等に該当するときでも、連結財務諸表上、親会社による一括計算という実務上の理由から原則法の計算方法によるケースがある。この場合、簡便法適用の判断は制度ごとに行われるので、子会社等が連合型厚生年金基金制度のほかに退職一時金制度等を有する場合の当該他の制度については、簡便法によることができる。

(4) 特別な原因から生じた当期の費用を特別損益に計上することの可否

簡便法においても、費用の発生原因にかかわらず営業費用として計上することが原則である。しかし、次に示すような特別な要因により発生した当期の費用で一時の費用として処理したものは、「発生原因の異常性」「金額の巨額性」「測定する金額の客観性」の3条件を充足する限りにおいて、特別損益の区分に計上できる。

■退職金規程の改定等に伴う過去勤務費用の発生に係る費用
■年金資産の時価が大幅に下落した場合の当該下落部分に係る費用
■財政計算上の予定利率の変更に伴う数理債務の増減額

特別損益に計上する場合は、明瞭に内容がわかる科目を用いるか注記を付す必要がある。

(5) 年金資産の評価に当たっての数理債務の補正

簡便法では、退職給付債務として直近の年金財政決算日における数理債務を用いることができる。しかし、直近の年金財政決算日と会計上の期末日との間が半年から1年近く乖離するなど両者の間に大きなタイムラグが生じる場合

がある。

また、年金資産は（原則）期末日で測定するため、退職給付債務と年金資産との対応をはかる観点から、期末時点の数理債務を退職給付債務の評価額とすることが適切である。

このため、直近の年金財政決算日における数理債務をそのまま退職給付債務として用いるのではなく、必要に応じて合理的な補正計算を行うことが望まれる。

特に、直近の年金財政決算日と会計上の期末日との間に大きなタイムラグがあったり、年金財政決算日以降人員構成に大きな変動がある場合など、当該数理債務をそのまま用いることが妥当でない場合には、合理的な補正を行う必要がある。

合理的な補正方法として、例えば、期首数理債務に標準掛金や利息（期首数理債務×予定利率）を加算し、給付支払額を減算して期末数理債務を算定するなどの方法が考えられる。

図表1-38では、当該補正方法のイメージをつかむため、数理債務の1年間の動きを示した。

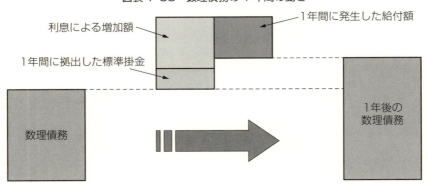

図表1-38　数理債務の1年間の動き

13 年金制度における財政計算の仕組みと会計上の退職給付債務計算との相違

退職給付制度等

I　企業年金制度の財政の仕組み

(1) 標準掛金と数理債務

　掛金には「標準掛金」と「特別掛金」がある。企業年金制度の掛金は、将来発生する給付を賄うために事業主が拠出するものであり、将来発生する給付の予想額と予定される運用収益額に照らし将来の財政の均衡を保つように定めている。今後制度に加入する標準的なモデルを設定し、そのモデルについて給付の予想額と予定運用収益の合計が標準掛金拠出予想額と一致するように標準掛金を定める。実務上は、予定運用収益を見込む代わりに、予定運用利回りとして予定利率を設定し、給付の予想額を予定利率で割引計算した額と標準掛金予想額を予定利率で割引計算した額が一致するように標準掛金を定める。

　標準掛金というコストを集計した債務が数理債務となるが、これは、勤務費

図表1-39　標準掛金の算定

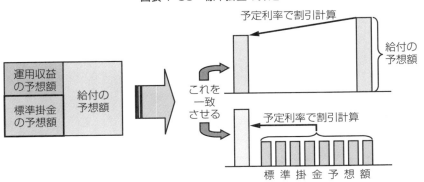

用（＋利息費用）を集積した債務が退職給付債務になるという関係と同じである。ここで、数理債務は、将来発生する給付の予想額を割引計算したものから標準掛金の予想額を割引計算したものを控除した額と定義される。数理債務（標準掛金）も退職給付見込額を算定するまでは、退職給付債務（勤務費用）計算と全く同じように計算しているが、両者では以下の点が相違する。

【退職給付債務（勤務費用）計算】

　退職給付見込額のうちこれまでの勤務期間において発生していると認められる額を算出してそれを割引計算する。

　過去の勤務により発生したと考えられる給付額を割引計算したもの。

【数理債務（標準掛金）計算】

　退職給付見込額を割引計算する。将来の勤務により発生すると考えられる部分を含めた給付額全体を割引計算したもの（それを各期に平均的に配分したのが標準掛金）。

図表1-40　数理債務のイメージ図と数理債務の1年の動き

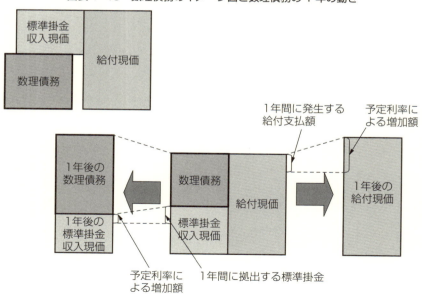

数理債務のイメージ図及び数理債務の1年の動きを表したのが図表1-40である。

(2) 特別掛金

年金資産が数理債務を下回っている場合には、数理債務に対する年金資産の不足額を別途補わない限り将来の給付を賄うことができない。この数理債務に対する年金資産の不足額を補うための掛金を特別掛金という。

数理債務に対する年金資産の不足額を償却する方法には、給与の一定割合として一定の年数で償却する方法、年間償却額を定めて償却する方法（定額償却）及び残高の一定率を償却する方法（定率償却）があり、それぞれ償却の上下限が定められている。

定額償却する場合、数理債務に対する年金資産の不足額が時の経過とともに予定利率によって増加する分を考慮して償却額を定める。

Ⅱ 予定利率が年金財政に与える影響

予定利率は将来年金資産が獲得する運用収益の利回りの期待値である。掛金は将来発生する給付の予想額と予定される運用収益額に照らし将来の財政の均衡を保つことができるように定められるのであるから、予定利率を引き下げれば運用収益額を少なく見積もる分だけ掛金を増加させなければならない（図表1-41参照）。

図表1-41　予定利率引き下げによる掛金の変動

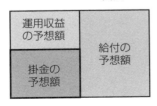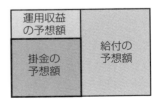

Ⅲ 数理債務と退職給付債務、標準掛金と勤務費用の比較

退職給付債務は給付現価のうちこれまでの勤務により発生したと考えられる部分であるから、数理債務と退職給付債務は図表 1-42 のような関係が成り立つ。

図表 1-42 数理債務と退職給付債務

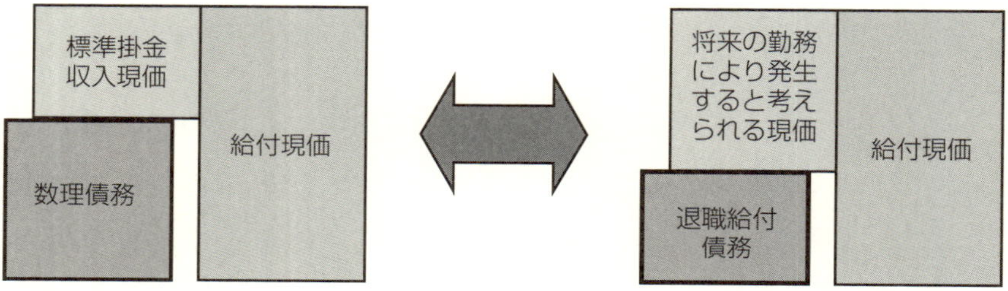

退職給付債務と数理債務で計算の前提が同じであれば、給付現価は同額となるので、数理債務と退職給付債務の差は標準掛金収入現価と将来の勤務により発生すると考えられる給付の現価額との差となっている。それでは、標準掛金収入現価と将来の勤務により発生すると考えられる給付の現価の違いとは何だろうか。退職給付会計では、期首の退職給付債務に当期勤務費用と当期利息費用を加算し当期に発生した給付額を控除した額が期末の予想退職給付債務で、これと実際に計算した退職給付債務の差が当期に退職給付債務から発生した数

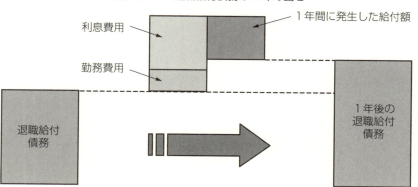

図表 1-43 退職給付債務の 1 年の動き

理計算上の差異である。もし退職や昇給等がすべて予定どおり推移した場合には、期末の退職給付債務は予想退職給付債務と一致する。

一方、数理債務の1年間の動きについては図表1-38に示したとおりであるが、2つの図を比較すると、異なっているのは退職給付債務の増加項目が勤務費用であるのに対し、数理債務の増加項目は1年間に拠出した標準掛金となっている点である。

これより、将来の勤務により発生すると考えられる給付の現価とは、将来発

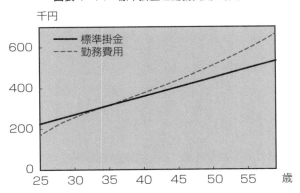

図表1-44 標準掛金と勤務費用の推移

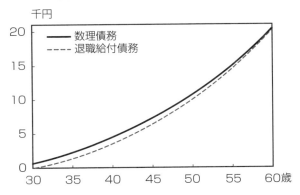

図表1-45 数理債務と退職給付債務

生する勤務費用の現価であることがわかる。したがって、数理債務と退職給付債務の差は、標準掛金収入現価と将来発生する勤務費用の現価の差となっている。

図表1-44は、ある会社の退職給付制度をもとに計算した数値例に基づき標準掛金と勤務費用の推移をグラフ化したもので、図表1-46は当該数値例をもとに債務計算を行いグラフ化したものである。

標準掛金は、給与の一定割合として年金制度加入から定年退職時までにわたって平準的に定められる。一方、勤務費用は、各期の勤務により発生すると考えられる給付の現価として計算されるが、各期の勤務により発生すると考えられる給付額は平準的であるものの、割引期間の関係から、年齢が高くなるについて増加していく。

一般的には、図表1-44及び1-45のように、標準掛金率を定めるモデルの加入時年齢は実態より若く、加入時年齢別の標準掛金率は若いほど低くなっているケースが多い。そのような場合には、計算の前提が同じであれば、数理債務は退職給付債務よりやや大きく評価される。

このように計算の前提が同じである場合には数理債務は退職給付債務よりやや大きく評価されるが、実際には、計算の前提が相違するため、どちらが大きいかは一概にはいえない。

実務上比較的多いのは以下のケースである。

・予定利率が割引率より高いケースでは、高い利率で割引計算をするため数理債務の方が退職給付債務より小さく評価される。
・割引率と予定利率が同水準であっても退職給付債務の計算において高い一時金選択割合を設定するケースでは、退職給付債務計算における退職給付見込額が小さくなるため、退職給付債務が数理債務より小さく評価される。

14
退職給付会計と法人税法

退職給付制度等

I 会計上の退職給付費用と税務上の損金算入額

　法人税法上、平成14年度までは、退職給付に関して次の範囲内で損金算入が認められてきた。

> **退職一時金制度**　法人税法の規定に基づいて算定した退職給与引当金の繰入限度額
> **外部拠出企業年金制度**　年金制度への掛金拠出額

　法人税法上の退職給与引当金の損金算入限度額は、平成14年の税制改正までは以下のとおりで推移してきた。平成10年以降5年間の経過措置により、自己都合期末要支給額の40％から20％に段階的に引き下げられ、その後平成14年度の税制改正に伴い税務上の退職給与引当金は廃止となった。

平成10年度	平成11年度	平成12年度	平成13年度	平成14年度	平成15年度以降
37％	33％	30％	27％	23％	20％、その後廃止

　平成15年3月31日以後最初に終了する事業年度以降は退職給与引当金勘定への繰り入れはできなくなり、当該事業年度の期首時点の退職給与引当金残高を一定の方法により取り崩してきた。したがって、平成14年度の税制改正後は、以下が損金算入の対象となる。

> **退職一時金制度**　退職金支払時において損金となる。
> **企業年金制度**　掛金拠出時において損金となる。

　会計上の退職給付費用は、勤務費用＋利息費用－年金資産の期待運用収益±

会計基準変更時差異の当期処理額±過去勤務費用の当期償却額±数理計算上の差異の当期償却額で計算する。また、勤務費用は、将来支給される退職給付見込額のうち当期に発生した部分の現在価値であり、数理計算を行って計算する。

このように、数理計算の結果をもとに算定される会計上の退職給付費用と法人税法上の損金とは、算定方法が全く違い、また両者の計上されるタイミングが相違するため申告調整が必要になる。

退職一時金制度：退職給与引当金の繰入はできず、会計上の退職給付費用は税務上損金算入できないので、別表により申告調整する。

企業年金制度：掛金拠出額を上回る退職給付費用は税務上損金算入できないので、別表により申告調整する。

なお、外部拠出企業年金制度への掛金拠出額の損金算入については、その支出が損金経理要件なので、支出をしていれば会計処理に関係なく損金算入ができる。

II 勤務費用（会計上の費用）と標準掛金（税務上の損金）との異同

会計上の主たる費用である「勤務費用」と損金算入される「標準掛金」との違いは、適用する年金財政方式の相違によるコスト配分方法の違いによる。

13の図表1-44を再度確認してほしい。13で説明したように、勤務費用も標準掛金もともに将来の予想給付額をもとに算定する。将来の給付を見積もるには、将来の昇給の程度や退職の確率を合理的に推計する必要がある。両者は、将来の給付額を見積もるところまでは全く同じだが、その将来の給付をどの時点で現在価値に割り引き、どのように期間配分していくかが、次のように相違している。

標準掛金：給与の一定割合として年金制度加入から定年退職時までにわたり平準的に定める。

勤務費用：各期の勤務により発生すると考えられる給付の現価として計算す

る。各期の勤務により発生すると考えられる給付額は平準的であるものの、割引期間の関係から残存勤務年数が少なくなるにつれて給付の現価額は増加していく傾向がある。

　ただし、両者の相違は「どの期間のコストとして認識するか」というコストの認識のタイミングの相違に過ぎないため、退職時には両者の累積額、すなわち数理債務と退職給付債務とは一致する。

15 複数事業主制度の会計処理

退職給付制度等

I　複数事業主制度とは

　複数事業主制度とは、複数の事業主が共同して一つの企業年金制度を設立している場合をさす。退職給付制度は各企業が単独で設けることが一般的だが、親会社と子会社または関係会社等のグループが共同で設けるケースや、共通の取引先を有する企業が共同で設けるケース、あるいは特定の業界団体や地域に属する企業が共同で設けるケース等がある。

　わが国では、連合設立型や総合設立型の厚生年金基金制度、共同で設立された確定給付企業年金制度などが該当する。

II　複数事業主制度の特徴と会計処理上の問題点

　複数事業主制度では、複数事業主を一体とみなして年金財政計算を実施する。この場合、同一の掛金率（過去勤務債務については事業主ごとに定められた掛金率）に基づいて掛金の計算を行うことが一般的である。

　年金資産については、複数事業主制度に加入する事業主の資産は一体として運用され、一括管理されることが比較的多い。この場合は、年金財政計算上、年金資産を分別管理する必要がないため事業主別に分割して把握していない。

　複数事業主制度は相互扶助の制度といわれ、加入者と各事業主との関係は問題とならず、全事業主があたかも1社であるように取り扱う。

　勤続年数及び年齢構成や退職給付制度等が異なる事業主が複数事業主制度を構成する場合、掛金率を一律に定めれば、比較的勤続年数の高い事業主に係る給付を主として比較的若年層が多い事業主の掛金によって支える構造になる。

このように、加入している各企業の退職給付債務が合計で把握されている場合があり、年金資産も一体で運用されていることから、会計処理上、加入企業単独での退職給付債務や年金資産を区分して把握することが難しいという問題点がある。

Ⅲ 複数事業主制度における会計処理及び開示の基本的な考え方

基準では、「自社の拠出に対応する年金資産の額を合理的に計算できるか否か」によって、確定給付制度としての会計処理を行う場合と、確定拠出制度に準じた会計処理を行う場合とに分けて定めをおいている（会計基準第33項参照）。

退職給付に関する会計基準 第33項
複数の事業主により設立された確定給付型企業年金制度を採用している場合においては、次のように会計処理及び開示を行う。 (1) 合理的な基準により自社の負担に属する年金資産等の計算をした上で、第13項から第30項の確定給付制度の会計処理及び開示を行う。 (2) 自社の拠出に対応する年金資産の額を合理的に計算することができないときには、第31項及び第32項の確定拠出制度に準じた会計処理及び開示を行う。この場合、当該年金制度全体の直近の積立状況等についても注記する。

Ⅳ 確定給付制度としての会計処理を行う場合（原則的な取扱い）

複数事業主制度であっても、確定給付型の企業年金制度である以上、単独の確定給付制度の場合と同様の会計処理及び開示をすべきである。

これをオフバランスにすれば、積立状況に関する実質的な「簿外負債」が生じ、財政状態や経営成績に及ぼす影響は甚大になる可能性がある。

ただし、Ⅱで説明したとおり、通常、年金資産が一体で運用されていること

から、「自社の拠出に対応する年金資産の額を合理的に計算できること」が確定給付制度としての会計処理を行う前提となっている。複数事業主制度では、年金資産を各企業単位で個別管理する場合や、掛金と給付を個別管理し、共同で資産運用した結果の運用収益を元本の比率で配分する場合もある。この場合は、63項によらずとも自社に属する年金資産の帰属は明確になる。一方、こうした帰属が明確に判断できない場合もある。そこで、基準では、自社の拠出に対応した年金資産を合理的に配分する具体的な方法について、次の定めをおいている（適用指針第63項参照）。

退職給付に関する会計基準の適用指針 第63項（下線は筆者）
（自社の負担に属する年金資産等の計算に用いる合理的な基準） 　複数事業主制度を採用している場合の、<u>自社の負担に属する年金資産等の計算を行うときの合理的な基準</u>（会計基準第33項（1））としては、次に例示する額についての制度全体に占める各事業主に係る比率によることができるものとする。 （1）退職給付債務 （2）年金財政計算における数理債務の額から、年金財政計算における未償却過去勤務債務を控除した額 （3）年金財政計算における数理債務の額 （4）掛金累計額 （5）年金財政計算における資産分割の額

以下で（1）から（5）のそれぞれの方法の主な特徴をあげておく。なお、年金資産の按分基準は複数事業主制度ごとに原則として統一することが求められる。

【退職給付債務の比率による方法：第63項の（1）法】
・理解は容易だが原則として加入している全事業主の退職給付債務を算定する必要がある。
・退職給付債務の算定結果は各事業主が設定した計算基礎率に依拠することがあるため、その設定の方法如何では必ずしも合理的な結果にならない場合がある。
・年金資産は年金財政方式に基づき積み立てられるが、退職給付債務の算定方法と年金財政方式とは異なることも多いため、按分結果が必ずしも合理的と

はいえない場合がある。

【数理債務—未償却過去勤務債務による方法：第63項の（2）法】
・各事業主ごとの未償却過去勤務債務に基づき過去勤務債務の掛金が決められていれば合理的な按分基準となる。
・各事業主ごとの未償却過去勤務債務の額を把握できることが前提となる。

【数理債務による方法：第63項の（3）法】
・データの入手が容易であり理解もしやすい。
・掛金拠出期間が大きく違っていても数理債務の額が同水準なら同じ水準の年金資産が按分される結果になるなど按分結果が必ずしも合理的とはいえない場合がある。

【掛金累計額による方法：第63項の（4）法】
・相当期間の掛金データを収集する必要がある。
・実際の掛金額とするため、退職給付支払の実績が少ない場合など按分結果が必ずしも合理的とはいえない場合がある。
・掛金累計額が同水準なら退職給付支払の実績が多い事業主にも同じ水準の年金資産が按分される結果になるなど按分結果が必ずしも合理的とはいえない場合がある。

【資産分割の額による方法：第63項の（5）法】
「自社の拠出に対応した年金資産を合理的に配分する具体的な方法」として、年金財政計算における資産分割の額を用いるとも合理的なことから、基準では、当該「合理的な基準」のひとつに加えた。適用時期は退職給付債務等の定めと同じとしている。

なお、この新たな方法を採る場合、年金資産の額が変わり退職給付に係る負債（退職給付引当金）の額にも影響するが過去の期間には遡及せず当該影響額は期首の利益剰余金に加減する。

V 確定拠出制度に準じた会計処理を行う場合(例外的な取扱い)

　自社の拠出に対応する年金資産の額を合理的に計算できない場合、Ⅳで示した原則法による確定給付制度の会計処理を行わないことが例外的に認められている。この場合、代わりに確定拠出制度に準じて「当該制度に基づく要拠出額」をもって退職給付費用として計上し、当該額を注記する。加えて当該複数事業主制度全体の直近の積立状況等についても注記する。

(1) 確定拠出制度に準じた会計処理(例外処理)を採用できる場合とは

　確定給付制度につき、数理計算上の差異を含む積立状況が全額連結貸借対照表にオンバランスされることから、例外処理を認めた場合に財務諸表に及ぼす影響が大きくなる。このため、確定拠出制度に準じた会計処理を行うことができるケースは例外的、限定的に取り扱うことが望ましい。

　基準では、確定拠出制度に準じた会計処理(例外処理)を採用できる場合として、「過去勤務債務に係る掛金が一律に決められている場合」をあげている(適用指針第64項参照)。

> **退職給付に関する会計基準の適用指針 第64項(下線は筆者)**
> (自社の拠出に対応する年金資産の額の合理的な計算ができない場合)
> 　複数事業主制度の企業年金制度において、「自社の拠出に対応する年金資産の額を合理的に計算することができないとき」(会計基準第33項(2))とは、複数事業主制度において、<u>事業主ごとに未償却過去勤務債務に係る掛金率や掛金負担割合等の定めがなく、掛金が一律に決められている場合</u>をいうものとする。
> 　ただし、これに該当する場合であっても、<u>親会社等の特定の事業主に属する従業員に係る給付等が制度全体の中で著しく大きな割合を占めているときは、当該親会社等の財務諸表上、自社の拠出に対応する年金資産の額を合理的に計算できないケースにはあたらない</u>ものとする。

　複数事業主制度では、通常、各企業単位ではなく標準掛金等は相互扶助的に一律に定められているが、それに加えて、事業主ごとに未償却過去勤務債務に係る掛金率や掛金負担割合等の定めがなく、加入企業すべてに対して掛金が一律に決められている場合が該当する。(※15)

> (※15) 未償却過去勤務債務に係る掛金率
> 　過去勤務債務の償却（費用化）に必要な掛金で、事業所脱退時に必要とされる清算時の掛金ではない。
> 　当該掛金を、厚生年金基金制度及び確定給付企業年金制度では特別掛金という。

　この未償却過去勤務債務に係る掛金率に企業ごとに異なる負担区分等がなく、一律的な掛金であるか否かで判断する。ここで、未償却過去勤務債務に係る掛金（特別掛金）と負担区分との関係を整理すると次のとおりである。
【一律に特別掛金が定まる場合】（過去勤務債務全体をもとに一人当たりの金額を定めるなど）
　区分が適切であれば他の企業が本来負担する部分も負担する可能性がある。
【個々の企業の従業員別に過去勤務債務を把握している場合】
　加入企業の従業員の年齢構成や給与水準はそれぞれ異なる。このためそれらに応じて企業ごとに異なる応分の負担区分となる。
　特別掛金が一律に定まっていない場合は、各事業主に帰属する年金資産を何らかの方法で定めることができる。
　一律に特別掛金が定まる場合に例外処理を認めるのは、区分が適切であれば他の企業が本来負担する部分も負担する可能性があることから、原則的な方法による按分が必ずしも合理的ではなくなるからと考えられる。

(2) 確定拠出制度に準じた会計処理（例外処理）を採用できない場合とは

　事業主ごとに未償却過去勤務債務に係る掛金率や掛金負担割合等の定めがなく、掛金が一律に決められている場合でも、親会社等の特定の事業主に属する従業員に係る給付等が制度全体の中で著しく大きな割合を占めているときは、確定拠出制度に準じた会計処理（例外処理）を採用できない。同様に、実態は単一事業主制度であるが、規模の小さい子会社や関連会社を加えることで、形式上、複数事業主制度となっている場合も、親会社等の特定の事業主に係る給付等が著しく大きな割合を占めていれば、例外処理は採れない。これは単一事業主制度との整合性も考慮したものと考えられる。

なお、旧実務指針では、過去勤務債務に係る掛金が一律であっても、複数事業主間において類似した退職給付制度を有している場合は、例外処理を採れないとしていた。

　しかし、基準では当該部分は削除され、取扱いが変更されている。これは、類似した退職給付制度を有することをもって、ただちに自社の拠出に対応する年金資産の額を合理的に計算できるとはいえないことから、旧実務指針の定めを引き継がないこととしたものである。この場合、実態に応じて例外処理を採れるか個別に判断する必要がある。

(3) 複数事業主制度全体の直近の積立状況等についての注記

　確定拠出制度に準じた会計処理を行う場合、複数事業主制度全体の直近の積立状況等についての注記を要する（適用指針第65項参照）。

退職給付に関する会計基準の適用指針 第65項
会計基準第33項（2）の注記事項である「直近の積立状況等」とは、年金制度全体の直近の積立状況等（年金資産の額、年金財政計算上の給付債務の額及びその差引額）及び年金制度全体の掛金等に占める自社の割合並びにこれらに関する補足説明をいうものとする。 　なお、重要性が乏しい場合には当該注記を省略できる。

　具体的な注記のイメージを図表1-46に示した。

図表1-46 複数事業主制度全体の直近の積立状況等についての注記

(複数の企業年金制度について注記する場合の例)
(1) 制度全体の積立状況に関する事項（XX年X月XX日現在） 　　　　　　　　　　　　　A制度　　　　　B制度　　　　その他の制度 年金資産の額　　　　　　XXX百万円　　　XXX百万円　　　XXX百万円 年金財政計算上の給付債務の額　XXX百万円　XXX百万円　　　XXX百万円 差引額　　　　　　　　　△XX百万円　　△XX百万円　　　XX百万円 (2) 制度全体に占める当社グループの掛金拠出割合（自XX年X月XX日至XX年X月XX日） 　　　　　　　　　　　　　A制度　　　　　B制度　　　　その他の制度 　　　　　　　　　　　　　X％　　　　　　X％　　　　　X％（加重平均値） ※A制度、B制度はそれぞれ単独でも重要性があり、その他の制度についても複数の制度を合算すると重要性があるものとする。

（「退職給付に関する会計基準の適用指針」〔開示例3〕より引用）

第2部

基準を理解する勘所と実務上のポイント

第1部で既述のとおり、2012年（平成24年）5月17日付けで、企業会計基準委員会（ASBJ）から日本の新しい退職給付会計基準（企業会計基準第26号「退職給付に関する会計基準」及び企業会計基準適用指針第25号「退職給付に関する会計基準の適用指針」以下、あわせて「基準」）が公表された。基準は、2000年（平成12年）に導入された退職給付会計基準（旧基準）を大幅に見直しており、実務にも大きな影響を及ぼしてきている。
　第2部では、基準の主たるテーマにつき、「適切に理解する際の勘所」と「実務上のポイント」について、以下の順序で解説する。

 前提として理解しておくべき事項

1　基準策定の経緯と今後の論点

 数理計算に関わるテーマ

2　期間帰属方法の見直し

3　割引率の見直し（割引期間の考え方）

4　その他の数理計算に関わるテーマ（昇給率の見直し等）

 数理計算に関わらないテーマ

5　数理計算上の差異及び過去勤務費用の処理方法

6　基準と税効果会計

7　重要性基準の取扱いと重要性基準がもたらす影響

8　開示の拡充

9　長期期待運用収益率の考え方の明確化

1 基準策定の経緯と今後の論点

前提として理解しておくべき事項

I　基準策定にいたる経緯

　日本の企業会計基準委員会（ASBJ）は国際財務報告基準（IFRS）との「会計基準のコンバージェンス」を加速化する取り組みを進めてきたが、この過程でASBJは改訂前の日本の基準とIFRSとの相違を中心に論点をまとめた「退職給付会計の見直しに関する論点の整理」（以下「論点整理」）を公表した（2009年1月22日）。論点整理公表後も、ASBJは基準の見直しを検討してきたが、IASBが検討してきた見直しの方向性との整合を重視して、次の2つのステップにわけて基準の策定を行うこととした。

(1) ステップ1

　コンバージェンスが進むよう、「IASBによる見直しのうち方向性が定まっているもの」と「IASBによる見直しが行われてもなお変わらないもの」に限って取り扱っている。

　2010年3月18日にASBJはステップ1の公開草案を公表した。基準はこのステップ1を基準化したものである。

（ステップ1の主な検討範囲）
- 未認識数理計算上の差異及び未認識過去勤務費用の即時認識（連結貸借対照表）
- 退職給付見込額の期間帰属方法の見直し
- 割引率の見直し（割引期間の考え方）
- 開示の拡充
- その他（予想昇給率の見直し、長期期待運用収益率の考え方の明確化等）

(2) ステップ２

今後のIASBの議論の展開を考慮し、数理計算上の差異及び過去勤務費用の包括利益計算書上での取扱いに関連する部分（リサイクル問題）、また、それに伴い日本独自の「重要性基準」について、IASBの動向を踏まえて検討することとした。

（ステップ２の主な検討範囲）
- 遅延認識廃止に伴う損益の表示（包括利益計算上の取扱い～リサイクル問題）
- 重要性基準の見直し（コリドールールの扱いを含む）

基準では、個別財務諸表において、数理計算上の差異や過去勤務費用をその発生時に全額負債（資産）計上し、退職給付債務と年金資産との差額（積立状況）をその発生時に負債及び純資産（ただし税効果を考慮後）へ計上する取扱いを当面見合わせた。

その結果、数理計算上の差異や過去勤務費用について、個別財務諸表と連結財務諸表との間で、異なる会計処理をすることとなった。

ステップ２では当初、包括利益計算書上の取扱い（リサイクル問題）と重要性基準の廃止がテーマとして想定されていたが、ステップ２の今後の具体的なスケジュールだけでなく、ステップ２を行うか否かも含め、依然として決まっていない。

Ⅱ　ステップ２で議論を想定していた事項

ステップ２で議論を想定していたテーマは主として次の２点である。

(1) 包括利益計算書上の取扱い（リサイクル問題）

数理計算上の差異や過去勤務費用につき、基準では以下の取扱いとなる。

> **(a) 連結貸借対照表上は遅延認識を廃止する**
> 具体的には、それらの発生時に全額を負債（資産）計上し、相手勘定は「その他の包括利益（退職給付に係る調整額）」をとおして税効果考慮後の金額で純資産の部（「その他の包括利益累計額（退職給付に係る調整累計額）」）に即時に計上する。
> **(b) 連結包括利益計算書（損益計算書）上は従来どおり遅延認識の継続する**
> 具体的には、将来の期間に繰り延べて毎期少しずつ費用処理する方法を継続する。その際、一旦計上した「その他の包括利益累計額（退職給付に係る調整累計額）」（純資産の部）から「その他の包括利益（退職給付に係る調整額）」をとおして当期純利益を構成する「退職給付費用」（営業費用）に組替調整（リサイクル）する。
> **(c) 個別財務諸表では貸借対照表上も損益計算書上も従来どおり遅延認識を継続する**

一方、2011年に公表されたIAS第19号「従業員給付」において、遅延認識を廃止した。過去勤務費用は発生時に損益に認識する。数理計算上の差異は発生時にその他の包括利益で認識し、その後の期間に損益に振り替えない、すなわちリサイクルしない取扱いが示された。

(2) 重要性基準の廃止

まず、 数理計算に関わらないテーマ 「7　重要性基準の取扱いと重要性基準がもたらす影響」で取扱う重要性基準について簡単にふれておく（重要性基準の詳細は7参照）。

日本の基準では、割引率の変動が退職給付債務等に重要な影響を及ぼすと判断した場合には、期末時点の適正な割引率に基づく退職給付債務等の再計算を行うとしており、「重要性の判断」を認めている。これを「重要性基準」とよぶが、この「重要性基準」は、現在、日本基準に特有の取扱いである。

一方、2011年6月に改正されるまで、IAS第19号ではコリドールール（回廊アプローチ）が認められていた。コリドールールとは、基礎率を最善の見積りによって設定することを前提に、数理計算上の差異の累計額が一定の範囲内（未認識数理計算上の差異の借方と貸方それぞれについて退職給付債務または年金資産の10％）、すなわちコリドー内に収まっている限りこれを会計上の

損益として認識せず、コリドーを超える部分についてのみ将来の期間にわたり費用化（又は費用のマイナス処理）するという取扱いである。

日本基準では割引率の設定という数理計算の『入口』に「重要性基準」があり、一方、IAS 第 19 号は数理計算上の差異を費用化する方法、つまり数理計算の『出口』に「コリドールール」があった。しかし、2011 年 6 月に公表された IAS 第 19 号では、数理計算上の差異等に係る遅延認識とコリドールールが廃止された。

Ⅲ　名称等の変遷

基準では、旧基準で用いられていた用語の一部が下記のとおり変更されている。

図表 2-1　用語等の変遷

旧基準	現行基準
退職給付引当金	退職給付に係る負債（＊）
前払年金費用	退職給付に係る資産（＊）
過去勤務債務	過去勤務費用
期待運用収益率	長期期待運用収益率

（＊）個別財務諸表では、当面の間、この取扱いの改訂を適用せず、改訂前の名称を使用する。

2 期間帰属方法の見直し

数理計算に関わるテーマ

　基準では、退職給付見込額のうち期末までに発生したと認められる額は、以下のとおり、Ⅰ「期間定額基準」またはⅡ「給付算定式基準」のいずれかを選択適用して計算するとしている。
　一度採用した方法は、原則として継続して適用する。

> Ⅰ　期間定額基準
> 　退職給付見込額について全勤務期間で除した額を各期の発生額とする方法
> Ⅱ　給付算定式基準
> 　退職給付制度の給付算定式に従って各勤務期間に帰属させた給付に基づき見積もった額を、退職給付見込額の各期の発生額とする方法

　なお、Ⅱによる場合、勤務期間の後期における給付算定式に従った給付が、初期よりも著しく高い水準となるときには、当該期間の給付額が均等に生じるとみなして補正した給付算定式に従わなければならない（以下、「後加重に伴う均等補正」）。
　後加重に伴う均等補正は、任意適用ではなく「しなければならない」取扱いのため、均等補正を行う際の判断基準が問題となるが、基準では、具体的な判断基準を示していない。国際会計基準でも給付算定式に従う給付を「著しい後加重」と認定する具体的な判断基準は示されていない。
　本来、給付の期間帰属は一意的に決定するもので、選択適用を認めるのは例外的な取扱いである。キャッシュ・バランス・プランを含めた一部の制度に対する給付算定式基準の適用の方法が必ずしも明確でないことなどから、国際的な会計基準において当該方法の見直しが検討されていることも、例外的な取扱いの一因と思われる。

I 選択適用となった理由と労働対価の反映

　国際的な会計基準（IFRS、米国会計基準等）では、「給付算定式基準」が原則である。その理由について、「論点整理」第20項に『退職給付費用及び退職給付債務がどのように生じるかについては、給付を定める制度の規約などから最も関連して信頼できる情報を得られると考えたため、給付算定式に基づく方法が原則であるが、勤務年数の後半に著しく高水準の給付を生じさせるような場合には、その期間を通じた勤務によって、そうした高い水準の給付を最終的に生じさせると考えられたため』とある。

　基準では、こうした国際的な会計基準と平仄を合わせるべく期間定額基準と給付算定式基準との選択適用としたが、「労働の対価の反映」という点で国際的な基準が策定された前提と比べて、わが国の場合、必ずしも同等でないとの意見がある。

　例えば、「労働の対価の反映」という点で旧基準と現行の基準を比べると以下の相違がある。

> **旧基準**
> 　期間定額基準以外の期間帰属方法を用いることができるのは労働の対価を合理的に反映していると認められる場合に限る。
>
> **現行基準**
> 　労働の対価や費用の期間配分をもっとも合理的に表すものが給付算定式である。このため、給付算定式基準について労働の対価を合理的に反映していると認められるかどうかについては、結果として問わない。

　基準の取扱いにおける「労働の対価や費用の期間配分をもっとも合理的に表すものが給付算定式である」という前提について、わが国の退職給付制度においては、給付算定式（正確には給付算定式そのものに従った期間帰属）が労働の対価や費用の期間配分を合理的に表すものとは必ずしもいいきれない面がある。

　わが国の退職給付制度の給付算定式の特徴を踏まえた給付算定式基準がどのようなものであるかについて、基準では明確にはなっていない。

Ⅱ　期間定額的な費用配分が合理的な場合とは

　期間帰属の方法として「期間定額基準」を採るか「給付算定式基準」を採るかは別として、期間定額的な費用配分が合理的な場合とは、例えば以下が考えられる。

(1) 後加重な退職給付制度など、給付算定式に従った場合でも均等補正すべき場合

　現行の基準下でも、著しく後加重なケースは均等補正が強制される。著しく後加重の判断は幅があると思われるが、給付カーブが単調増加であっても、著しい後加重と判断されれば給付算定式に従った場合でも均等補正を行うため、結果として期間定額的な費用配分を行う。例えば、ポイント基準が給付算定基準であるとしても、長期勤続者を相対的に優遇するような付与ポイントとなっている場合には、著しい後加重として全勤務期間にわたって均等補正することが考えられる。中途入社者が少ない会社等では長期勤続者により大きなポイントを付与するケースもあり、付与点数で勤務経験の浅い者と相当の格差を設けている制度も少なくない。この場合、給付が後加重となり、給付算定式基準の適用に当たり均等補正が必要となる可能性が高い。

(2) 退職給付制度の設計の方法から、定額配分が妥当と認められる場合

　退職金制度の設計の方法において、退職時の勤務期間ごとの給付額が先に定められていて、退職時に至るまでの支給倍率（付与ポイント）をその後に定める場合等が該当する場合がある。

　例えば、退職金制度を定めるに当たり給付額を先に決める場合は、労使間で勤続年数に応じた退職給付額の水準を決めることがある。最終給与に比例する制度の場合は、給付額を先に決め支給倍率を後付けで定めることがあるが、勤務1年当たりの支給倍率の伸び自体は数量的な根拠にやや乏しいケースもある。ポイント制においても、長期勤続を前提として定年到達時の給付額等を強く意識して付与ポイントが定められているような場合、各期のポイントの増加

自体は数量的な根拠にやや乏しいケースもある。

こうした場合が (2) に該当する。ここで留意すべきは、(1)(2) とも、「期間定額的な費用配分が合理的なケース」なのであって、期間帰属の方法として「期間定額基準」を採らなくとも、「給付算定式基準」において適切な測定の方法を採ることで、「給付算定式基準」の枠内で費用の定額配分を行うことである。わが国の退職給付制度においては (1) 及び (2) に該当するケースが存在する場合があり、これらのケースでは給付算定式そのものによる期間帰属（測定も含む）が労働の対価や費用の期間配分を合理的に表すものとは必ずしもいいきれない面がある。

Ⅲ 期間定額的な費用配分が合理的でない場合とは

期間帰属の方法として「期間定額基準」を採るか「給付算定式基準」を採るかは別として、期間定額的な費用配分が合理的でない場合とは、例えば以下が考えられる。

(1) 会社への貢献度（成果）を重視する制度設計の場合

退職給付制度が、従来の勤続型ではなく職能や成果、評価を重視した設計を志向する傾向になると、勤続年数と関係なく会社への貢献度を重視するため、各期に労働の対価として均等に給付を獲得するという仮定が必ずしも合理性をもたない場合が生じる。

(2) 確定給付型退職給付制度が安定的に継続せず、将来の給付が大幅に増減する場合

この場合、期間定額基準を用いて各期にコスト配分を行うことの矛盾が生じる。例えば、「将来勤務に係る部分の減額改訂を行った場合」や「厚生年金基金制度の代行返上に伴い代行部分に係る将来支給義務免除に伴い給付を削減した場合」「将来期間分の一部を確定拠出年金に移行した場合」等が該当する。

この際、将来勤務期間に対応する給付額削減による影響を過去勤務期間に対しても負担させコスト配分することが問題となる。「厚生年金基金制度の代行返上に伴い代行部分に係る将来支給義務免除に伴い給付を削減した場合」を例にとって説明しよう（図表2-2、2-3参照）。

図表2-2　将来支給義務免除に係る給付の削減

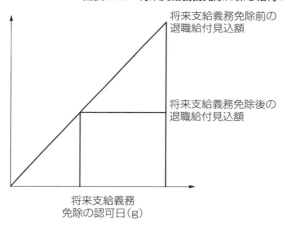

（注）将来分支給義務免除に伴い、将来昇給分削減により現時点までに獲得した給付の現価である退職給付債務に含まれていた将来昇給分も減少することになるが、上図及び次ページの図（将来支給義務免除に係る給付の削減と退職給付債務）では、この減少分は無視している。

　将来分返上認可日で、退職給付債務は認可日以降の将来昇給率分だけ削減されるため、認可日で過去勤務費用が発生し費用処理年数にわたり費用化する。将来分返上認可日以降の期間は、代行部分からは勤務費用は発生せず利息費用だけが発生する。

　図表2-2をみると、認可日で将来の支給義務免除を前提として給付の削減が生じており、この後の期間では給付が生じない。将来分支給義務免除に係る給付の削減が退職給付債務に及ぼす影響を図表2-3に示した。

　期間定額基準（全勤務期間にわたって期間定額基準を用いる方法）以外の方法、例えば、給与基準や、減額の前後で分けて配分計算した期間定額基準（給

図表 2-3　将来支給義務免除に係る給付の削減と退職給付債務

A　給与基準，給付削減の前後でウェートづけした期間定額基準を採った場合

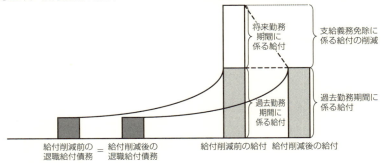

B　勤務期間定額基準（全勤務期間）を採った場合

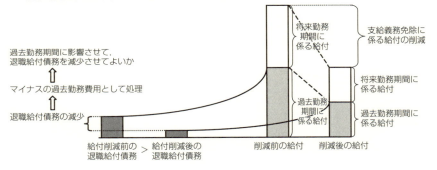

付削減の前後でウエートづけした期間定額基準）を採った場合（図表 2-3 の A）、将来分支給義務免除に係る給付削減の影響を過去勤務期間には負担させないため、給付削減前後で退職給付債務に変動はない。

図表 2-3 の A に示した、「将来の期間にわたり給付削減の影響を負担させるコスト配分方法」が合理的である。

期間定額基準（全勤務期間にわたって期間定額基準を用いる方法）により期間配分した場合、退職給付債務の減少に伴い多額のマイナスの過去勤務費用が生じる（図表 2-3 の B）。

過去勤務期間も給付削減の影響を負担すれば、将来の期間に勤務費用が発生し、勤務の対価とは認められないコストが将来の各期に配分される。これは、

コストの適正な期間配分や適正な期間損益計算の観点から合理的でない。

期間定額基準による期間配分を前提としても、将来期間に係る給付削減の影響を将来の期間で負担する方法によれば、過去勤務部分から過去勤務費用は生じない（図表 2-3 の A）。

これは、期間定額基準の課題というより、「全勤務期間」にわたって期間定額基準を採ることの問題点といえよう。

Ⅳ　給付算定式基準とは

給付算定式基準とは、まず「退職給付制度の給付算定式に従って各勤務期間に帰属させた給付」があって、その給付に基づいて退職給付見込額の各期の発生額を見積もる。

給付算定式基準は、各勤務期間に帰属させる「給付」に焦点をあてている。

つまり、従業員が勤務を提供すれば、予想退職時期や退職事由とは無関係に給付算定式に基づいた給付が発生する。このため、基準における給付算定基準における退職給付債務の計算手順は、次のとおりである。

> **現行の基準における給付算定式基準の計算手順**
> （Ⅰ）給付算定式に従って勤務の各期に帰属させた給付を捉える。
> 　　→給付算定式に基づき期末までに割り当てられる給付を把握する。
> （Ⅱ）当該給付に予想退職時期に応じた退職確率や死亡確率、さらには退職事由に応じて支給係数が定められている場合にはその支給係数などを反映する。
> 　　→期末までに割り当てられた給付に予想退職時期ごとの発生確率等を反映する。
> （Ⅲ）現在価値に割引計算して集計する。
> 　　→割引率を用いてそれぞれの残存勤務期間に応じ現在価値に割り引き合計する。

一方、期間定額基準における計算手順は以下のとおりである。

> **期間定額基準における計算手順**
> (a) 予想退職時期ごとに給付額に発生確率を考慮して退職給付見込額を計算する。
> (b) 期間帰属方法に応じた割合により退職給付見込額のうち各期に発生すると認められる額を計算する。
> (c) 残存勤務期間に応じて現在価値に割引計算し集計する。

　一見、両者は計算手順が異なるように見えるが、予想退職時の給付額に対する「退職給付制度の給付算定式に従って各勤務期間に帰属させた給付」の割合を退職給付見込額に乗ずることで、退職給付見込額のうち各勤務期間に発生したと認められる額を計算すると考えれば、退職給付債務の計算手順に大きな相違はない。

　ここで、「退職給付制度の給付算定式に従って各勤務期間に帰属させた給付」とはどのような給付であろうか。退職給付制度（ポイント制を除く）によっては、給付算定式が各勤務期間に割り当てる給付を明確には示していない場合がある。

　この場合、各勤務期間に帰属させた給付とは、支給倍率等による給付の増加と考えられる。言い換えると、給付算定式基準は給付カーブに従って期間帰属させる方法ということであり、ポイント基準や支給倍率基準を包含すると解釈することができる。

V　給付算定式基準における均等補正

　現行の基準では、どの程度後加重であれば均等補正を行わなければならないかについての判断基準や目安は示されていない。日本年金数理人会及び日本アクチュアリー会が公表している『退職給付会計に関する数理実務ガイダンス』においても、同様に示されていない。給付算定式に従って期間帰属を行っている欧米においては、直線的な給付カーブが一般的で、均等補正を行うかどうかの判断で迷うような局面はあまりないようである。一方、わが国では長期勤続者を相対的に優遇するような後加重の退職給付制度が少なくないため、判断に

図表2-4 給付算定式基準による期間帰属（均等補正を行う場合）

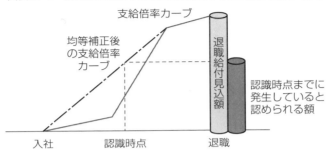

迷う場面が想定される。

この「著しく高い（materially high）」の判断基準は、IAS第19号でも追加的なガイダンスを与えていない。第1部4のⅡでも説明したが、これに関して、全くの私見だが、次の考え方があると思われる。

> Ⅰ 均等補正する局面を限定的に考える考え方
>   具体的には、「受給権確定を実質的に遅らせているもの」に限定して均等補正を行うとする考え方
> Ⅱ 後加重を広く捉えてできるだけ均等補正を行う考え方
>   具体的には、「下に凸のグラフを有するもの」など広く均等補正を行うとする考え方

Ⅰの考え方は、均等補正をUSGAAPのいう「総給付の全部または過大（disproportionate）な部分を勤務の後期の年度に配分し、結果として給付の受給権確定を実質的に遅延させている給付算定式を有するもの」に限定して行う考え方である。この場合、給与比例制で支給倍率が不連続に増加しているケースを除いて均等補正を行わないこととなる。

Ⅱは、この定めを「できるだけ均等補正を行うことを原則とし、退職給付債務の計算結果に重要性（materiality）がない場合にのみ補正を行わなくてもよい」と解釈する考え方で、各期への給付の帰属額が単調増加している「下に凸のグラフを有するもの」などは均等補正を行う対象となる。

例えば、従業員の入社時期に偏りがある場合、制度全体として退職給付債務（及び勤務費用）の額が年度によって大きく変動する可能性がある。均等補正によりこうした変動を抑制する効果を考慮すれば、当該変動の影響が比較的大きいと判断される場合は定額補正をすることが望ましい。この考え方によれば、将来期間まで含めた退職給付債務（及び勤務費用）の額の差額（変動）を勘案し、それらの金額に重要性が乏しくない限り、「著しく高い」後加重の制度と判断し、均等補正を行うことになる。

Ⅵ　ポイント制（累積型制度）への給付算定式の適用

　給与等の累積に基づく退職給付制度にポイント制やキャッシュバランスプランがある。これらの累積型制度は、給付が最終給与に比例する制度等と違い、期末時点において付与される給付が明確で、事業主からみれば原則として将来の給与リスクを負っていない制度といえる。国際的な会計基準において、累積型の制度については、ポイント制のポイントを給与の概念に含めて議論している。計算基礎により見積りをすべき要素を累積することで給付算定式が構成されている点を考慮すれば、給与とポイントは類似性があると考えられる。実際、基準でもポイント制におけるポイントに関する計算基礎は、予想昇給率と同様に取り扱う旨が示されている。

　累積型の制度については、国際的な会計基準においても給付算定式に従った方法の具体的な適用の仕方が不明瞭なため、基準では考え方の整理をしている。

（1）給付算定式適用の2つの方法とは

　ポイント制等において給付算定式基準を適用する場合、次の2つの方法がある。

> **Ⅰ 平均ポイント比例の制度として扱う方法**
> 平均給与比例制度に対して給付算定式基準を適用した場合と同様の方法。
> 退職給付債務の計算に将来付与されるポイントの増加を反映すべきとする考え方。
>
> **Ⅱ ポイント基準と類似した方法**
> 各期に付与されるポイントを、当該各期に帰属させる給付を構成するものとして扱う方法。退職給付債務の算定に将来の昇給の要素（将来付与されるポイント）を織り込まないとする考え方。

ポイント制の給付算定式は、ポイントの累計を勤務期間で除した「平均ポイント」に勤務期間を乗じたものとする給付算定式と同一の給付額となる。このため、ポイント制について、平均ポイント比例に基づく制度として給付算定式基準を適用するというのがⅠ法の考え方である。各期のポイントを給与に類似するものと考えれば、ポイント制の給付算定式は、平均ポイントに勤務期間を乗じたものを用いる給付算定式と同一の給付額となるからである。Ⅰ法では、給付算定式の規定が異なっていても、給付額が同じ制度の退職給付債務は同じであるべきとの考え方にたっている。

また、Ⅰ法は、退職給付債務の算定に当たり、退職時までに合理的に見込まれる変動の要因（平均ポイントの増加）を考慮する方法で、給与（経済変数）と給付算定式から構成されるとする考え方である（図表 2-5 参照）。

図表 2-5　ポイント制の給付算定式

給付額 ＝ 退職時の累計点数 × ポイント単価 × 支給倍率（1倍）
　　　＝ 退職時の累計点数 ÷ 勤務年数 × ポイント単価 × 勤務年数
　　　　　　　（退職時の平均ポイント）　　　　　　　（支給倍率）

Ⅱ法は、各期に付与するポイントを、当該各期に帰属させる給付を構成するものとして給付算定式を適用するもので、将来のポイントの累計を織り込まない。毎年度累積されるポイントが当該年度に帰属させるべき給付であり、将来のポイントの上昇は、当期にその予測の全部または一部を帰属させるべきでは

ないとの考え方にたっている。

　企業からすれば、長期勤続者に高いポイントを付与する、あるいは成果のポイントを重視するなど、給付設計の意図を期間帰属に反映する方法ともいえる。

　基準では、後加重に伴う均等補正を要する場合を除き、給付算定式基準にはⅡの方法も含まれるとしている。また、『国際会計基準（IAS19）の適用に関する海外調査と示唆（2011年3月、日本年金数理人会）』は、欧州での適用事例として、Ⅰ法を紹介している。

（2） Ⅰ法適用上の留意点

　退職給付見込額のうち期末までに発生したと認められる額につき、従来の期間定額基準では、「退職時の平均ポイント」に「現在の勤務期間」、「退職時の支給率」を乗じて算定する。一方、給付算定式基準では、「退職時の平均ポイント」に「現在の勤務期間」、「現在の支給率」を乗じて算定する。このため、支給率が一定の制度では、両者は原則同様の結果になる。ポイント制は平均ポイントに支給率（＝勤務年数）を乗じた制度とみなすことが可能なため、両者の評価は原則として一致する。

　ただし、退職事由により勤続年数別に掛け目を設ける場合など、給付算定式や支払条件によっては両者は異なる可能性がある。

　なお、年齢等による給与の累積停止条件がある制度など一定年齢以上に付与するポイントを著しく抑えているケースや、将来付与するポイントの一部を確定拠出年金制度等に移行しているケースなどは、付与ポイントに明確な差異が認められるため、平均ポイント比例の制度として扱うことは困難であろう。

（3） Ⅱ法適用上の留意点

　退職給付見込額のうち期末までに発生したと認められる額につき、ポイント基準では、「現在のポイント累計」に「退職時の支給率」を乗じて算定する。一方、給付算定式基準（ポイント基準類似）では、「現在のポイント累計」に「現在の支給率」を乗じて算定する。このため、支給率が一定の制度では、両

者は原則同様の結果になる。

　Ⅱ法に基づき給付算定式基準を適用することは、旧基準においてポイント基準を適用した結果と原則として類似する。Ⅱ法では、各期に付与されたポイントを当該各期に帰属させるべき給付とすることから、給付設計の意図を期間帰属に反映する。

　ポイント制やキャッシュ・バランス・プランのような累積型の給付算定式では、給付カーブが下に凸カーブを描くことが比較的多いため、給付算定式基準を採る場合、均等補正の要否が問題となる可能性がある。Ⅰ法では均等補正の問題は生じないが、Ⅱ法で均等補正を行う場合、将来の付与ポイントがいつどのように増加するかを予測することが困難であり、どの給付を補正の対象とすべきかが特定できず、かつ補正すべき期間も特定できない。このため、全勤務期間にわたって均等に補正することになり、結果として期間定額基準で評価したものと原則として同じ結果になる。

　なお、次のケースは退職給付債務の計算上、注意を要する。
・給付算定式がポイント累計に勤務期間に応じる乗率を乗じる規定の場合、著しい後加重の取扱いに留意する必要がある。
・支払が将来の一定期間までの勤務を条件としている場合、将来の勤務を提供しない可能性を考慮する。

(4) 後加重に伴う均等補正との関係

　従前に、ポイント制においてポイント基準を採ってきた場合、現行基準下においても継続して適用可能か検討する必要があった。将来のポイントの累計が著しく後加重と判断した場合、原則としてⅡ法が採れなかったからである。

　旧基準下では、ポイントの増加が各期の労働の対価を合理的に反映しているか否かがポイント基準を採用できる基準であった。一方、現行の基準では著しく後加重と判断すれば均等補正を要する。

　ポイント制では、長期勤続者により大きなポイントを付与し、付与点数にも差を設けていることもある。この場合、給付が後加重となり、それが著しい場

合は均等補正を要するケースがある。一方、付与ポイントの差は会社への貢献度等によるもので、勤続年数の長さや長期勤続の優遇とは関係がないとの判断もあり得る。これには、制度として長期勤続を優遇する意図はなく、ポイントの付与は会社への貢献度の対価と考えられる場合などが考えられる。この場合は、均等補正を要しないとの判断もありえる。

VII 給付算定式が最終給与比例制度の場合の給付算定式基準の適用

給付が最終給与に比例する（給付を退職時給与に支給倍率を乗じて算定する）制度をとりあげ、給付算定式基準のイメージを設例1及び図表2-8で確認しよう。

> **設例1**
> ■Aさんは20歳入社で現在40歳（勤続20年）
> ■Aさんの現在給与は400で60歳での給与見込額は600
> ■勤務期間（勤続年数）と支給倍率の関係は図表2-6のとおり。

本設例で、Aさんが60歳で退職する場合、現在までの勤務期間に帰属させるべき額はいくらか考えてみよう。

最終給与比例制度では、予想される昇給は退職時までに合理的に見込まれる変動要因に含まれ、退職給付債務の計算に当たり退職時に予定される給与を用いる。このため、退職給付債務の算定において帰属させるべき額は、60歳の予定給与600に現在（勤続20年）の支給倍率10を乗じた6,000となる。

後加重に伴う均等補正を行う場合は、勤続30年で直線的に支給倍率30に達するので、30×20/30で支給倍率20を600に乗じて、退職給付債務は12,000となる。

給付算定式基準のイメージを図表2-7に示す。

図表2-6 設例1における勤続年数別の支給倍率

勤続年数	支給倍率	勤続年数	支給倍率
0	0	21	12
1	0.5	22	14
2	1	23	16
3	1.5	24	18
4	2	25	20
5	2.5	26	22
6	3	27	24
7	3.5	28	26
8	4	29	28
9	4.5	30	30
10	5	31	30
11	5.5	32	30
12	6	33	30
13	6.5	34	30
14	7	35	30
15	7.5	36	30
16	8	36	30
17	8.5	38	30
18	9	39	30
19	9.5	40	30
20	10		

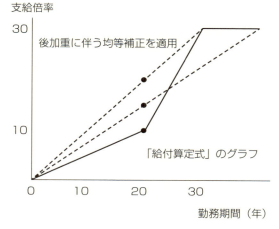

図表2-7　設例1の給付算定式基準のイメージ図

　期間定額基準では、退職時の予想給付額を、「期末までの勤務期間」と「退職時点までの全勤務期間」との比率で期間帰属させるため、帰属させるべき額が直線的に増加するイメージになる。

　一方、給付算定式基準では、給付カーブに沿って期間帰属させるため、帰属させるべき額も給付カーブに応じて増加するイメージになる。

　設例1に期間定額基準を適用する場合の帰属させるべき額は、以下のとおりである。

　現在給与の昇給率を乗じて算定した60歳の予定給与600に、退職時支給倍率30を乗じて退職給付見込額18,000を算定する。当該額18,000に当期までに発生した部分20/40（20＝当期までの勤続年数、40＝退職時までの勤続年数）を乗じて9,000となる。

　設例1は単純なモデル計算だが、勤続年数（年齢）別で退職給付債務の算定において帰属させるべき額の傾向や態様は異なる。

　実際の制度においては、給付カーブの形状や、従業員の構成・分布、あるいは中途退職の状況などにより退職給付債務に及ぼす影響は異なる。このため、期間定額基準と給付算定式基準とを単純に比較することはできないが、一般的

には、期間帰属額が大きいと考えられる高年齢層の制度加入者が多い場合は、給付算定式基準による期間配分のほうが期間定額基準によるそれより全体として大きくなり、その結果、退職給付債務も大きくなる傾向がある。逆に、若年齢層の制度加入者が多い場合は、期間定額基準に比べ、給付算定式基準によるほうが退職給付債務の額が小さくなる傾向がある。

また、支給倍率基準とは、「全勤務期間における支給倍率」に対する「期末時点における支給倍率」の比率により、当期までに発生したと認められる部分を期間帰属させる方法である。旧基準では、支給倍率の増加が各期の労働の対価を合理的に反映しているとはいえない場合が多いとして、原則として適用できないとしていた。

給付算定式が支給倍率で表現される最終給与比例制度において給付算定式基準を適用する場合は、支給倍率基準と類似の方法になると思われる。設例1でも、支給倍率基準による退職給付債務の算定において帰属させるべき額は、退職時の給付見込額 18,000 に、退職時の支給倍率 30 と期末時との支給倍率 10 の比率 1/3 を乗じた 6,000 となり、給付算定式基準によるそれと同じになる。

Ⅷ 給付算定式がポイント制の場合の給付算定式基準の適用（ポイント基準と類似した方法）

ポイント制をとりあげ、給付算定式基準のイメージを同じ設例2（基本的な設定は設例1と同じ）を用いて、Aさんが60歳で退職するとした場合の現在までの勤務期間に帰属させるべき額を確認しよう（ポイント基準と類似した方法）。

> 設例2
> ■Aさんは20歳入社で現在40歳（勤続20年）
> ■給付は累積ポイントに単価10を乗じて算定する。
> ■年齢と単年度ポイントとの関係は図表2-8のとおり。

図表2-8　設例2における年齢別の付与ポイント

年齢	ポイント	年齢	ポイント
20	10	40	30
21	10	41	30
22	10	42	30
23	10	43	30
24	10	44	30
25	10	45	30
26	10	46	30
27	10	47	30
28	10	48	30
29	10	49	30
30	20	50	40
31	20	51	40
32	20	52	40
33	20	53	40
34	20	54	40
35	20	55	40
36	20	56	40
37	20	57	40
38	20	58	40
39	20	59	40

（注）ポイントは単年度に付与されるポイント

　勤続20年で40歳のAさんは、300の累積ポイントを有する。これは単年度10ポイント×10年＋単年度20ポイント×10年で計算する。この累積ポイント300にポイント単価10を乗じて、退職給付債務の算定において帰属させるべき額は3,000となる。

一方、期間定額基準を適用すると、現在累積ポイントに昇ポイントを加味して算定した60歳の予定累積ポイント1000（10ポイント×10年＋20ポイント×10年＋30ポイント×10）年＋40ポイント×10年）に、ポイント単価10を乗じた額10,000に対し、さらに期間配分20/40を考慮した5,000と計算される。

ここで、設例2のように年齢の増加に従い単年度ポイントも増加する場合は、各年齢において、「期間定額基準」による配分（ポイント累計額）が「給付算定式」に基づくそれに比べ、常に上方にあるため、退職給付債務の計算結果は、期間定額基準による方法が給付算定式基準による方法を通常上回る。

ポイント制度において期間帰属方法につき「期間定額基準」と「給付算定式基準（ポイント基準と類似した方法）」とを比較すると一般的に下記のことがいえる。

・年齢の増加に従い単年度ポイントも増加する場合には、期間定額基準が「給付算定式」のグラフの常に上方にあるため、退職給付債務の計算結果は期間定額基準による方法が給付算定式に従う方法を上回る。
・年齢の増加に従い単年度ポイントも常に増加するとは限らない場合は、期間定額基準が「給付算定式」のグラフの上方にあるとは限らない。
・キャッシュバランスプランの場合、単年度ポイントには再評価率を反映させた上で検討する必要がある。

IX 給付算定式がポイント制の場合の給付算定式基準の適用（平均ポイント比例の制度として扱う方法）

前項の設例2の計算では、40歳・勤続20年の期末時支給額には、退職までの間に合理的に見込まれる変動要因はないとみなしている。つまり、将来の勤務期間に付与されるポイントは退職給付債務に影響を与えない。この点から、ポイント累計額が全体として給付算定式になっているとも考えられ、「ポイント基準に類似した方法」といえる。

ポイント制に給付算定式基準を適用するもう一つの方法として、給与（経済変数）と給付算定式から構成するとする考え方がある。これは、退職給付債務の算定に当たり、退職時までに合理的に見込まれる変動の要因（平均ポイントの増加）を考慮する方法で、平均給与比例方式と同様の方法ともいえる。

この方法によれば、累積ポイントを勤続年数で除した「平均ポイント」を用いて、ポイント制の給付算定式を、平均ポイント×勤続年数（支給乗数）×ポイント単価とみなして期間帰属の計算を行う。設例2でいえば、退職時平均ポイント25《(10ポイント×10年＋20ポイント×10年＋30ポイント×10年＋40ポイント×10年)÷40年》に支給乗率20を乗じた額が500になる。この500にポイント単価10を乗じた5,000が退職給付債務の算定において帰属させるべき額となる。

この方法は、期間定額基準を適用した場合と同じ結果になる。

X 給付算定式基準適用に当たってのその他の留意事項

（1）退職事由によって給付算定式が異なる制度の取扱い

退職事由別に支給倍率が定められているなど、退職時の勤務期間と年齢が同じでも退職事由によって異なる給付算定式が適用される制度がある。当該制度では、期間帰属に適する退職事由の給付算定式を選択し、その給付算定式に基づき期間帰属を行う。

例えば、会社都合退職と自己都合退職で給付算定式が異なる退職給付制度で、会社都合退職の給付算定式で得られる額に勤務期間に応じて削減の係数を乗じることで自己都合退職の給付を算定する場合、会社都合退職の給付算定式を期間帰属の基礎とすることが考えられる。一方、自己都合退職の給付算定式で得られる額に勤務期間に応じた割増しの係数を乗じることで会社都合退職の給付額を算定する場合、自己都合退職の給付算定式を期間帰属の基礎とすることが考えられる。退職事由の名称に関わらず、期間帰属の基礎となる給付算定

式を特定することが肝要である。

（2）一時金給付と年金給付からなる制度の取扱い

　一定の条件を満たす場合に年金給付を支給し、それ以外の場合に一時金給付を支給する制度がある。年金給付と一時金給付で給付算定式が異なることから、一時金給付部分と年金給付部分とに区分して各々で期間帰属させる方法が考えられる。

　日本の企業年金制度の大半は年金給付と一時金給付からなる制度である。また、これらの制度は退職一時金制度から移行し、一時金給付の支給倍率を換算する形で年金給付の支給倍率を設定するケースが多い。当該制度では、年金給付部分と一時金給付部分に区分せず、一時金給付の給付算定式に基づき期間帰属を行う方法が考えられる。

（3）退職給付が複数の給付の合計として規定されている制度の取扱い

　給付算定式の異なる複数の給付の合計として規定される制度では、制度全体で一つの給付算定式と考えるのではなく、それぞれの給付算定式に基づき期間帰属させる給付や均等補正の要否を検討するのが合理的である。例えば、「定年加算」等の名称で一定の勤務期間または年齢以上で退職する場合に割増給付を支給する退職給付制度なども、こうした取扱いとすることが妥当であろう。

（4）退職金制度の一部を企業年金制度に移行する場合

　複数の退職給付制度を有する企業では、制度ごとに給付算定式基準を適用するのが原則だが、退職金制度の一部を企業年金制度に移行している場合、企業年金制度と未移行部分の退職一時金制度につき、各々独立した制度とみなして給付算定式基準を適用することが合理的でない場合がある。

　特に退職金制度と相似形にならない形で退職金の一部を企業年金制度に移行する場合は、未移行部分の退職一時金制度を一つの給付算定式とみなすことが難しい。

この場合、退職金制度全体の退職給付債務から企業年金制度へ移行した部分の退職給付債務を控除することで、未移行部分の退職一時金制度の退職給付債務を算定する。

　このように退職金制度の一部を企業年金制度に移行する場合、退職金制度全体を捉え、企業年金制度と未移行部分の退職一時金制度の間で整合性をとったうえで適切な期間帰属を行う必要がある。

(5) 早期退職優遇制度

　定年退職より少し前に退職した場合に退職給付を上乗せする「早期退職を優遇する制度」がある。当該制度ではより早期に退職した方が手厚い給付を受け取ることができる。

　通常退職金部分とは別にして評価するが、早期退職優遇制度を一つの制度として捉えると、一定年齢以降の勤務期間にはマイナスの給付を帰属させることになる。

　この場合、それぞれの年齢で割増支給するものをそれぞれ一つの制度とみなし、それらを組み合わせた制度として理解することも合理的と思われる。そうすれば、各年齢での給付につき各々均等補正を行い期間帰属させることになり、結果として、期間定額基準と同じ方法となる。

XI　期間帰属方法変更の影響

　平成26年4月1日以降に開始する事業年度の期首より、「期間定額基準」または「給付算定式基準」のうちいずれか一方を選択するよう期間帰属方法の見直しが行われた。その結果、比較的多くの会社が「給付算定式基準」に変更したようだ。理由としては、最も適切な期間帰属方法と認められたという理由以外に主として以下が考えられる。
　(a) 将来の国際会計基準適用を視野に入れたため
　(b) 現状の退職給付債務の削減効果を考慮したため

(a)について、IAS第19号「従業員給付」では、期間帰属方法として給付算定式基準が強制される。このため、将来の国際会計基準の導入を見据えた場合、基準適用時に「期間定額基準」を選択した場合、連結財務諸表と個別財務諸表で適用する期間帰属方法が異なる。その結果、連結財務諸表は給付算定式基準、個別財務諸表は期間定額基準と、2つの基準により退職給付債務（勤務費用）を計算し、また管理することになってしまう。

　IFRSを任意適用するケースで、両財務諸表間の差異を解消するため個別財務諸表を給付算定式基準に変更する場合、過去の財務諸表へ遡及処理が求められる可能性もあった。

　こうした点を踏まえ、将来の任意適用、強制適用の可能性を考慮すれば、基準適用時からIFRSで適用される基準（給付算定式基準）に変更しておくという考えであった。

　(b)について、給付算定式基準を適用すると期間定額基準の場合と比べ、退職給付債務が小さくなる傾向があることがその要因である。比較的多くの日本企業は長期勤続者を多少なりとも優遇した退職給付制度を有してきた経緯があり、その場合、給付カーブは下に凸またはS字型に近いカーブを描いている（最近は減少傾向にある）。下に凸のカーブの場合はいずれの世代でも、またS字型に近いカーブでは一定年齢以下につき、期間帰属額は給付算定式基準の方が期間定額基準より少なくなる。ただし、期間帰属方法の変更に伴う退職給付債務の減少は、従業員が過去に提供した勤務期間に帰属させる給付が減少したことを意味するだけであり、退職給付の額自体が変わるわけではない。このため、過去勤務期間に帰属させた給付が減少した分だけ逆に将来勤務期間に帰属させる給付は増加することになる。

　つまり、期間帰属方法の変更による退職給付債務の減少分は、当期までに費用処理した金額の一部を利益剰余金として吐き出すことで得られる一時的なものに過ぎない。

　仮に足元の債務の減少を優先し、給付算定式基準を選択した場合、当該退職給付債務の減少分は将来の期間における費用の増加に跳ね返ることに注意を要

する。

　このことを理解するため、図表2-9に、脚注に記載の【前提条件】のもと、22歳で入社する者を標準者として、期間経過ごとの退職給付債務と勤務費用を期間帰属方法別にグラフで示した。図表2-9を見ると、当該前提条件下では、期間帰属方法を給付算定式基準に変更することで、退職給付債務が減少し、一方今後の勤務費用は増加（減少）することが見てとれる。

図表2-9　期間定額基準及び給付算定式基準を適用した場合の退職給付債務と勤務費用

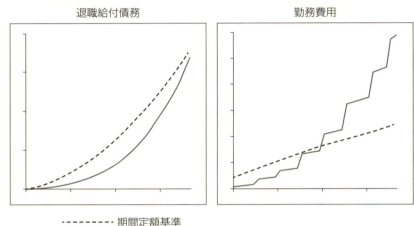

　--------　期間定額基準
　————　給付算定式基準（均等補正なし）

※　計算の前提条件
・従業員数は約1,000名、採用は新卒者を中心とし従業員の定着率が比較的高い歴史のある企業を対象
・従業員の平均年齢は41歳、平均勤務期間は18年、定年年齢は60歳であり、平均残存勤務期間は11年
・退職給付制度は退職時の給与に勤務期間に応じた支給倍率を乗じて給付額が定まる最終給与比例の制度

3 割引率の見直し（割引期間の考え方）

数理計算に関わるテーマ

I 旧基準と現行基準の定め

旧基準の取扱い
■割引率の基礎となる期間について、退職給付の見込支払日までの平均期間を原則とするが、実務上は従業員の平均残存勤務期間に近似した年数とすることができる。

現行基準の取扱い
■退職給付支払ごとの支払見込期間を反映するものでなければならない。
■「退職給付の支払見込期間ごとに設定された複数の割引率を使用する方法（Ⅰ法）」や「退職給付の支払見込期間及び支払見込期間ごとの金額を反映した単一の加重平均割引率を使用する方法（Ⅱ法）」が含まれる。

旧基準では、退職給付の支払見込期間ごとに設定された複数の割引率を用いて、割引期間ごとに1年1年異なる割引率を適用することは実務上難しいことも考慮し、従業員の平均残存勤務期間に近似した年数とすることを認めてきた。改訂前基準では「給付支払時期までの平均期間」に見合う債券の利回り、すなわち「単一の割引率」を前提にしていたと考えられる。また、年金制度を採用している場合でも、従業員の平均残存勤務期間に近似した年数とする事例も多かった。

現行の基準では、国際的な会計基準と同様に、期間に応じて市場金利が異なることを前提として割引率に退職給付支払ごとの支払見込期間を反映すること、及び改訂基準では、「給付の支払時期と給付額の両方を考慮に入れる」ことを求めており、従前認められてきた「平均残存勤務期間に対応した残存期間を有する国債（優良社債）の利回り」を割引率として使用することはできなくなった。

「平均残存勤務期間に対応した残存期間を有する国債（優良社債）の利回り」だと、一時金に関しては給付の支払時期が考慮されているものの、年金の場合は給付の支払時期が考慮されていないからである。

基準に準拠した実務として、「現行基準の取扱い」に示した2つの方法のうち、イールドカーブをひき複数の割引率を適用するか、単一の加重平均割引率を合理的に算定するか、いずれかの方法によることが考えられる。基準では2つの方法に優劣はつけていない。

なお、複数の割引率を適用するⅠ法の場合、国債又は優良社債の市場利回りは期間の異なるスポットレートの集合であるイールドカーブを参照することが原則である。日本証券業協会のホームページに記載されているデータを使用するのは次の理由から適切でない場合があることに留意を要する。

■市場に流通している債券の多くは割引債ではなく利付債であること
■任意の満期を持つ割引債の利回りを必ず観測できるわけではなく、また観測されるデータにはバラツキがあること

Ⅱ　退職給付の支払見込期間ごとに設定された複数の割引率を使用する方法（Ⅰ法）

退職給付の支払見込期間ごとに設定された複数の割引率を使用する方法（Ⅰ法）は、イールドカーブそのもの、つまり給付見込期間ごとにスポットレートを割引率として使用する方法である。複数の割引率を用いる場合のイメージが図表2-10である。

図表2-10 複数の割引率を用いる場合のイメージ

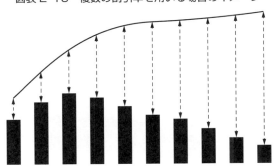

イールドカーブとは、残存期間が異なる複数の債券の金利、すなわちスポットレート(割引債の利回り)の変動をグラフ化したものである(図表2-11参照)。

イールドカーブは、市場データを基礎として金利期間構造モデルを用いて推定し、推定したスポットレートをもとに、補間等の手法によりデータが存在しない残存期間や長期の残存期間の利回りも設定する。

図表2-11 国債イールドカーブのイメージ

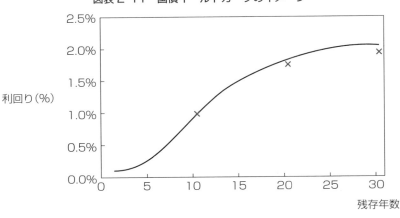

Ⅰ法は、将来の給付支払見込時点ごとに、その割引期間に応じた利回りを用

いて割引計算する方法で、イールドカーブ全体の形状を割引計算に反映させることができる。この点、理論的には望ましい方法といえる。

一方、例えば次の点が実務上の課題としてあげられる。

> (a) コストやスケジュールの面で実務上の負荷が生じる可能性があること、及び内部統制上の課題、社内外への説明責任上の負担、他の基礎率との整合性確保の課題をクリアーする必要があること
> (b) 単一の加重平均割引率と違い割引率の水準を把握することが困難なこと
> (c) イールドカーブを用いて割り引く方法でも、「単一の加重平均割引率」もあわせて算定しなければならないこと

(1) (a)についての実務上の論点

(a)について、特に以下の4点に留意を要する。

1 実務上の負荷

この方法を適用する趣旨（キャッシュフローごとの割引計算を正確に行う）を考えれば必ず期末時点のイールドカーブに置きなおして割引計算を行う必要がある。

決算期末までのイールドを適時に反映することは、監査対応も含め決算スケジュール上の期限に間に合うかが問題となる。この点、計算受託機関と協議し、データ端末を共有する等の工夫をする必要がある。

2 内部統制上の課題

導入に当たり内部統制の課題をクリアーする必要がある。この際、特にイールドカーブの適正性を担保する必要があり、その検証可能性が確保されているかが問題となる。

複数の割引率を用いる場合、もともと会社にとって検証が困難な退職給付債務や勤務費用の計算について、その計算過程がさらに複雑となり、ブラックボックス化してしまうことが懸念され、それに対する対応を講じる必要がある。

3 社内外への説明責任上の負担

単一の加重平均割引率を選択した場合と比べ、社内外への説明が難しくなる

可能性があり、適切な理解を得られるよう対応を講じる必要がある。

4 他の計算基礎との整合性

キャッシュフローごとの割引計算を正確に行い割引計算を精緻に行う目的で複数割引率を選択するが、一方、退職給付の額や支払時期を適正に見込まない限り割引計算だけを精緻にしても、計算結果の適正性は担保できない。このため、複数割引率を用いる場合、それに見合うだけの退職給付の額及び支払時期の見積りの精度を確保することが望まれる。

例えば、以下の課題に対応が求められることが考えられる。

【計算基礎（基礎率）の適正性】

企業年金制度の退職確率や昇給の見込などは、年金財政で用いている率をそのまま使用することが実務上多いが、年金財政と会計では目的が異なるため、そのまま使用することで問題ないか検討することが望まれる。

【データ等の基準日との関係】

退職給付債務の計算に決算日前の従業員データを利用する場合、データ基準日から決算日に至る従業員の退職等の事実がどの程度適切に反映されているかという問題がある。こうした問題との整合性にも配慮することが望まれる。例えば、データ基準を決算日に近づけるなどの対応を要する場合もあろう。

(2) (b) についての実務上の論点

（b）について、割引率が一意的に決まらないため、割引率の水準を把握することが困難である。また、イールドカーブを参照しても、前期末からの割引率の水準の変動やその影響がわかりづらいという課題がある。

(3) (c) についての実務上の論点

（c）について、割引率に関する「重要性基準」は適用できないと思われる。キャッシュフローごとの割引計算を正確に行い割引計算を精緻に行うという、複数割引率を用いる方法を選択する主旨に反すると思われるからである。

また、割引率が一意的に決まらないことから、次の点も留意が必要である。

■「利息費用の算定」や、「注記の割引率の開示」の局面において、単一の加重平均割引率を併せて求める必要がある。
■貸借対照表日前のデータ等の利用の局面でも工夫を要する。期末の退職給付債務は、実務上、人事データ、計算基礎率など、貸借対照表日前のデータ等を利用し、期末日までの転がし計算を行うことによって算定するが、この場合具体的にどのように運用するかが問題となる。

Ⅲ 退職給付の支払見込期間及び支払見込期間ごとの金額を反映した単一の加重平均割引率を使用する方法（Ⅱ法）

　退職給付の支払見込期間及び支払見込期間ごとの金額を反映した単一の加重平均割引率を使用する方法については、いろいろな方法が考えられるが、基準では具体的な方法を特に示していない。そこで、日本年金数理人会及び日本アクチュアリー会が公表している『退職給付会計に関する数理実務ガイダンス』（以下「数理実務ガイダンス」）に示されている次の3つのアプローチに沿って、概要及びメリットデメリットを確認しておく。いずれも単一の加重平均割引率を求めるアプローチである。

（a）イールドカーブ等価アプローチ
　複数割引率を用いる方法（Ⅰ法）と実務負荷は変わらない。
（b）デュレーションアプローチ
　「各給付見込期間を給付見込期間毎の退職給付の金額の現価で加重平均する方法」「複数の単一割引率による退職給付債務の計算結果から推計する方法」がある。
（c）加重平均期間アプローチ（平均割引期間方式）
　退職給付の金額で加重平均した給付支払までの期間に対応するスポットレートを用いる方法で、割引率を0としたデュレーションアプローチの一種である。

　Ⅱ法のイメージを図表2-12に示した。

図表2-12 単一の加重平均割引率を用いる場合のイメージ

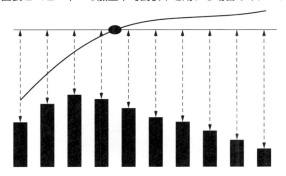

(1) イールドカーブ等価アプローチ

イールドカーブを直接用いる複数割引率により計算した退職給付債務と等しい結果が得られる単一割引率を求め、それを加重平均割引率とする方法である。内部利益率の考え方を用いた方法で(※1)、イールドカーブ全体の形状を割引計算に反映させることができるが、イールドカーブを用いる方法と実務負荷も含め実質的に変わらない。また、割引率の水準を把握するためには、Ⅰ法(複数割引率を用いる方法)に基づく退職給付債務の計算が必要となる。

> (※1) 内部利益率
> 投資案件や保有資産から得られるキャッシュフローを現在価値に割り引いた価値の合計が、期初投資額や資産の価額と等しくなる割引率をいう。当初に資金流出、後に資金流入があるキャッシュフローパターンの投資案件の場合、算定された割引率が要求収益率よりも大きければ、当該投資は採用すべきと判断する。IRRとも呼称される。

(2) デュレーションアプローチ

デュレーションとは、平均的に給付(キャッシュフロー)が発生する期間であり、割引率が変動した場合に退職給付債務がどの程度変化するかを示す感応度である。

デュレーションアプローチとは、退職給付債務のデュレーションと等しい期

間に対応するスポットレートを単一の加重平均割引率とする方法である。

つまり、この方法は、デュレーションをもって退職給付債務の決済期間とする方法で、退職給付債務全体の支払見込期間を、退職給付見込額のうち期末までに発生した額の現在価値とその支払見込期間を用いて加重平均する。

具体的には、大別して次の（b-1）法及び（b-2）法がある。

> （b-1）法：各給付見込期間を給付見込期間毎の退職給付の金額の現価で加重平均する方法
> （b-2）法：複数の単一割引率による退職給付債務の計算結果から推計する方法

（b-1）法は、計算式が複雑で会社単独では算定できない。このため、計算受託機関に計算を委託することになり、検証可能性が乏しく、コストがかかる場合もある。

（b-2）法は、2つの割引率に対する退職給付債務の感応度から推計する方法だが、比較的簡便で、会社自身で計算ができる可能性がある。このため、（b）法の中では（b-2）法を採る会社が比較的多いと推定される。

設例3を使って（b-2）法の計算方法を確認しておく。この方法はあくまで近似計算である。また、本来、割引率の差を僅少なものとして「微小な差」を求めるべきだが、下記計算に基づくデュレーションは「微小な差」とはいえず、デュレーションを厳密に求めているものではない。

設例3

割引率2.0％で算定した退職給付債務 11,000、
割引率2.5％で算定した退職給付債務 10,000

デュレーション（D）の計算は、以下のようになる。

（△PBOは2つの退職給付債務の差、△(1+r)は2つの割引率の差を示す）

$$D = -\frac{\triangle PBO/PBO}{\triangle(1+r)/(1+r)} = -\frac{(11{,}000-10{,}000)/10{,}000}{(1+0.02-1-0.025)/(1+0.025)} = 20.5 年$$

ここで、(b)法のメリット、デメリットをまとめると次のとおりである。

【メリット】
- (b-2)法なら会社単独で計算できる。割引率のみ異なる複数の退職給付債務の計算結果を用いて簡便的に把握することができるため、実務上の負荷が小さい。
- 実務上、イールドカーブを参照すれば割引率の水準が容易に推定できる。
- 特定の期間に対応した利回りを割引率とするという決定プロセスが、従来の会計基準における決定プロセスと類似しており、手法に馴染みがある。

【デメリット】
- イールドカーブ全体の形状を十分には反映していない。
- 計算に当たり単一の割引率を仮に置いて計算する必要があり、選択する割引率の水準により得られる結果が異なる可能性がある。割引率を高く設定するほどデュレーションは小さくなる傾向にある。
- このため、デュレーション算定の基礎となる割引率の設定方法に係る合理性につき検証を要する場合がある。

(3) 加重平均期間アプローチ

退職給付の金額で加重平均した給付支払までの期間に対応するスポットレートを単一の加重平均割引率とする方法である。

加重平均期間は割引率を0として計算したデュレーションに相当する。このため、(b)法(デュレーションアプローチ)の一つともいえる。「平均割引期間」とは、$\{(1年後の金額×1年)+……+(n年後の金額×n年)\}÷(1年後の金額+……+n年後の金額)$と表すことができる。

なお、デュレーションは割引率が小さいほど長く算出されるため、イールドカーブが期間に対して単調増加である場合、この方法による割引率は、デュレーションアプローチによる割引率の中で最大となる。

ここで、(c)法のメリット、デメリットをまとめると次のとおりである。

【メリット】
- デュレーションアプローチでは選択する割引率によって得られる結果が異

なるが、加重平均期間アプローチではそのようなことがなく恣意性が入り込む余地がない。
・イールドカーブが期間の経過に対応して増加していく場合、(b)法のデュレーションアプローチに比べて割引率が高くなり、退職給付債務が小さく算定される（ただしこれは必ずしも「メリット」とはいいきれない面もある）。
・実務上、イールドカーブを参照すれば割引率の水準が容易に推定できる。
・特定の期間に対応した利回りを割引率とするという決定プロセスが、従来の会計基準における決定プロセスと類似しており、手法に馴染みがある。

【デメリット】
・会社単独で計算できない。
・イールドカーブ全体の形状を十分には反映していない。
・これまでの基準下では把握する必要のなかった発生時期ごとの退職給付の金額を把握するため、計算上の負荷が増加する。

Ⅳ　デュレーションと、加重平均期間及び平均残存勤務期間等との関係

　デュレーションと加重平均期間の関係については、Ⅲで示したとおり、加重平均期間のほうが常にデュレーションより長くなる。
　デュレーション及び加重平均期間と従業員の平均残存勤務期間の関係については、退職給付制度の内容や従業員構成や退職確率などにより異なるため一概にはいえない。しかし、退職一時金制度においては、デュレーション＜加重平均期間＜平均残存勤務期間となるケースが多いようである。実際、(b)法「デュレーションアプローチ」や(c)法「加重平均期間アプローチ」を選択する企業も比較的多いようだ。これらの方法を採ることにより、参照する期間（割引期間）が短くなることが想定される。これに伴い、比較的割引率が低くなり、その結果、退職給付債務が大きく評価される可能性が高くなると思われる。

V　割引率見直しのポイント

　日本年金数理人会の調査報告『国際会計基準（IAS19）の適用に関する海外調査と示唆』によると、調査対象国であるイギリス、ドイツ、オランダ及びスイスでは、一部の大企業を除くほとんどの企業が単一の加重平均割引率を使用しているようである。基準では、「退職給付の支払見込期間ごとに設定された複数の割引率を使用する方法（Ⅰ法）」と「退職給付の支払見込期間及び支払見込期間ごとの金額を反映した単一の加重平均割引率を使用する方法（Ⅱ法）」を並列で表記しており、両者に基準のたてつけ上は優劣はない。したがって、Ⅱ法を採る場合に、通常、イールドカーブによる複数割引率を用いて計算したⅠ法の結果とのずれを検証する必要はないと思われる。

　どちらを使用するかについては、実務上の負荷の大きさと得られる効果を比較して判断することになる。例えば、金利変動による負債の増減に対応するような資産運用方法として年金負債対応投資（Liability Driven Investment：LDI）を実施しているような場合には、たとえ大きな負荷をかけてでも、資産と負債の評価の平仄をあわせるという目的を果たすためにⅠ法を用いる意味があるだろう。逆にⅠ法を用いていれば年金負債対応投資（LDI）という発想が自然と生じるともいえよう。

　日本年金数理人会の調査報告の結果については、制度として終身年金が多い国や地域ではデュレーションも通常長いため、キャッシュフローやイールドカーブの形状を反映しなくても、割引率の水準に大きな影響はないことも影響している可能性がある。日本の制度の場合、終身年金が欧州ほどなくデュレーションが比較的短いこと、また、日本の制度のイールドカーブについて、少なくとも20年程度までは比較的傾斜が高い傾向があることから、イールドカーブの形状を反映した場合と反映しない場合とで割引率が大きく変わる可能性がある。

　しかし、イールドカーブの形状を十分には反映しないデュレーションアプローチや加重平均期間アプローチであっても、イールドカーブが期間に対して逓増（順イールド）または逓減（逆イールド）する状況であれば、形状の違い

は大きな問題にならないとの見解もある。また、実際にそのような形状（順イールドや逆イールド）のイールドカーブにならないことはあまり発生していないようである。そうであれば、イールドカーブの形状を十分には反映しないことは特に大きな問題にはならないともいえよう。

以上のことから、デュレーションアプローチや加重平均アプローチを採用する場合には、イールドカーブの形状を確認しておくことが望まれる。

VI　割引率見直しの影響

割引率を見直した結果、退職給付債務にどのような影響を及ぼすかについては、金利カーブの形状、退職傾向、従業員分布、年金給付の発生割合などさまざまな要因を考慮する必要があり一概にはいいきれない。

現行の基準下では給付までの期間だけでなく給付見込額と給付までの期間を勘案する必要がある。このため年金制度であるからといって割引期間が長くなるとは限らない。受給者や給付までの期間の短い高齢者の影響を考慮すると、割引期間はむしろ退職一時金より短くなる可能性がある。また、全体としてみれば、退職給付債務が増加する可能性が高いと推測される。主たる根拠は以下の点にある。

（1）参照する期間（割引期間）の短縮化

Ⅳで既述のとおり、デュレーション＜加重平均期間＜平均残存勤務期間となるケースを前提とすれば、従来「平均残存勤務期間」を採ってきた会社が、(b) 法「デュレーションアプローチ」や (c) 法「加重平均期間アプローチ」を選択することで、参照する期間（割引期間）が短くなり、従前より割引率が低くなることが想定される。

その結果、退職給付債務が大きく評価される可能性が高くなる。

(2) 高年齢層の従業員に係る影響

定年年齢に近い高年齢の従業員の割引期間は平均残存勤務期間よりも短いため、金利カーブにより近い率を適用した場合、現行基準下では、旧基準下の水準よりも割引率は通常低くなってきている。

このため、高年齢従業員の退職給付債務は現状よりも増加する一方、若年齢の従業員の退職給付債務は現状よりも減少してきているようだ。

企業全体で考えると、高年齢層の従業員の給付額は若年齢層の従業員よりも多額であると推測され、かつ、高年齢層の従業員に適用される割引率が旧基準にて適用されてきた割引率に比べ現行基準下では低くなると考えられる。よって、企業全体としての退職給付債務は増加する可能性が比較的高いと思われる。

Ⅶ 単一の加重平均割引率（Ⅱ法）適用に当たってのその他の留意事項

（1）複数の退職給付制度を有する場合の取扱い

退職給付制度として退職一時金制度と企業年金制度を併用しているような複数の退職給付制度を有しているケースにおいて、単一の加重平均割引率を用いる場合は注意を要する。現行の基準下では、割引率には退職給付支払ごとの支払見込期間を反映しなければならない。給付の平均発生期間、すなわち、退職給付債務のデュレーションが異なれば、加重平均割引率も相違することから、本来は、退職給付制度ごとに異なる割引率を適用することが基準の趣旨には合致するものと思われる。

一方、当該趣旨に鑑み、退職給付制度全体で単一の割引率を用いることに特に弊害がなければ、複数の退職給付制度に同一の単一割引率を適用することも認められると思われる。

(2) 退職給付債務及び勤務費用の算定と単一割引率との関係

　単一の加重平均割引率は退職給付債務をベースに算定するが、勤務費用をベースに単一の加重平均割引率を求めると、退職給付債務をベースにしたものとは異なる結果になる。これは、退職給付債務と勤務費用とでは期間ごとの給付の重みが違うからである。

　一方、実務上は、退職給付債務をベースにして加重平均した割引率を算定し、当該率を勤務費用や利息費用の算定にも用いることが合理的と思われる。

　また、イールドカーブを用いて割引計算する場合、期首時点の勤務費用は退職給付債務と同様に計算すればよいが、勤務費用における当期分の利息相当額や利息費用の計算するための割引率に何を用いるかが問題となる。実務上の対応を考えれば、イールドカーブ割引で算定した退職給付債務と等価になるような単一の加重平均割引率を算定し、当該率を用いることも一法と思われる。

(3) 期間帰属方法の見直しとの関係

　単一の加重平均割引率は、退職給付の支払見込期間および支払見込期間ごとの金額を反映する。当該額は、退職給付見込額のうち期末までに発生していると認められる額であり、退職給付見込額につきどの期間帰属方法をとるかによって異なる。

　割引率の設定方法を変える必要がないケースでも、退職給付見込額の期間帰属方法を変更することにより、結果として適用する割引率が変わる可能性がある。

4 その他の数理計算に関わるテーマ(昇給率の見直し等)

数理計算に関わるテーマ

I 昇給率の見直し

　退職給付債務や勤務費用を算定するに当たり、予想退職時の退職給付額を予測するが、この「退職時の予想給付額」を算定する際に、昇給率を合理的に見積もる（ただし、給付算定式基準に従って期間帰属させる場合は、給付算定式に基づき期末までに割り当てられる給付を直接把握する際に昇給率も考慮する）。

　旧基準下では、ベースアップについては、確実かつ合理的に推定できる場合以外は、昇給率の算定には含めないこととされていた。一方、現行の基準下では、退職給付見込額の見積りにおいて合理的に見込まれる退職給付の変動要因には「予想される」昇給等が含まれるものとしている。

　予想昇給率につき、確実なものだけを考慮する場合、割引率等の他の計算基礎との整合性を欠く結果になる。また、国際的な会計基準では確実性までは求められていないことを勘案し、基準では、確実に見込まれる昇給等ではなく、予想される昇給等を考慮すべきこととしている。例えば、インフレ率が昇給率には反映されない一方、割引率だけに反映されたら、債務や費用の評価が適切に出来ない可能性があるからである。

　IAS第19号では、数理的な仮定は、偏りがなく、相互に整合的でなければならない、とされ、退職給付の提供に関する最終的な費用を決定する変数の、企業の最良の見積りであるとしている。

　この結果、定期昇給のみ見込むのではなく、現行の基準下では、インフレーション、年功、昇進及び雇用市場における需給のような他の関連する要素を考慮することが考えられる。仮に予想インフレ率がゼロではない場合、それが退

職給付の算定基礎として用いる「給与」にどのように影響するかについては、当該給与の実態や性格を踏まえて判断することになる。

また、数理実務ガイダンス 3.4 では、ベースアップに関して、『日本では、予想昇給率は、対象給与の昇給が、年齢や経験年数との相関が見られる部分と、ベースアップに相当する部分から構成されると考えて推定することが適当な場合が多い』という記載がある。昇給の見込みに加え「予想される」昇給等を見込むに当たっては、将来のベースアップなどについて織り込むことが考えられ、この場合は退職給付債務や勤務費用の増加要因となりえる。一方で、近年の経済環境下ではベースアップが見送られていること、あるいは退職給付の算定基礎が給与とリンクしていないことが多いことなどを踏まえると、将来のベースアップ率を見込まなければならないケースは限定的とも考えられ、この影響は大きくないとの見方がある。

II 死亡率の見直し

実務上の論点として死亡率の将来の変化を織り込むべきか否かという議論がある。織り込むか否かにより、終身年金を実施している場合など影響が大きい制度もあるからである。基準では『全人口の生命統計表等をもとに合理的に算定する』（退職給付適用指針第 27 項）と定めているが、この「合理的に算定する」という範囲に、将来の変化を織り込むという考え方がある。現状では、将来の変化を織り込む実務は行われていないが、IAS 第 19 号ではこれを織り込むことが明記され、実際織り込んで退職給付債務等を計算している国が多くあることから、基準でいう「合理的に算定する」という範囲に含まれるとの考え方である。

この点、数理実務ガイダンス 3.8 では、『将来の死亡率の変化が合理的に見込まれ、かつ、重要性が高いと判断される場合には、これを織り込むことが考えられる』と記載されている。

このため、終身年金を実施している場合など、死亡率の将来の変化を織り込

むことによる影響が大きいと判断される場合は、注意を要する。

5 数理計算上の差異及び過去勤務費用の処理方法

数理計算に関わらないテーマ

I 個別財務諸表から連結財務諸表への調整

以下、設例4を用いて、個別財務諸表から連結財務諸表への調整に関して、個別財務諸表及び連結財務諸表であるべき会計処理、個別財務諸表から連結財務諸表への連結修正仕訳について確認する。

設例4

■2024年3月31日における状況は次の通りである。

〈個別財務諸表〉		〈連結財務諸表〉	
退職給付債務	(1,000)	退職給付債務	(1,000)
年金資産	700	年金資産	700
積立状況を示す額	(300)	退職給付に係る負債	(300)
未認識数理計算上の差異	250	未認識数理計算上の差異	250
退職給付引当金	(50)	（控除・税効果分）	(100)
		退職給付に係る調整額	150

■法定実効税率は40％とする。
■繰延税金資産については回収可能性がある。

2024年度（2024年4月1日から2025年3月31日）

（1）前提条件

■ 2024年度の退職給付費用の額

（＋：費用方向、△：収益方向）

勤務費用	80
利息費用	20
期待運用収益	△21
未認識数理計算上の差異の費用化額	50

■ 割引率は2％、長期期待運用収益率は3％である。

■ 2024年度中における年金資産からの年金給付支払額及び年金資産への掛金拠出額は、それぞれ30及び79である。

■ 2024年度末（2025年3月31日）の退職給付債務は1,100、年金資産700である。

（2）個別財務諸表、及び連結財務諸表上の処理

「2024年度末（2024年3月期）」及び（1）の前提から、退職給付債務、年金資産及び未認識項目の変動を示すと、以下のようになる。

１ 個別財務諸表上の処理

	期首 2024/4/1	退職給付 費用	年金/掛金 支払額	予測 2025/3/31	数理計算 上の差異	実際 2025/3/31
退職給付債務	(1,000)	(80) (20)	30	(1,070)	(30)	(1,100)
年金資産	700	21	(30) 79	770	(70)	700
未積立退職給付債務	(300)			(300)		(400)
未認識数理計算上の差異	250	(50)		200	100	300
退職給付引当金	(50)	(129)	79	(100)	－	(100)

2 連結財務諸表上の処理

	期首 2024/4/1	退職給付費用	年金/掛金支払額	予測 2025/3/31	数理計算上の差異	実際 2025/3/31
退職給付債務	(1,000)	(80) (20)	30	(1,070)	(30)	(1,100)
年金資産	700	21	(30) 79	770	(70)	700
退職給付に係る負債	(300)	(79)	79	(300)	(100)	(400)
退職給付費用		79 	50 (50)			
退職給付に係る調整額 (その他の包括利益)			20 税効果		100 (40) 税効果	
未認識数理計算上の差異 (控除:税効果分)	250 (100)	(50) 20		200 (80)	100 (40)	300 (120)
退職給付に係る調整累計額 (その他の包括利益累計額)	150	(30)		120	60	180

(3) 2024年度の会計処理

1 個別財務諸表であるべき会計処理

(期首時点の累計)

(借)	繰延税金資産	20	(貸)	退職給付引当金	50
	利益剰余金(期首)	30			

(期中及び期末の仕訳)

(借)	退職給付費用	129	(貸)	退職給付引当金	129…①
(借)	退職給付引当金	79	(貸)	現金預金	79…②
(借)	繰延税金資産	20	(貸)	法人税等調整額	20…③

2 連結財務諸表であるべき会計処理

(期首時点の累計)

(借)	繰延税金資産	120	(貸)	退職給付に係る負債	300
	利益剰余金(期首)	30			
	退職給付に係る調整累計額(期首)	150			

(期中及び期末の仕訳)

(借)	退職給付費用	129	(貸)	退職給付に係る負債	79…①

				退職給付に係る調整額	50
(借)	退職給付に係る負債	79	(貸)	現 金 預 金	79…②
(借)	法 人 税 等 調 整 額	0	(貸)	繰 延 税 金 資 産	0…③
	退職給付に係る調整額	20		法 人 税 等 調 整 額	20
(借)	退職給付に係る調整額	100	(貸)	退職給付に係る負債	100…④
	繰 延 税 金 資 産	40		退職給付に係る調整額	40

(4) 個別財務諸表から連結財務諸表への連結修正仕訳

(借)	退 職 給 付 引 当 金	100	(貸)	退職給付に係る負債	100…⑤
(借)	繰 延 税 金 資 産	120	(貸)	退職給付に係る負債	300…⑥
	退職給付に係る調整累計額(期首)	150			
	退職給付に係る調整額	30			

【上記仕訳に係る補足説明】

① 退職給付費用を計上する仕訳を行う。退職給付費用は、個別と連結で同じ金額になる。個別財務諸表上は、未認識項目を費用処理するタイミングで負債を認識するが、連結財務諸表上は未認識項目についても負債を認識済みであり、未認識項目の費用処理のタイミングでその他の包括利益の調整を行う。

② 掛金拠出に伴い負債を減額する仕訳であり、個別と連結で違いなし。

③ 上記①、②に関連する税効果の仕訳を行う。

　個別財務諸表上の当期税効果影響額は、期末繰延税金資産40（退職給付引当金100×40％）－期首繰延税金資産20（退職給付引当金50×40％）＝20となる。

　連結財務諸表上の当期税効果影響額は次の2つからなる。

＊ 退職給付に係る負債（将来減算一次差異）の期中変動に係る税効果影響（79－79）×40％＝0（＋79＝勤務費用80＋利息費用20－期待運用収益21、－79は減算調整額）

＊　未認識項目の費用処理に係る税効果影響（法人税等調整額の相手科目が「退職給付に係る調整額」であることに留意）50×40％＝20
④　当期に発生した未認識数理計算上の差異について、個別財務諸表上は何の処理も行わないが、連結財務諸表上は、同額の負債を計上するとともに、退職給付に係る調整額（その他の包括利益）を通じて純資産の部に計上する。
　　また、税効果を考慮する。100×40％＝40
⑤　連結財務諸表上は、「退職給付引当金」の名称ではなく「退職給付に係る負債」として計上するため、科目振替を行う仕訳。
⑥　右記の調整表のように個別財務諸表上の金額を連結財務諸表上の金額に修正する修正仕訳を行う。

退職給付の調整表

	個別財務諸表	（差引）修正仕訳	連結財務諸表	
<資産>				
繰延税金資産	40	120	160	400×40％
現金預金	(79)	—	(79)	当期の掛金拠出額
<負債>				
退職給付引当金	(100)	100	—	
退職給付に係る負債	—	(400)	(400)	1,100－700
<純資産>				
利益剰余金	139	—	139	
（期首）	30	—	30	50×(1－40％)
（当期　退職給付費用）	129	—	129	
（当期　法人税等調整額）	(20)	—	(20)	(退職給付費用(加算調整額)129－減算調整額79)×40％
退職給付に係る調整累計額	—	180	180	(400－100)×(1－40％)
（期首）	—	150	150	(300－50)×(1－40％)
（当期変動）	—	30	30	差引(180－150)

II　個別財務諸表及び連結財務諸表におけるワークシートの作成

　以下、設例5を用いて、個別財務諸表及び連結財務諸表における「退職給付会計のワークシート」の作成について確認しておく。

設例5

- 法定実効税率は40％とする。
- 繰延税金資産については回収可能性がある。
- 割引率は1.5％、期待運用収益率は3.0％とする。
- 2024年度の勤務費用60、給付支払額50、年金制度への掛金支払額30とする。
- 数理計算上の差異は6年で定額法により費用化する。
- 2024年3月31日における状況は次のとおりである。

退職給付債務	(1,000)
年金資産	800
積立状況を示す額	(200)
未認識数理計算上の差異	150
退職給付引当金	(50)

- 2025年3月31日における退職給付債務は1,030、年金資産は780となった。

図表2-13　個別財務諸表における退職給付会計ワークシート

	割引率 期待運用収益率	期首 2024.4.1	退職給付 費用		給付/掛金 支払額		予測 2025.3.31	数理計算 上の差異	実際 2025.3.31
		1.5% 3.0%							1.5% 3.0%
退職給付債務		(1,000)	S I	(60) (15)	P	50	(1,025)	(5)	(1,030)
年金資産		800	R	24	P C	(50) 30	804	(24)	780
未積立退職給付債務		(200)					(221)		(250)
未認識数理計算上の差異		150	A1	(25)			125	29	154
未認識過去勤務費用		−	A2	−			−	−	−
前払年金費用 （退職給付引当金）		(50)		(76)		30	(96)	−	(96)

（記号の意味）　S　勤務費用
　　　　　　　　I　利息費用
　　　　　　　　R　期待運用収益
　　　　　　　　A1　数理計算上の差異の費用処理額
　　　　　　　　A2　過去勤務費用の費用処理額
　　　　　　　　P　退職一時金・年金制度による給付額（実績）
　　　　　　　　C　年金制度に対する掛金（実績）

第2部 基準を理解する勘所と実務上のポイント／5 数理計算上の差異及び過去勤務費用の処理方法

図表2-14 連結財務諸表における退職給付会計ワークシート

		期首 2024.4.1	退職給付費用		給付/掛金支払額		予測 2025.3.31	数理計算上の差異	実際 2025.3.31
割引率		1.5%							1.5%
期待運用収益率		3.0%							3.0%
退職給付債務		(1,000)	S	(60)	P	50	(1,025)	(5)	(1,030)
			I	(15)					
年金資産		800	R	24	P	(50)	804	(24)	780
					C	30			
退職給付に係る負債		(200)		(51)		30	(221)	(29)	(250)
退職給付費用				51	25				
退職給付に係る調整額				(25)				29	
(税効果分)					10			(11.6)	
未認識数理計算上の差異		150	A1	(25)			125	29	154
未認識過去勤務費用		−	A2	−			−		−
(税効果分)		(60)		10			(50)	(11.6)	(61.6)
退職給付に係る調整額		90		(15)			75	17.4	92.4

(記号の意味) S 勤務費用　　　　　　　　　　A2 過去勤務費用の費用処理額
　　　　　　 I 利息費用　　　　　　　　　　P 退職一時金・年金制度による給付額(実績)
　　　　　　 R 期待運用収益　　　　　　　　C 年金制度に対する掛金(実績)
　　　　　　 A1 数理計算上の差異の費用処理額

前提条件　税効果については、当「退職給付会計のワークシート」上ではその他の包括利益に関連するものだけを表す。繰延税金資産の回収可能性に問題はなく、法定実効税率は40％とする。

Ⅲ　連結貸借対照表における遅延認識廃止の実務への影響

　現行基準の適用に伴い、数理計算上の差異及び過去勤務費用について、連結貸借対照表上遅延認識を廃止した。このことが実務に及ぼしてきた影響をまとめると、以下があげられる。

（1）年金資産運用への影響

　現行基準下では、発生した運用損益の全額（税効果考慮後）が連結貸借対照表の純資産の部に影響を及ぼす。これは、実質的に、年金資産がオンバランスされたのと同等の影響があるといえよう。実質的な「年金資産のオンバランス化」に伴い、実務上次の対応が考えられる。

1 年金資産運用方針の見直し

年金資産の変動リスクを抑制するため、海外資産や株式など価格変動リスクが大きいリスク資産から、国内債券や生命保険会社の一般勘定など安全資産へのシフトを進める「ポートフォリオの見直し」を進める会社が増加した。一方、多様な収益機会を模索し、ポートフォリオのリスク分散を図る観点から、代替投資を進める方針に転換する会社群も存在する。これは、デリバティブや先物を活用するヘッジファンド、未公開株や再生ファンド等に投資するプライベートエクイティー、天然資源や農産物などを原資産とする商品ファンドなどに投資する手法で、オルタナティブ投資ともいう。なお、オルタナティブ投資は、仕組みが複雑で馴染みが薄い対象に投資することから、リスク・リターン特性や時価評価額がわかりにくいことに留意を要する。

この他、運用差損の発生が純資産の減少に直結することから、年金資産の価値が下がるリスク（下方リスク）を回避するため、価格下落リスクをヘッジする取り組みを進める事例も増えてきている。

2 年金資産の運用に関する管理態勢強化

実質的な年金資産のオンバランス化に伴い、運用リスク管理の強化が課題になっている。このため、意思決定の手法及び決裁のルールやモニタリング態勢につき経営レベルの関与を強める施策をとるなど、年金資産の運用に関する管理態勢を見直す会社が増加してきている。

また、経営層直轄の年金委員会の設置や年金担当役員の任命などの取り組みが見られる。

3 経営者の説明責任増大への対応

年金資産運用の巧拙により純資産が直接影響を受けるため、企業内外に対する経営者の説明責任が増大する。また、開示の充実に伴い、資産クラスごとの投資割合などを開示することが求められる。

経営者自ら、開示されたポートフォリオに関する運用方針やリスク対応等についての説明を求められる機会が増大してきており、経営者の説明責任が増大したことへの対応が急務となってきており、対応する事例が増えてきている。

(2) 決算スケジュールへの影響

原則として期末の積立状況を示す額を連結貸借対照表上の負債として計上するため、財務諸表作成のタイミングで必要な情報を入手し、数値を確定する必要がある。したがって、決算スケジュールに影響を及ぼし、早期に必要な情報を得る体制を確保することが重要になっている。

(3) 運用差損益が純資産変動リスクに直結することへの対応

市場環境の変動や退職給付制度を巡る変動が直ちに企業の純資産に影響を及ぼす。年金資産の時価変動が企業の純資産を大きく変動させる可能性があるため、当該リスクへの対応として年金資産の運用リスクの管理をより充実することが課題となる。特に、純資産に比して確定給付制度の規模が大きい企業等は、格付けや融資枠への影響も踏まえて対応を講じる必要がある。

また、数理計算上の差異の発生額を純資産の部へ計上するに当たり税効果会計の適用がある。繰延税金資産を計上する場合、当該計上額分だけ純資産の減少額が減額されるが、<u>繰延税金資産の回収可能性が乏しいと判断されれば</u>(※2)、この減額もなく、さらに純資産の減額幅が増大する。

現行の日本基準では「重要性基準」があるため費用や純資産の変動が緩和される可能性があるが、重要性基準を適用しない場合、または、重要性基準が廃止された場合、純資産の変動リスクは一層増大する。

(※2) 繰延税金資産の回収可能性

繰延税金資産の計上は数会計期間の損益に影響を及ぼす。その回収可能性の検討に当たっては、日本公認会計士協会が公表している『繰延税金資産の回収可能性の判断に関する監査上の取扱い』が指針となっている。具体的には、会社の過去の業績の状況を主たる判断基準として、将来年度の課税所得の見積額による回収可能性の判断指針が示されている。この判断指針に基づき、繰延税金資産を計上した場合でもその回収可能性について毎期見直しを行い、将来の税金を減らす効果が見込まれなくなった場合には、当該見込まれなくなった金額を取り崩す必要がある。したがって、業況が芳しくなかったり、十分な課税所得が見込まれなくなった場合など、繰延税金資産が資本のマイナスに転じる可能性があることに注意を要する。

(4) 純資産を用いた経営指標への影響

「純資産を用いた経営指標」は比較的多く存在するが、積立不足額のうち税効果考慮後の金額を純資産のマイナスとして計上することから、「純資産を用いた経営指標」はこの影響を受ける。このため、金利及び株価や退職給付制度の状況など、積立不足に影響を及ぼす要素に留意を要する。また、繰延税金資産の回収可能性の判断によっては、繰延税金資産を取り崩す必要があるため、この点も注意を要する。

(5) 年金制度に関するリスクマネジメント対応

数理計算上の差異をその発生時に連結貸借対照表に計上（「その他の包括利益累計額」）することで、年金制度に関するリスクについて外部利害関係者が把握することは可能である。

年金制度に関するリスクマネジメントについての外部利害関係者の関心も高まる中、開示も充実されたため、企業グループの経営層にとって、年金制度のリスク管理や年金に関するガバナンスの向上への対応が一層重要になってきている。

Ⅳ　実務対応報告第18号の適用

(1) 連結修正に係る平成24年実務対応報告第18号の取扱い

国際会計基準（IFRS）または米国会計基準に準拠して作成した在外子会社の財務諸表を連結決算手続上利用する場合、数理計算上の差異に関する費用処理方法を連結上修正する必要がある。この際の取扱いが「連結財務諸表作成における在外子会社の会計処理に関する当面の取扱い」（実務対応報告第18号）に定められている。当期純利益を測定する上での費用配分の方法、当期純利益と株主資本との連携及び投資の性格に応じた資産・負債の評価など日本の会計基準の基本的な考え方と、国際会計基準（IFRS）または米国会計基準に準拠

した会計処理との間で乖離が生じる項目のうち重要なものを「主要な修正項目」としている。数理計算上の差異に関する費用処理方法は、この「主要な修正項目」のうちの一つである。

現行基準の適用に伴い、数理計算上の差異をその発生した期に全額負債に計上する取扱いに変わり、実務対応報告第18号も平成24（2012）年に以下のように修正された（「平成24年実務対応報告第18号」は、平成25（2013）年4月1日以後開始事業年度末から適用している）。

> 連結財務諸表作成における在外子会社の会計処理に関する当面の取扱い（平成24年実務対応報告第18号）
> （2）退職給付会計における数理計算上の差異の費用処理［設例2］
> 　在外子会社において、退職給付会計における数理計算上の差異（再測定）をその他の包括利益で認識し、費用処理することなく純資産の部に直接計上している場合には、連結決算手続上、企業会計基準第26号「退職給付に関する会計基準」に従った、当該金額を平均残存勤務期間以内の一定の年数で規則的に処理する方法（発生した期に全額を処理する方法を継続して採用することも含む。）により、<u>当期の損益とする</u>よう修正する。

これに係る連結修正仕訳を平成24年実務対応報告第18号の［設例2］に基づき以下に示す。

【その他の包括利益累計額（退職給付に係る調整累計額）の修正】
（借）　その他の包括利益累計額　×××　（貸）利　益　剰　余　金　×××
　　　　（退職給付に係る調整累計額）

在外子会社において数理計算上の差異が発生した際、利益剰余金に計上された場合には発生額を「その他の包括利益累計額」（「退職給付に係る調整累計額」）に振り替える。負債に計上した額はそのままとして修正仕訳は生じない。

【数理計算上の差異の費用処理】
（借）　退　職　給　付　費　用　×××　（貸）　その他の包括利益累計額　×××
　　　　　　　　　　　　　　　　　　　　　　　（退職給付に係る調整累計額）

数理計算上の差異のうち未だ費用処理していない額は、平均残存勤務期間以内の一定の年数で規則的に費用処理するため、「その他の包括利益累計額」

(「退職給付に係る調整累計額」）の調整、すなわち組替調整（リサイクル）を行う。

(2) IAS 第 19 号と「平成 24 年実務対応報告第 18 号」の取扱い

旧 IAS 第 19 号「従業員給付」では、数理計算上の差異に係る費用処理の方法について、以下が認められていた（図表 2-15 に日本基準との比較を示した）。

> （Ⅰ）回廊アプローチ（コリドーアプローチ）により平均残存勤務期間（より早期も含む）で費用処理する方法。
> （Ⅱ）その他の包括利益として計上し利益剰余金に直接振り替える方法。当期純利益に振り替えることはできない。

しかし、IAS 第 19 号「従業員給付」（平成 25（2013）年 1 月 1 日以後開始事業年度から適用）では、回廊アプローチ（コリドーアプローチ）が廃止され、その他の包括利益として計上する方法（Ⅱ）だけが認められた。現行基準下において、IAS 第 19 号に基づく数理計算上の差異に係る会計処理について、平成 24 年実務対応報告第 18 号に準拠した連結修正が必要になる。つまり、「その他の包括利益累計額」（「退職給付に係る調整累計額」）として純資産の部に計上した数理計算上の差異は、「その他の包括利益累計額」（「退職給付に係る調整累計額」）の調整、すなわち組替調整（リサイクル）により当期の損益とするよう連結修正を要する。

連結貸借対照表上、IAS 第 19 号で認められた（Ⅱ）法は、改訂基準の取扱いと変わらない。しかし、連結損益計算書上は、一度も当期純利益に計上されないという点で連結上の当期純利益に重要な影響を及ぼすため、「平成 24 年実務対応報告第 18 号」に準拠した連結修正を求めている。

なお、旧 IAS 第 19 号（Ⅰ）回廊アプローチ（コリドーアプローチ）により費用処理していた在外子会社は、IAS 第 19 号及び平成 24 年実務対応報告第 18 号のもとで連結修正を行う必要がある。

IAS 第 19 号の適用に当たり、IAS 第 8 号『会計方針、会計上の見積りの変

更及び誤謬』に準拠して遡及適用を求められる。このため、IAS 第 19 号の適用に伴い、数理計算上の差異につき会計方針の変更が生じ、「その他の包括利益」に計上する会計処理を遡及適用することになる。この際、遡及適用された過去の財務諸表も数理計算上の差異を費用処理する連結修正を行うか否かは、重要性も勘案のうえ判断する。

図表 2-15　IAS 第 19 号における数理計算上の差異に係る費用化の方法（日本基準との比較）

項目	日本基準	IFRS（IAS 第 19 号）
数理計算上の差異の償却	・日本基準ではコリドーアプローチは採用されておらず、原則として、発生した数理計算上の差異を全額従業員の平均残存勤務年数内の一定の年数で償却する。 ・平均残存勤務年数以内で概ね償却されるのであれば、残高の一定割合を償却する方法を選択することも可能である。	・IFRS ではコリドーアプローチが適用される。これは未認識数理計算上の差異の累計額が確定給付債務と年金資産のいずれか大きいほうの 10％を超える場合に、その超過分を従業員の平均残存勤務年数にわたり償却する方法である。 ・コリドーアプローチより早期の償却となるのであれば、継続適用を原則としてその他の規則的償却方法を選択することも可能である。 ・上記の条件を満たすのであれば、数理計算上の差異を発生した期において一時認識することも可能である。 その場合、費用をその他包括利益で認識することも可能である。ただし、以下を満たしていることが必要である。 　（a）すべての確定給付債務に適用 　（b）すべての数理計算上の差異に適用 一時認識した数理計算上の差異は、包括利益計算書に計上し、直後、利益剰余金において認識する。

6 基準と税効果会計

数理計算に関わらないテーマ

　第1部11のⅣにて、数理計算上の差異（及び過去勤務費用）に係る税効果についての考え方を説明した。そこでのポイントを再掲すると次のとおりである。

> 　連結財務諸表上は数理計算上の差異（及び過去勤務費用）の発生額につき、その発生した期に当期純利益を構成しない「その他の包括利益（退職給付に係る調整額）」に直接計上するため、個別財務諸表と連結財務諸表とで税効果の認識に差異が生じる。
> **数理計算上の差異等の発生時の税効果**
> 【個別財務諸表】
> 　遅延認識により、数理計算上の差異や過去勤務費用が発生した翌期以降に費用処理し、それに伴い負債計上するため、発生した期には将来減算一時差異は発生せず繰延税金資産も計上しない。
> 【連結財務諸表】
> 　数理計算上の差異の発生した期に退職給付に係る負債が同額増加する。この負債の増加に伴って生じる将来減算一時差異に対して繰延税金資産を計上する。
>
> 　次に、数理計算上の差異を費用処理するタイミングでは、退職給付に係る負債及び将来減算一時差異の残高に変動はないため繰延税金資産は変動しない。一方、費用処理に伴い法人税額の調整を行う（＊）必要がある。
> **数理計算上の差異等の費用処理時における税効果**
> 【個別財務諸表】
> 　費用化に伴い負債が増加するため将来減算一時差異が生じ繰延税金資産を計上する。
> 【連結財務諸表】
> 　連結財務諸表上は、数理計算上の差異の発生時に、負債と「その他の包括利益（退職給付に係る調整額）」を計上している。過去に計上した「その他の包括利益（退職給付に係る調整額）」は税効果を伴っているため、この減額に対しても税効果の影響を考慮し「その他の包括利益（退職給付に係る調整額）」に計上する（＊）。

　（＊）に示すように、数理計算上の差異の費用処理に伴い法人税額の調整を行う。組替調整（リサイクル）により「その他の包括利益（退職給付に係る調

整額)」が貸方に計上される(以下の仕訳参照)。

(借) 退 職 給 付 費 用　×××　　(貸) その他の包括利益　×××
　　　　　　　　　　　　　　　　　　　　(退職給付に係る調整額)

　このため、税効果を調整しないと、純資産の部の「その他の包括利益累計額(退職給付に係る調整累計額)」が増加してしまう。「その他の包括利益累計額(退職給付に係る調整累計額)」は税効果調整後の金額で計上されているにもかかわらず、税効果調整前の数字を増減させる処理は適切ではない。したがって、税効果の影響を「法人税等調整額」として貸方(上記仕訳を前提とする)に計上する。

(借) その他の包括利益　×××　　(貸) 法 人 税 等 調 整 額　×××
　　　(退職給付に係る調整額)

　この仕訳を起こさないと、組替調整(リサイクル)に伴い純資産の部の「その他の包括利益累計額(退職給付に係る調整累計額)」を取り崩しているにもかかわらず、純資産の部の「その他の包括利益累計額(退職給付に係る調整累計額)」に税効果の影響が残るためである。

I　設例による連結財務諸表における税効果を伴う計算例

　設例6により、連結財務諸表における税効果を伴う簡単な計算例を示しておく。

設例6

- 年金資産の実際運用収益が期待運用収益を下回ったことによる数理計算上の差異25が当期末に発生した。当期末の退職給付債務は100、年金資産は70、退職給付引当金は5である。
- 数理計算上の差異の費用化は発生した期の翌期から2年で行う。
- 数理計算上の差異は適用初年度の翌期以降は発生していない。
- 法定実効税率は40％で、繰延税金資産の回収可能性は問題ない。
- その他の要素や個別財務諸表上の税効果は無視する。

　設例6を前提に、当期末及び翌期末における、個別財務諸表と連結財務諸

表の会計処理を示す。

(1) 個別財務諸表の会計処理

1 当期（X1期）

　数理計算上の差異が発生した当期は、退職給付債務100から年金資産70を控除した30に対して、数理計算上の差異25を控除した額5を退職給付引当金に計上する。数理計算上の差異を費用処理するのは翌期以降2期なので、損益計算書上は仕訳は生じず損益は発生しない。

2 翌期（X2期）

　当期に計上した退職給付引当金5に、翌期に計上する退職給付引当金12.5を加え、退職給付引当金残高は17.5になる。

　数理計算上の差異25は発生した翌期（X2期）から費用処理することから、翌期に退職給付費用12.5を計上し、同額利益剰余金が減少する。

(2) 連結財務諸表の会計処理

　ここでは、個別財務諸表上の処理に係る振り戻しの仕訳にはふれずに説明を行う。

1 当期（X1期）

　数理計算上の差異25を退職給付に係る負債（退職給付引当金）に計上し、相手勘定として同額をその他の包括利益（退職給付に係る調整額）に計上する。

（借）その他の包括利益　　25　　（貸）退職給付に係る負債　　25
　　　（退職給付に係る調整額）

　当期に数理計算上の差異が25発生したため、退職給付に係る負債が同額増加するが、負債の増加に伴い将来減算一時差異が同額発生する。この25に対して40％分の10をその他の包括利益（退職給付に係る調整額）から繰延税金資産に振り替える。

（借）繰 延 税 金 資 産　　10　　（貸）その他の包括利益　　10
　　　　　　　　　　　　　　　　　　　（退職給付に係る調整額）

2 翌期（X2期）

数理計算上の差異は発生した期の翌期から2年で費用処理する会計方針に従い、当期に費用処理する額12.5だけ、その他の包括利益から退職給付費用に振り替える。

（借）退職給付費用　　12.5　　（貸）その他の包括利益　　12.5
　　　　　　　　　　　　　　　　　　（退職給付に係る調整額）

退職給付に係る負債及び将来減算一時差異の残高に変動はないため繰延税金資産は変動しない。一方、数理計算上の差異が発生した時点で考慮した税効果の影響を、費用処理の段階でも反映するため法人税額の調整を行う。具体的には、その他の包括利益をとおして法人税等を5だけ調整する。

（借）その他の包括利益　　5　　（貸）法人税等調整額　　5
　　　（退職給付に係る調整額）

当期（X1期）及び翌期（X2期）における、個別財務諸表と連結財務諸表との間での、「会計仕訳」、「貸借対照表」、「損益計算書（包括利益計算書）」について比較したのが、図表2-16である。

II　連単での一時差異の異同と連結修正仕訳

従業員に対する退職一時金につき、法人税法上は、退職に伴い債務が確定した日の属する事業年度の損金に算入し、また、法人が支払った企業年金の掛金等は、支払時の損金に算入する。

退職一時金制度において、会計基準適用に伴い計上する「退職給付引当金」は会計上の負債であり、法人税法上は認識されない。このため、負債科目に関して会計上の帳簿価額と法人税法上の帳簿価額（＝ゼロ）との差異に該当し、税効果会計上の一時差異に該当する。

連結財務諸表上の負債計上額と個別財務諸表上の負債計上額との間に、数理計算上の差異（及び過去勤務費用）の発生額（ストックベース）だけ差異が生じ、当該額が連結財務諸表上の一時差異と個別財務諸表上の一時差異の差にな

図表2-16 個別財務諸表及び連結財務諸表(税効果考慮)の会計処理の比較

【個別財務諸表の会計処理】（個別財務諸表上の税効果は無視している）

	X1期の仕訳	X2期の仕訳
会計仕訳	仕訳なし	（借方）退職給付費用 12.5 ／（貸方）退職給付引当金 12.5
貸借対照表	（貸方）退職給付引当金 5	（借方）利益剰余金 ▲12.5 ／（貸方）退職給付引当金 17.5
損益計算書	なし	退職給付費用 12.5

【連結財務諸表の会計処理】

	X1期の仕訳	X2期の仕訳
会計仕訳	（借方）その他の包括利益 25 ／（貸方）退職給付に係る負債 25 （借方）繰延税金資産 10 ／（貸方）その他の包括利益 10	（借方）退職給付費用 12.5 ／（貸方）その他の包括利益 12.5 （借方）その他の包括利益 5 ／（貸方）法人税等調整額 5
連結貸借対照表	（借方）繰延税金資産 10／（貸方）退職給付に係る負債 30／（借方）その他の包括利益累計額 ▲15	（借方）その他の包括利益累計額 ▲7.5／（借方）繰延税金資産 10／（貸方）退職給付に係る負債 30／（借方）利益剰余金 ▲7.5
連結損益及び包括利益計算書	その他の包括利益 15	（借方）退職給付費用 12.5 ／（貸方）その他の包括利益 7.5／法人税等調整額 5

る。数理計算上の差異（及び過去勤務費用）の発生額を連結財務諸表上負債計上する処理は連結修正仕訳により行う。連結と個別との間の一時差異の差は連結修正手続きに伴い発生する。

このため、繰延税金資産に回収可能性があると判断される場合には、以下設例7のような連結修正仕訳により繰延税金資産を追加して計上する。

設例7

■個別財務諸表上の負債（退職給付引当金）2,000、連結財務諸表上の負債（退職給付に係る負債）3,000
■法定実効税率40％、個別財務諸表上、繰延税金資産800が計上されている。
■数理計算上の差異残高（未だ費用処理していない額）1,000
■繰延税金資産に回収可能性はある。

（連結修正仕訳）

（借）	退職給付引当金	2,000	（貸）	退職給付に係る負債	3,000
	その他の包括利益累計額	1,000			
	（退職給付に係る調整累計額）				
（借）	繰延税金資産	400	（貸）	その他の包括利益累計額	400
				（退職給付に係る調整累計額）	

このように、連結財務諸表上の負債（退職給付に係る負債）に係る税効果については、個別財務諸表上の負債（退職給付引当金）に係る一時差異に対する繰延税金資産を算出し、これに連結修正項目についての繰延税金資産を合算し、当該合算額につき将来の回収可能性を判断する。なお、当該判断は各納税主体ごとに行う。手順をまとめると以下のとおりである。

> **連結財務諸表上の税効果を判断する際の手順**
> ① 個別財務諸表における退職給付引当金に係る一時差異につき繰延税金資産を算定する。
> ② 連結財務諸表で未認識項目を負債(資産)として認識する処理に伴い生じた一時差異について税効果額を算定する。
> ③ ②を個別財務諸表の繰延税金資産(①)と合算する。
> ④ 合算額③につき、回収可能性を判断する。

Ⅲ 連単での会社分類(例示区分)の異同

　連結財務諸表上の一時差異の額と個別財務諸表上の一時差異の額が異なることから、監査基準委員会報告第66号『繰延税金資産の回収可能性の判断に関する監査上の取扱い』(以下、「66号報告」)における会社分類(例示区分)の取り扱いの中で、連結財務諸表上の会社分類(例示区分)と個別財務諸表上の会社分類(例示区分)とが異なる区分となることがあり得るのだろうか。

　66号報告における会社分類は「将来減算一時差異の額」と「課税所得」の大小関係に基づいて判断される場合がある。ここで、「個別上の退職給付引当金の額」と、「連結上の退職給付に係る負債の額」が異なり、それに伴い、課税所得と比較する「将来減算一時差異の額」も異なることから、個別財務諸表上と連結財務諸表上とで会社分類(例示区分)が異なる可能性があった。

　例えば、個別財務諸表上は分類Ⅰの会社が連結上は分類Ⅱと判断される場合、個別財務諸表上で計上したスケジューリング不能な将来減算一時差異(退職給付会計とは関係ないもの)に係る繰延税金資産を、連結財務諸表上取り崩す必要が生じる可能性があった。

　この点について、平成25年2月7日付けで日本公認会計士協会から『税効果会計に関するQ&A』(以下、「税効果Q&A」)が公表され、連結財務諸表における会社分類(例示区分)と個別財務諸表におけるそれと変わらないことが明確にされた。

　税効果Q&Aでは、以下の理由から連結上の会社分類(例示区分)と個別

上の会社分類（例示区分）は同じになるとしている。
- 即時認識するか否かで将来年度の課税所得の見積もりが変わるわけではない。このため、個別財務諸表と連結財務諸表における繰延税金資産の回収可能性の判断は同じになる。
- 連結財務諸表の「退職給付に係る負債（資産）」に係る一時差異に対する繰延税金資産の回収可能性の判断は、数理計算上の差異等を連結貸借対照表上で負債（資産）として即時認識するか否かによって影響を受けるものではない。

この取扱いにより、以下の判断が可能と思われる。
① ある連結会社の個別財務諸表上、課税所得が期末の将来減算一時差異を十分上回っており、個別財務諸表上の会社分類（例示区分）が分類Ⅰである場合、数理計算上の差異の発生に伴い連結上発生した将来減算一時差異により、課税所得が期末の将来減算一時差異を十分には上回らなくなっても、連結財務諸表上の業績の会社分類（例示区分）は分類Ⅰとして取り扱う。
② ある連結会社の個別財務諸表上の会社分類（例示区分）が分類Ⅱである場合、当該会社の個別財務諸表における退職給付引当金に係る一時差異に対する繰延税金資産に、連結修正項目に係る繰延税金資産を合算し、当該合算額につき連結財務諸表上の回収可能性を判断するに際して、会社分類（例示区分）は分類Ⅱとして取り扱う。

Ⅳ 将来解消年度が長期となる将来減算一時差異

スケジューリングの結果、将来解消年度が長期となる将来減算一時差異は、解消まで長期にわたるとはいえ将来必ず解消され、将来の税金負担を軽減する効果がある。退職給付引当金に係る将来減算一時差異はこうした効果を有する。66号報告におけるこの「将来解消見込年度が長期となる将来減算一時差異としての取扱い」は、数理計算上の差異のように連結修正に伴い負債計上す

ることで生じる将来減算一時差異についても当てはまることが、税効果Q&Aにより明確にされた。

このように取り扱う理由は以下のとおりである。

① 連結財務諸表上の「退職給付に係る負債」と個別財務諸表上の「退職給付引当金」の帳簿価額は、当初は相違があっても、それは負債計上するタイミングのずれによるものにすぎず、将来減算一時差異としての性格は両者同じである。

② 個別財務諸表上、数理計算上の差異等は発生した後費用化を通じて退職給付引当金に計上する。費用化が完了した時点では数理計算上の差異等はすべて個別財務諸表上の退職給付引当金に係る一時差異になる。当該時点で連結財務諸表上の「退職給付に係る負債」と個別財務諸表上の「退職給付引当金」の帳簿価額は一致する。

③ 連結修正において生じる将来減算一時差異は解消するものである。

この結果、将来解消年度が長期となる将来減算一時差異については次の取扱いとなる。

会社分類（例示区分）がⅠ及びⅡの会社
　当該将来減算一時差異に係る繰延税金資産につき回収可能性があるものと判断できる。

会社分類（例示区分）がⅢ及びⅣ但し書きの会社
　通常、合理的な見積もり可能期間とされる期間（概ね5年）を超えた年度であっても、当期末における当該一時差異の最終解消年度までに解消されると見込まれる将来減算一時差異に係る繰延税金資産については、回収可能性があるものと判断できる。

Ⅴ　回収可能性に見直しがあった場合の取扱い

会社分類（例示区分）の変更に伴い、個別財務諸表上の「退職給付引当金」や連結財務諸表上の「退職給付に係る負債」についての将来減算一時差異に係る繰延税金資産の回収可能性に見直しがあった場合、勘定科目等について次の

ように取り扱う。

(1) 回収可能性なしから回収可能性ありへの変更のケース

　個別財務諸表上、「退職給付引当金」に係る将来減算一時差異について、「法人税等調整額」を相手勘定として繰延税金資産を計上する。連結財務諸表上はこれに加え、数理計算上の差異を負債計上することに伴い生じる将来減算一時差異につき回収可能性がある場合、当該一時差異についても「退職給付に係る調整額（その他の包括利益）」を相手勘定として繰延税金資産を計上する。

　連結財務諸表上、数理計算上の差異等を負債計上する際の相手勘定は当期純利益を構成する項目ではなく、「退職給付に係る調整額（その他の包括利益）」である。

　当該取引は、会計上の損益や法人税法上の所得に影響しないことから、「法人税等調整額」を計上し当期純利益に影響させることはできない。

(2) 回収可能性ありから回収可能性なしへの変更のケース

　個別財務諸表における退職給付引当金に係る将来減算一時差異が優先して解消するものとして繰延税金資産の額を算定する。個別財務諸表上、退職給付引当金に係る将来減算一時差異につき、回収可能性がある額を超えて計上されている繰延税金資産の額は「法人税等調整額」を相手勘定として取り崩す。

　個別財務諸表で退職給付引当金に係る繰延税金資産の取り崩しが生じる場合、連結財務諸表上はこれに加え、数理計算上の差異等の負債計上に伴い生じる将来減算一時差異に対応する繰延税金資産は、すべて回収可能性があると判断する額を超える額となるため、「退職給付に係る調整額（その他の包括利益）」を相手勘定として取り崩す。

VI 回収可能性の判断と退職給付費用（PL）及び退職給付に係る調整額（OCI）の区分

ここでは表題の部分的な税効果の影響に関して次の2つの課題を取り扱う。

(1) 論点1

「退職給付費用（PL）」と「退職給付に係る調整額（OCI）」の双方から「退職給付に係る負債」の増加が認識され、かつ、「退職給付に係る負債」に関する繰延税金資産の一部に回収可能性がないと判断された場合、繰延税金資産の部分的な増加の相手勘定を、「法人税等調整額」（PL）と、「退職給付に係る調整額」（OCI）のどちらで認識すべきかという問題がある。

会計基準上の取扱いは明確ではないが、個別財務諸表上の「退職給付引当金」の相手勘定が「退職給付費用」（PL）だけとされることから、税効果の影響を個別財務諸表のPLでまず認識し、残額を連結財務諸表上のOCIで追加認識する方法も一定の合理的とがあると考えられる。

(2) 論点2

これまで回収可能性がないと判断して「退職給付に係る負債」に係る繰延税金資産を認識していなかった会社が、回収可能性が部分的に認められると判断して、当期に繰延税金資産の一部を認識する場合に、繰延税金資産の部分的な増加の相手勘定を、「法人税等調整額」（PL）と、「退職給付に係る調整額」（OCI）のどちらで認識すべきかという問題がある。

米国会計基準では、原則すべての税効果の影響をPLで認識するが、取崩す時点では税効果の影響はOCIにも及ぶ結果、取崩し後もOCIに税効果の影響が残る場合がある。

IFRS（国際会計基準）では、原則としてPLで認識される項目に関する税効果はPLで、OCIで認識される項目に関する税効果はOCIで認識することを求めている。

会計基準上の取扱いは明確ではないが、原則としてPLで認識される項目に

関する税効果はPLで、OCIで認識される項目に関する税効果はOCIで認識する方法も一定の合理的とがあると考えられる。

Ⅶ 子会社等への投資に係る税効果

　連結会社が有する子会社投資及び関連会社投資について、連結上の簿価と税務上の簿価との差額から生じる一時差異がある。連結財務諸表に含まれる子会社等が、数理計算上の差異等につき「退職給付に係る調整累計額（その他の包括利益累計額）」に計上する場合、当該額は子会社等への投資に係る一時差異を構成する結果、一定の条件（連結財務諸表における税効果に関する実務指針第30項に定める条件）を満たせば、追加の繰延税金資産（負債）が発生する。

　この変動相当額は、「退職給付に係る調整額（その他の包括利益）」に計上することが考えられる。

7 重要性基準の取扱いと重要性基準がもたらす影響

数理計算に関わらないテーマ

I 重要性基準とは

第2部1のⅡ(2)において重要性基準についてふれたが、改めて「重要性基準」の定義を確認しておく。

> **退職給付に関する会計基準の適用指針 第30項（下線は筆者）**
> 割引率は期末における安全性の高い債券の利回りを基礎として決定されるが（会計基準第20項）、各事業年度において割引率を再検討し、その結果、少なくとも、割引率の変動が退職給付債務に重要な影響を及ぼすと判断した場合にはこれを見直し、退職給付債務を再計算する必要がある。重要な影響の有無の判断にあたっては、<u>前期末に用いた割引率により算定した場合の退職給付債務と比較して、期末の割引率により計算した退職給付債務が10％以上変動すると推定されるときには</u>、重要な影響を及ぼすものとして期末の割引率を用いて<u>退職給付債務を再計算しなければならない</u>。
> （第72項参照）

本規定では、割引率の変動が退職給付債務に重要な影響を及ぼすか否かの判断を行うに当たり、割引率の変動が退職給付債務に重要な影響を及ぼすのは退職給付債務が10％以上変動する場合であるとする「10％数値基準」を示している。

会計処理の判断に当たり広く認められる「一般的な重要性の判断」の他に当該「10％数値基準」を認めるのは、割引率の水準が退職給付債務及び退職給付費用の額に及ぼす影響が大きいことに加え、退職給付債務及び退職給付費用が長期的な見積計算であることから、「一般的な重要性の判断」を超えた数理的意味も含んだ重要性による判断（＝「10％数値基準」）を認めるべきとの考え方によると思われる。

本規定によれば、例えば以下の状況下では、退職給付債務が9.9％の変動なので、建前上は前期末の割引率2.5％を用いて退職給付債務、勤務費用を算定

できることになる(ただし、数値基準ぎりぎりなのでその他諸要素を勘案のうえ、当期末の2.0％を用いるべきという判断が合理的な場合があろう)。

	前期末	当期末
割引率	2.5％	2.0％
退職給付債務	1,000	1,099

Ⅱ 重要性基準適用に当たっての問題点

重要性基準を適用するに当たっての主な問題点をまとめると以下のとおりである。

(1) 任意適用に伴う比較可能性の阻害

重要性基準(=「10％数値基準」)は退職給付債務の変動が10％以内であれば「見直さないことができる」という規定のため、見直した企業と見直さなかった企業との比較可能性に問題が生じる。

積立状況(退職給付債務と年金資産の差額)がオンバランスされているため、ある程度金利変動がある局面では、重要性基準を適用した企業と適用していない企業との間で財務諸表の数値に大きな差異が生じる可能性がある。この場合、財務諸表の比較可能性が阻害される惧れがある。

(2) 経営へのインパクトと説明責任

金利変動の影響が重要性の枠内に収まれば、年金資産は金利変動に晒される一方、退職給付債務には金利変動の影響が及ばない。例えば、金利低下局面において、期末の割引率を期首と同じ水準で据え置くことができるため、実勢の割引率下落の影響を反映せず数理計算上の差異も発生しない。

一方、その後の金利変動に伴い当期末の割引率により計算した退職給付債務が10％以上変動した時点で、退職給付債務の10％以上に相当する数理計算

上の差異が一時に発生する。重要性の枠内に収まっていた間に溜め込んだ数理計算上の差異が 10％以上変動した期に突然負債（退職給付に係る負債）と資本の部の「その他の包括利益累計額」（退職給付に係る調整累計額）に計上される。

　この際、資本の部に大きなインパクトになり負債も大きく変動する可能性があり、経営にとって想定外の状況になり得る。こうした経営へのインパクトを伴う事象がある期末の時点で突然生じることが経営上の問題になる。また、経理担当責任者が経営陣に行う説明や、経営陣が内部及び外部利害関係者に行う説明に際しても、納得のいく説明をすることが求められ、経理担当責任者や経営陣の果たすべき説明責任という点でも課題が残る。

(3) 期末における退職給付債務の変動を無視する

　重要性の枠内に収まれば、年金資産は金利変動に晒される一方、退職給付債務には金利変動の影響が及ばない。金利水準の変動に伴う退職給付債務の変動は包括利益計算書に「その他の包括利益」として計上するが、同様に「その他の包括利益」に計上する有価証券評価差額や為替換算調整勘定などが期末の合理的な額で評価されることとの平仄が合わない。

　旧IAS第19号「従業員給付」において認められていた「回廊アプローチ（コリドーアプローチ）」も、基礎率に関する「重要性基準」も、割引率の変動に伴い生じる数理計算上の差異が当期純利益に及ぼす影響を緩和するという点では同じ効果がある。

　しかし、「回廊アプローチ（コリドーアプローチ）」は、一旦期末時点における退職給付債務の変動を把握したうえで、費用処理の要否を検討するのに対し、「重要性基準」では、期末時点における退職給付債務の変動を把握せずに、変動はなかったものとして処理することに問題がある。

III 重要性基準（＝「10％数値基準」）の判断を行う具体的な方法

　重要性基準を適用する場合、退職給付債務が10％以上変動するか否かを判断するに当たり、例えば以下の方法が考えられる。

① 前期末に適用した割引率と当期末に適用する割引率を使ってそれぞれ退職給付債務を算定して、両者の変動幅を確認する。

② 旧基準【資料3】または、日本年金数理人会及び日本アクチュアリー会公表の『退職給付会計に関する数理実務基準、退職給付会計に関する数理実務ガイダンス』付録1を参考に推定する。

　期末において割引率の変更を必要としない範囲について、旧実務指針は、『退職給付会計に係る実務基準』（日本アクチュアリー会・日本年金数理人会）の一部を抜粋したものを、指針の末尾に資料として掲載していた。これは、退職給付債務が10％以上変動するか否かを判断する早見表である（図表2-17）。

　しかし、現行の基準及び適用指針はこれらの資料を引き継いでいない。

　【資料3】の見方の一例を示せば次のとおりである。

・前期末割引率が2.5％で平均残存勤務期間15年の場合、当期末の割引率が1.9～3.2％の範囲内であれば、前期末の2.5％のまま当期末の退職給付債務を算定できる。例えば、当期末の割引率が2.0％なら前期末の2.5％を使える。

　期末の割引率が1.8％まで低下していれば、退職給付債務を10％以上増加させる変動なので、期末は1.8％に割引率を改訂し退職給付債務の計算を行う。

・前期末割引率が2.5％で平均残存勤務期間20年の場合、当期末の割引率が2.1～3.0％の範囲内になければ、前期末の2.5％を用いて当期末の退職給付債務を算定することはできない。例えば、当期末の割引率が2.0％なら前期末の2.5％を使えず、2.0％の割引率を用いて当期末の退職給付債務を計算する。

図表 2-17 【資料3】期末において割引率の変更を必要としない範囲

		前期末の割引率									
		2.0%	2.1%	2.2%	2.3%	2.4%	2.5%	2.6%	2.7%	2.8%	2.9%	3.0%
退職給付支払時までの平均残存期間	1年	~13.3	~13.4	~13.5	~13.6	~13.7	~13.8	~14.0	~14.1	~14.2	~14.3	~14.4
	2	~7.5	~7.6	~7.7	~7.8	~7.9	~8.0	~8.1	~8.2	~8.3	~8.4	~8.5
	3	~5.6	~5.7	~5.8	~5.9	~6.0	~6.1	~6.2	~6.3	~6.4	~6.5	~6.6
	4	~4.7	~4.8	~4.9	~5.0	~5.1	0.1~5.2	0.2~5.3	0.3~5.4	0.4~5.5	0.5~5.6	0.6~5.7
	5	0.1~4.1	0.2~4.2	0.3~4.3	0.4~4.4	0.5~4.5	0.6~4.6	0.7~4.7	0.8~4.8	0.9~4.9	1.0~5.0	1.1~5.1
	6	0.4~3.8	0.5~3.9	0.6~4.0	0.7~4.1	0.8~4.2	0.9~4.3	1.0~4.4	1.1~4.5	1.2~4.6	1.3~4.7	1.4~4.8
	7	0.7~3.5	0.8~3.6	0.9~3.7	1.0~3.8	1.1~3.9	1.2~4.0	1.3~4.1	1.4~4.2	1.5~4.3	1.6~4.4	1.7~4.5
	8	0.8~3.3	0.9~3.4	1.0~3.5	1.1~3.6	1.2~3.7	1.3~3.8	1.4~3.9	1.5~4.0	1.6~4.1	1.7~4.2	1.8~4.3
	9	1.0~3.2	1.1~3.3	1.2~3.4	1.3~3.5	1.4~3.6	1.5~3.7	1.6~3.8	1.7~3.9	1.8~4.0	1.9~4.1	2.0~4.2
	10	1.1~3.0	1.2~3.1	1.3~3.2	1.4~3.3	1.5~3.4	1.6~3.5	1.7~3.6	1.8~3.7	1.9~3.8	2.0~3.9	2.1~4.0
	11	1.2~2.9	1.3~3.0	1.4~3.1	1.5~3.2	1.6~3.3	1.7~3.4	1.8~3.5	1.9~3.6	2.0~3.7	2.1~3.8	2.2~3.9
	12	1.2~2.8	1.3~3.0	1.4~3.1	1.5~3.2	1.6~3.3	1.7~3.4	1.8~3.5	1.9~3.6	2.0~3.7	2.1~3.8	2.2~3.9
	13	1.3~2.8	1.4~2.9	1.5~3.0	1.6~3.1	1.7~3.2	1.8~3.3	1.9~3.4	2.0~3.5	2.1~3.6	2.2~3.7	2.3~3.8
	14	1.4~2.7	1.5~2.8	1.6~2.9	1.7~3.0	1.8~3.1	1.9~3.2	2.0~3.3	2.1~3.4	2.2~3.5	2.3~3.6	2.4~3.7
	15	1.4~2.7	1.5~2.8	1.6~2.9	1.7~3.0	1.8~3.1	1.9~3.2	2.0~3.3	2.1~3.4	2.2~3.5	2.3~3.6	2.4~3.7
	16	1.4~2.6	1.5~2.7	1.6~2.8	1.7~2.9	1.8~3.0	1.9~3.1	2.0~3.2	2.1~3.3	2.2~3.4	2.3~3.5	2.4~3.6
	17	1.5~2.6	1.6~2.7	1.7~2.8	1.8~2.9	1.9~3.0	2.0~3.1	2.1~3.2	2.2~3.3	2.3~3.4	2.4~3.5	2.5~3.6
	18	1.5~2.5	1.6~2.6	1.7~2.7	1.8~2.9	1.9~3.0	2.0~3.1	2.1~3.2	2.2~3.3	2.3~3.4	2.4~3.5	2.5~3.6
	19	1.5~2.5	1.6~2.6	1.7~2.7	1.8~2.8	1.9~2.9	2.0~3.0	2.1~3.1	2.2~3.2	2.3~3.3	2.4~3.4	2.5~3.5
	20	1.6~2.5	1.7~2.6	1.8~2.7	1.9~2.8	2.0~2.9	2.1~3.0	2.2~3.1	2.3~3.2	2.4~3.3	2.5~3.4	2.6~3.5
	21	1.6~2.5	1.7~2.6	1.8~2.7	1.9~2.8	2.0~2.9	2.1~3.0	2.2~3.1	2.3~3.2	2.4~3.3	2.5~3.4	2.6~3.5
	22	1.6~2.4	1.7~2.5	1.8~2.6	1.9~2.7	2.0~2.8	2.1~2.9	2.2~3.0	2.3~3.1	2.4~3.2	2.5~3.3	2.6~3.4
	23	1.6~2.4	1.7~2.5	1.8~2.6	1.9~2.7	2.0~2.8	2.1~2.9	2.2~3.0	2.3~3.1	2.4~3.2	2.5~3.3	2.6~3.4
	24	1.6~2.4	1.7~2.5	1.8~2.6	1.9~2.7	2.0~2.8	2.1~2.9	2.2~3.0	2.3~3.1	2.4~3.2	2.5~3.3	2.6~3.4
	25	1.7~2.4	1.8~2.5	1.9~2.6	2.0~2.7	2.1~2.8	2.2~2.9	2.3~3.0	2.4~3.1	2.5~3.2	2.6~3.3	2.7~3.4
	26	1.7~2.4	1.8~2.5	1.9~2.6	2.0~2.7	2.1~2.8	2.2~2.9	2.3~3.0	2.4~3.1	2.5~3.2	2.6~3.3	2.7~3.4
	27	1.7~2.3	1.8~2.4	1.9~2.5	2.0~2.6	2.1~2.8	2.2~2.9	2.3~3.0	2.4~3.1	2.5~3.2	2.6~3.3	2.7~3.4
	28	1.7~2.3	1.8~2.4	1.9~2.5	2.0~2.6	2.1~2.7	2.2~2.8	2.3~2.9	2.4~3.0	2.5~3.1	2.6~3.2	2.7~3.3
	29	1.7~2.3	1.8~2.4	1.9~2.5	2.0~2.6	2.1~2.7	2.2~2.8	2.3~2.9	2.4~3.0	2.5~3.1	2.6~3.2	2.7~3.3
	30	1.7~2.3	1.8~2.4	1.9~2.5	2.0~2.6	2.1~2.7	2.2~2.8	2.3~2.9	2.4~3.0	2.5~3.1	2.6~3.2	2.7~3.3
	31	1.7~2.3	1.8~2.4	1.9~2.5	2.0~2.6	2.1~2.7	2.2~2.8	2.3~2.9	2.4~3.0	2.5~3.1	2.6~3.2	2.7~3.3
	32	1.7~2.3	1.8~2.4	1.9~2.5	2.0~2.6	2.1~2.7	2.2~2.8	2.3~2.9	2.4~3.0	2.5~3.1	2.6~3.2	2.7~3.3
	33	1.8~2.3	1.9~2.4	2.0~2.5	2.1~2.6	2.2~2.7	2.3~2.8	2.4~2.9	2.5~3.0	2.6~3.1	2.7~3.2	2.8~3.3
	34	1.8~2.3	1.9~2.4	2.0~2.5	2.1~2.6	2.2~2.7	2.3~2.8	2.4~2.9	2.5~3.0	2.6~3.1	2.7~3.2	2.8~3.3
	35	1.8~2.3	1.9~2.4	2.0~2.5	2.1~2.6	2.2~2.7	2.3~2.8	2.4~2.9	2.5~3.0	2.6~3.1	2.7~3.2	2.8~3.3
	36	1.8~2.2	1.9~2.3	2.0~2.4	2.1~2.5	2.2~2.7	2.3~2.8	2.4~2.9	2.5~3.0	2.6~3.1	2.7~3.2	2.8~3.3
	37	1.8~2.2	1.9~2.3	2.0~2.4	2.1~2.5	2.2~2.6	2.3~2.7	2.4~2.8	2.5~2.9	2.6~3.0	2.7~3.1	2.8~3.2
	38	1.8~2.2	1.9~2.3	2.0~2.4	2.1~2.5	2.2~2.6	2.3~2.7	2.4~2.8	2.5~2.9	2.6~3.0	2.7~3.1	2.8~3.2
	39	1.8~2.2	1.9~2.3	2.0~2.4	2.1~2.5	2.2~2.6	2.3~2.7	2.4~2.8	2.5~2.9	2.6~3.0	2.7~3.1	2.8~3.2
	40	1.8~2.2	1.9~2.3	2.0~2.4	2.1~2.5	2.2~2.6	2.3~2.7	2.4~2.8	2.5~2.9	2.6~3.0	2.7~3.1	2.8~3.2

また、日本年金数理人会及び日本アクチュアリー会が公表している『退職給付会計に関する数理実務基準、退職給付会計に関する数理実務ガイダンス』に、『付録1 重要性基準に基づく、割引率に関する再計算要否の目安』として、現行の基準に対応した早見表を掲載している（図表2-18参照）。

付録1を活用するに当たり、例えば以下の点に留意する必要がある。

> ■現行基準下では、割引率の設定に当たり、「複数の割引率を用いる方法（イールドカーブを使う方法）」と「単一の加重平均割引率を用いる方法（デュレーションを用いる方法を含む）」とがあるが、「複数の割引率を用いる方法（イールドカーブを使う方法）」にはこのままでは使用できない。
> ■図表2-17【資料3】の縦軸は「平均残存勤務年数」だったが、図表2-18付録1では、「退職給付債務のデュレーション」となっている。実務上、単一の加重平均割引率を求めるためにデュレーションを算定することも多いと思われるため、当該数値を用いることになると思われる。

Ⅳ 当期末時点の適正な割引率に基づく退職給付債務の算定における実務論点

重要性基準を適用し判断を行うに当たり、当期末時点の適正な割引率に基づく退職給付債務を算定することが前提となる。ただ、期末日の金利状況が判明する期末日当日に割引計算を行っても決算実務に間に合わない場合がある。このため、期末日の金利状況を踏まえた当期末時点の適正な割引率に基づく退職給付債務の算定をスムーズに遂行できるよう事前に準備をしておく必要がある。

これに関連して適用指針第97項に以下の記載がある。

退職給付に関する会計基準の適用指針 第97項
退職給付債務（及び勤務費用）の計算は、期末における安全性の高い債券の利回りを基礎とした割引率を用いることが原則であるが、例えば、単一の加重平均割引率を使用する場合における、事前に計算をした割引率のみ異なる複数の計算結果に基づく二点補正のような合理的な補正方法によって、期末の割引率による退職給付債務（及び勤務費用）の計算結果を求める（会計基準第65項なお書き）こともできるものと考えられる。

具体的には、期末日における割引率を一定のレンジ内で予想して2つの割

図表 2-18 付録 1 重要性基準に基づく

		前期末の								
		1.0%	1.1%	1.2%	1.3%	1.4%	1.5%	1.6%	1.7%	1.8%	1.9%
退職給付債務のデュレーション	7年	~2.5	~2.6	~2.7	~2.8	0.1~2.9	0.2~3.0	0.3~3.1	0.4~3.2	0.5~3.3	0.6~3.4
	8	~2.3	~2.4	0.1~2.5	0.2~2.6	0.2~2.7	0.3~2.8	0.4~2.9	0.5~3.0	0.6~3.1	0.7~3.2
	9	~2.0	0.1~2.2	0.2~2.3	0.3~2.4	0.4~2.5	0.5~2.6	0.6~2.7	0.7~2.8	0.8~2.9	0.9~3.0
	10	0.1~2.0	0.2~2.1	0.3~2.2	0.4~2.3	0.5~2.4	0.6~2.5	0.7~2.6	0.8~2.7	0.9~2.8	1.0~2.9
	11	0.2~1.9	0.3~2.0	0.4~2.1	0.5~2.2	0.6~2.3	0.7~2.4	0.8~2.5	0.9~2.6	1.0~2.7	1.1~2.8
	12	0.3~1.8	0.4~1.9	0.4~2.0	0.5~2.1	0.6~2.2	0.7~2.3	0.8~2.4	0.9~2.5	1.0~2.6	1.1~2.7
	13	0.3~1.8	0.4~1.9	0.5~2.0	0.6~2.1	0.7~2.2	0.8~2.3	0.9~2.4	1.0~2.5	1.1~2.6	1.2~2.7
	14	0.4~1.7	0.5~1.8	0.6~1.9	0.7~2.0	0.8~2.1	0.9~2.2	1.0~2.3	1.1~2.4	1.2~2.5	1.3~2.6
	15	0.4~1.7	0.5~1.8	0.6~1.9	0.7~2.0	0.8~2.1	0.9~2.2	1.0~2.3	1.1~2.4	1.2~2.5	1.3~2.6
	16	0.5~1.6	0.5~1.7	0.6~1.8	0.7~1.9	0.8~2.0	0.9~2.1	1.0~2.2	1.1~2.3	1.2~2.4	1.3~2.5
	17	0.5~1.6	0.6~1.7	0.7~1.8	0.8~1.9	0.9~2.0	1.0~2.1	1.1~2.2	1.2~2.3	1.3~2.4	1.4~2.5
	18	0.5~1.5	0.6~1.6	0.7~1.7	0.8~1.8	0.9~1.9	1.0~2.0	1.1~2.1	1.2~2.2	1.3~2.3	1.4~2.4
	19	0.5~1.5	0.6~1.6	0.7~1.7	0.8~1.8	0.9~1.9	1.0~2.0	1.1~2.1	1.2~2.2	1.3~2.3	1.4~2.4
	20	0.6~1.5	0.7~1.6	0.8~1.7	0.9~1.8	1.0~1.9	1.1~2.0	1.2~2.1	1.3~2.2	1.4~2.3	1.5~2.4
	21	0.6~1.5	0.7~1.6	0.8~1.7	0.9~1.8	1.0~1.9	1.1~2.0	1.2~2.1	1.3~2.2	1.4~2.3	1.5~2.4
	22	0.6~1.4	0.7~1.5	0.8~1.6	0.9~1.7	1.0~1.8	1.1~1.9	1.2~2.0	1.3~2.1	1.4~2.2	1.5~2.3
	23	0.6~1.4	0.7~1.5	0.8~1.6	0.9~1.7	1.0~1.8	1.1~1.9	1.2~2.0	1.3~2.1	1.4~2.2	1.5~2.3
	24	0.6~1.4	0.7~1.5	0.8~1.6	0.9~1.7	1.0~1.8	1.1~1.9	1.2~2.0	1.3~2.1	1.4~2.2	1.5~2.3
	25	0.7~1.4	0.8~1.5	0.9~1.6	1.0~1.7	1.1~1.8	1.2~1.9	1.3~2.0	1.4~2.1	1.5~2.2	1.6~2.3

引率による退職給付債務の計算結果を事前に準備しておき、当該2通りの計算結果を線形補間計算することにより期末の退職給付債務を計算する。ここで線形補間とは、直線補間により補正計算する方法で、以下のように求める。

割引率に関する再計算要否の目安

割引率											
	2.0%	2.1%	2.2%	2.3%	2.4%	2.5%	2.6%	2.7%	2.8%	2.9%	3.0%
	0.7〜3.5	0.8〜3.6	0.9〜3.7	1.0〜3.8	1.1〜3.9	1.2〜4.0	1.3〜4.1	1.4〜4.2	1.5〜4.3	1.6〜4.4	1.7〜4.5
	0.8〜3.3	0.9〜3.4	1.0〜3.5	1.1〜3.6	1.2〜3.7	1.3〜3.8	1.4〜3.9	1.5〜4.0	1.6〜4.1	1.7〜4.2	1.8〜4.3
	1.0〜3.2	1.1〜3.3	1.2〜3.4	1.3〜3.5	1.4〜3.6	1.5〜3.7	1.6〜3.8	1.7〜3.9	1.8〜4.0	1.9〜4.1	2.0〜4.2
	1.1〜3.0	1.2〜3.1	1.3〜3.2	1.4〜3.3	1.5〜3.4	1.6〜3.5	1.7〜3.6	1.8〜3.7	1.9〜3.8	2.0〜3.9	2.1〜4.0
	1.2〜2.9	1.3〜3.0	1.4〜3.1	1.5〜3.2	1.6〜3.3	1.7〜3.4	1.8〜3.5	1.9〜3.6	2.0〜3.7	2.1〜3.8	2.2〜3.9
	1.2〜2.8	1.3〜3.0	1.4〜3.1	1.5〜3.2	1.6〜3.3	1.7〜3.4	1.8〜3.5	1.9〜3.6	2.0〜3.7	2.1〜3.8	2.2〜3.9
	1.3〜2.8	1.4〜2.9	1.5〜3.0	1.6〜3.1	1.7〜3.2	1.8〜3.3	1.9〜3.4	2.0〜3.5	2.1〜3.6	2.2〜3.7	2.3〜3.8
	1.4〜2.7	1.5〜2.8	1.6〜2.9	1.7〜3.0	1.8〜3.1	1.9〜3.2	2.0〜3.3	2.1〜3.4	2.2〜3.5	2.3〜3.6	2.4〜3.7
	1.4〜2.7	1.5〜2.8	1.6〜2.9	1.7〜3.0	1.8〜3.1	1.9〜3.2	2.0〜3.3	2.1〜3.4	2.2〜3.5	2.3〜3.6	2.4〜3.7
	1.4〜2.6	1.5〜2.7	1.6〜2.8	1.7〜2.9	1.8〜3.0	1.9〜3.1	2.0〜3.2	2.1〜3.3	2.2〜3.4	2.3〜3.5	2.4〜3.6
	1.5〜2.6	1.6〜2.7	1.7〜2.8	1.8〜2.9	1.9〜3.0	2.0〜3.1	2.1〜3.2	2.2〜3.3	2.3〜3.4	2.4〜3.5	2.5〜3.6
	1.5〜2.5	1.6〜2.6	1.7〜2.7	1.8〜2.9	1.9〜3.0	2.0〜3.1	2.1〜3.2	2.2〜3.3	2.3〜3.4	2.4〜3.5	2.5〜3.6
	1.5〜2.5	1.6〜2.6	1.7〜2.7	1.8〜2.8	1.9〜2.9	2.0〜3.0	2.1〜3.1	2.2〜3.2	2.3〜3.3	2.4〜3.4	2.5〜3.5
	1.6〜2.5	1.7〜2.6	1.8〜2.7	1.9〜2.8	2.0〜2.9	2.1〜3.0	2.2〜3.1	2.3〜3.2	2.4〜3.3	2.5〜3.4	2.6〜3.5
	1.6〜2.5	1.7〜2.6	1.8〜2.7	1.9〜2.8	2.0〜2.9	2.1〜3.0	2.2〜3.1	2.3〜3.2	2.4〜3.3	2.5〜3.4	2.6〜3.5
	1.6〜2.4	1.7〜2.5	1.8〜2.6	1.9〜2.7	2.0〜2.8	2.1〜2.9	2.2〜3.0	2.3〜3.1	2.4〜3.2	2.5〜3.3	2.6〜3.4
	1.6〜2.4	1.7〜2.5	1.8〜2.6	1.9〜2.7	2.0〜2.8	2.1〜2.9	2.2〜3.0	2.3〜3.1	2.4〜3.2	2.5〜3.3	2.6〜3.4
	1.6〜2.4	1.7〜2.5	1.8〜2.6	1.9〜2.7	2.0〜2.8	2.1〜2.9	2.2〜3.0	2.3〜3.1	2.4〜3.2	2.5〜3.3	2.6〜3.4
	1.7〜2.4	1.8〜2.5	1.9〜2.6	2.0〜2.7	2.1〜2.8	2.2〜2.9	2.3〜3.0	2.4〜3.1	2.5〜3.2	2.6〜3.3	2.7〜3.4

> 割引率Ｐ％、Ｑ％の退職給付債務が既知である場合、期末日の割引率ｉ％の退職給付債務を求める補正計算式
>   退職給付債務(i)＝｛退職給付債務(q)－退職給付債務(p)｝×(i－p)/(q－p)
>   ＋退職給付債務(p)
>
> 【留意点】
> ・期末日の実際の割引率（i）が２通りの割引率（p）（q）の間に収まることが必要である。
> ・補正元となる割引率の幅、すなわち補正幅が小さいほど補正計算結果と実際の計算結果との乖離が小さく計算の精度が高くなるため、２通りの割引率は一定程度の幅の中に収まる必要がある。
> （0.5％程度の範囲内であれば望ましい範囲内といえるが絶対的な要件ではない）
> ・補正計算は内分補正（p＜i＜q）で行う。外分補正（p＜q＜i、またはi＜p＜q）では計算の精度が低く計算結果の妥当性を確保できない場合がある。

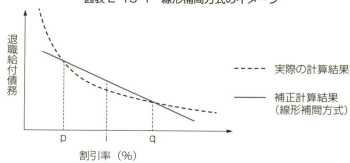

図表2-19-1　線形補間方式のイメージ

　なお、期末の退職給付債務をより精緻に計算するには、計算受託機関からデータベースを入手し期末の実際退職給付債務を算定し決算処理を行ったうえで、事後的にアクチュアリー（年金数理人）から適正証明を入手する方法もあるが、上述の【留意点】を充足できれば「線形補間により補正計算する方法」で実務対応は十分と思われる。

　また、より精度の良い近似計算としての補正計算をする方法として「対数補間方式（平均割引期間の概念を取り入れた近似式を用いる方法）」があるが、上述の【留意点】を充足できれば「線形補間により補正計算する方法」で実務対応は可能と思われる（図表2-19-2参照）。

図表 2-19-2 対数補間方式のイメージ

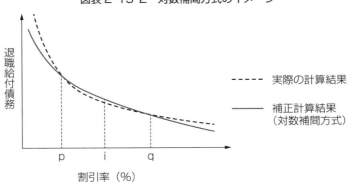

8 開示の拡充

数理計算に関わらないテーマ

現行基準では、確定給付制度を前提とした財務諸表上の表示及び注記の取扱いを質、量とも拡充させてきた。
具体的には、表示を一部変更するとともに、国際的な会計基準で採用されている主要な項目を中心に開示項目を拡充し、より詳細な開示を求めている。

表示

I 連結貸借対照表上の表示（個別財務諸表上は表示は変わらない）

退職給付に係る負債または資産については、「退職給付に係る負債」または「退職給付に係る資産」等の適当な科目をもって、固定負債または固定資産として表示する。未認識過去勤務費用及び未認識数理計算上の差異には、その他の包括利益累計額に「退職給付に係る調整累計額」等の適当な科目をもって表示する（税効果会計を適用後）。

「その他の包括利益」を通じて認識し、数理計算上の差異の発生額を負債として計上するが、これは企業会計原則注解（注18）における引当金の定義（当期の費用（損失）を繰り入れるとともにその引当金残高を負債（資産）として計上）を充たさない。このため、引当金の名称を改め、「退職給付に係る負債」とした（個別財務諸表上は引当金の定義を満たすため「退職給付引当金」を継続）。

図表2-20 連結貸借対照表の表示

		前連結会計年度	当連結会計年度
資産の部			
	固定資産 　投資その他の資産 　　退職給付に係る資産	XXXX	XXXX
資産合計		XXXX	XXXX
負債の部			
	固定負債 　退職給付に係る負債	XXXX	XXXX
負債合計		XXXX	XXXX
純資産の部			
	その他の包括利益累計額		
	退職給付に係る調整累計額	XXXX	XXXX
純資産合計		(XXXX)	(XXXX)
負債純資産合計		XX,XXX	XX,XXX

・「退職給付に係る負債（連結）」及び「退職給付引当金（個別）」は固定負債に表示
・「退職給付に係る資産（連結）」及び「前払年金費用（個別）」は固定資産に表示
・「退職給付に係る調整累計額」は、少数株主に帰属する部分は含まない。

Ⅱ 損益計算書上の表示

【退職給付費用の表示】
・売上原価または販売費及び一般管理費に一括して計上。
・確定拠出制度において拠出した費用も含む。

【過去勤務費用の表示】
・新たに退職給付制度を採用したとき、給付水準の重要な改訂を行ったときに発生する過去勤務費用を発生時に全額費用処理する場合で、その金額が重要であれば当該金額を特別損益として計上できる。
・制度終了に伴い生じる損益は、原則として特別損益に純額表示する。

Ⅲ 連結包括利益計算書上の表示

【その他の包括利益の表示】
・「退職給付に係る調整額」等の適当な科目をもって、「当期に発生した未認識数理計算上の差異、未認識過去勤務費用」及び「当期に費用処理された組替調整額」を一括表示する。
・連結包括利益計算書のその他の包括利益には、「退職給付に係る調整額」という科目で、未認識数理計算上の差異、及び未認識過去勤務費用の期首から期末までの増減を計上する。
・「退職給付に係る調整額」は少数株主への帰属額を含むが、持分法適用会社に対する持分相当額は含まず別掲する。

図表2-21　連結包括利益計算書（抜粋）

	前連結会計年度	当連結会計年度
……………………		
……………………		
少数株主損益調整前当期純利益	XXX	XXX
その他の包括利益		
……………………		
退職給付に係る調整額	―	XXX
持分法適用会社に対する持分相当額	―	(XXX)
その他の包括利益合計	―	(X,XXX)
包括利益	XXXX	XXXX

Ⅳ　連結株主資本等変動計算書上の表示

【連結株主資本等変動計算書の表示】

・「退職給付に係る調整累計額」（連結貸借対照表の純資産の部に計上）の期首から期末までの増減を開示する。

▪注記

　現行基準では、開示の質量とも拡大してきている。例えば、「企業の採用する退職給付制度の概要」では、実施している制度を羅列するだけではなく、具体的な制度概要の説明が求められる。

　また、年金資産の内訳の開示が要請され、積立型・非積立型別の開示や年金資産の内訳開示では、退職給付信託に係る記載も含まれる。なお、適用指針で示された例示や説明は最低限網羅すべき内容であり、企業グループが必要に応じて自らより詳細な開示を行うことが望まれる。

図表 2-22　連結株主資本等変動計算書

	前連結会計年度	当連結会計年度
………………		
その他の包括利益累計額		
………………		
退職給付に係る調整累計額		
当期首残高	(X,XXX)	(X,XXX)
当期変動額		
株主資本以外の項目の当期変動額(純額)	XX	XX
当期変動額合計	XX	XX
当期末残高	(X,XXX)	(X,XXX)
………………		

具体的には、確定給付制度に対し、「退職給付に関する会計基準」第30項に（1）から（11）に定める注記を要請している（図表2-23参照）。このため、これらの情報について、連結グループ全体の状況をタイムリーに把握する必要がある。開示項目の多くは定量的な情報開示を求めている。

図表 2-23　退職給付に関する会計基準 第30項

（1）退職給付の会計処理基準に関する事項
（2）企業の採用する退職給付制度の概要
（3）退職給付債務の期首残高と期末残高の調整表
（4）年金資産の期首残高と期末残高の調整表
（5）退職給付債務及び年金資産と貸借対照表に計上された退職給付に係る負債及び資産の調整表
（6）退職給付に関連する損益
（7）その他の包括利益に計上された数理計算上の差異及び過去勤務費用の内訳
（8）貸借対照表のその他の包括利益累計額に計上された未認識数理計算上の差異及び未認識過去勤務費用の内訳
（9）年金資産に関する事項（年金資産の主な内訳を含む。）
（10）数理計算上の計算基礎に関する事項
（11）その他の退職給付に関する事項

なお、連結財務諸表を作成する会社か否かで注記事項に差異が生じる。会社の種類と会計基準第 30 項で要請される記載との関係を図表 2-24 に示した。

図表 2-24　会社種類別の会計基準第 30 項の取扱い

連結財務諸表を作成する会社	・基本的には個別財務諸表での開示は要しないが、個別財務諸表で次の 2 点を記載 1. 会計基準第 30 項 (1) の「退職給付に関する会計処理に関する事項（会計方針）」 2. 未認識数理計算上の差異及び未認識過去勤務費用の貸借対照表における取扱いが連結財務諸表と異なる旨
連結財務諸表を作成しない会社	・会計基準第 30 項 (1) から (6) 及び (9) から (11) を記載 ・会計基準第 30 項 (7)(8) は連結財務諸表特有の処理のため、記載を要しない

以下、会計基準第 30 項（1）から（11）までの具体的な記載内容を確認する。この他、（12）ではその他の包括利益に関する注記、（13）では簡便法の注記、（14）では複数事業主制度の注記を取り扱う。

なお、（3）～（10）及び（13）の定量的な記載にあたり、過去の期間に係る開示は要しない。

I　退職給付の会計処理基準に関する事項

会計方針に関する注記として、以下を開示する。

- 退職給付見込額の期間帰属方法：期間定額基準、給付算定式基準のいずれを採用したかを記載する。
- 数理計算上の差異及び過去勤務費用（あれば会計基準変更時差異も）の費用処理方法：定額法、定率法のいずれを採用したか、および費用処理年数を記載する。数理計算上の差異につき発生年度と翌年度のいずれから費用処理を開始したかもあわせて記載する。

「退職給付に関する会計基準の適用指針」の［開示例 1］によれば、例えば次のような注記を連結財務諸表及び個別財務諸表に記載する。

> 退職給付に関する会計基準の適用指針　[開示例1]
> （ア）退職給付に係る負債又は資産並びに退職給付費用の処理方法
> ① 退職給付見込額の期間帰属方法
> 　退職給付債務の算定にあたり、退職給付見込額を当期までの期間に帰属させる方法については、期間定額基準によっている。
> ② 数理計算上の差異及び過去勤務費用の費用処理方法
> 　過去勤務費用は、その発生時の従業員の平均残存勤務期間以内の一定の年数（10～15年）による定額法により費用処理している。
> 　数理計算上の差異は、各連結会計年度の発生時における従業員の平均残存勤務期間以内の一定の年数（10～15年）による定額法（一部の連結子会社は定率法）により按分した額をそれぞれ発生の翌連結会計年度から費用処理することとしている。

Ⅱ　企業の採用する退職給付制度の概要

「採用する退職給付制度の概要」の開示として、退職給付制度の種類や内容に関する一般的説明を、各社の制度の実態に応じて記載する。イメージとしては、給付の算定方法などについて次のように具体的に示すことが一般的である。

- ・キャッシュ・バランス・プラン：拠出クレジットの算定方法や利息クレジットの付与方法等を記載する。
- ・給与比例制：給与に支給乗率を乗じて給付額が算定されることを記載する。
- ・ポイント制：勤続年数及び職能資格ごとに定めたポイントを勤務期間中に累積し、退職時に累積されたポイントにポイント単価を乗じた額を一時金として支給する等の記載をする。

「退職給付に関する会計基準の適用指針」の［開示例1］によれば、例えば次のような注記を連結財務諸表に記載する。

> 退職給付に関する会計基準の適用指針　[開示例1]
>
> 　当社及び連結子会社は、従業員の退職給付に充てるため、積立型、非積立型の確定給付制度及び確定拠出制度を採用している。
> 　確定給付企業年金制度（すべて積立型制度である。）では、給与と勤務期間に基づいた一時金又は年金を支給する。ただし、一部の連結子会社は、確定給付企業年金制度にキャッシュ・バランス・プランを導入している。当該制度では、加入者ごとに積立額及び年金額の原資に相当する仮想個人口座を設ける。仮想個人口座には、主として市場金利の動向に基づく利息クレジットと、給与水準等に基づく拠出クレジットを累積する。一部の確定給付企業年金制度には、退職給付信託が設定されている。
> 　退職一時金制度（非積立型制度であるが、退職給付信託を設定した結果、積立型制度となっているものがある。）では、退職給付として、給与と勤務期間に基づいた一時金を支給する。

Ⅲ　退職給付債務の期首残高と期末残高の調整表

・退職給付債務の期首から期末までの変動の内訳を記載する。
・「退職給付に関する会計基準の適用指針」第54項によれば、勤務費用、利息費用、数理計算上の差異の当期発生額（費用処理されたものを含む）、退職給付の支払額、過去勤務費用の当期発生額（費用処理されたものを含む）、その他の内訳がわかるよう記載する。
・重要性の乏しい項目は「その他」に含めることができるが、列挙された項目以外でも重要性があれば別掲する必要があるため、その内容を把握できる体制を整える必要がある。
　図表2-25に注記のイメージを示した。

図表 2-25　退職給付債務の期首残高と期末残高の調整表のイメージ

	前連結会計年度	当連結会計年度
期首における退職給付債務	XXX,XXX	XXX,XXX
勤務費用	X,XXX	X,XXX
利息費用	X,XXX	X,XXX
数理計算上の差異の当期発生額	XX,XXX	XX,XXX
退職給付の支払額	△XX,XXX	△XX,XXX
過去勤務費用の当期発生額	―	X,XXX
企業結合の影響による増減額	―	X,XXX
制度の終了による増減額	―	X,XXX
その他	―	XXX
期末における退職給付債務	XXX,XXX	XXX,XXX

Ⅳ　年金資産の期首残高と期末残高の調整表

・年金資産の期首から期末までの変動の内訳を注記する。改訂前基準では年金資産の増減項目の一部を開示していたが改訂基準ではすべての増減を記載する。
・「退職給付に関する会計基準の適用指針」第55項によれば、期待運用収益、数理計算上の差異の当期発生額（費用処理されたものを含む）、事業主からの拠出額、退職給付の支払額、その他の内訳がわかるよう記載する。
・重要性の乏しい項目は「その他」に含めることができるが、列挙された項目以外でも重要性があれば別掲する必要があるため、その内容を把握できる体制を整える必要がある。

図表 2-26 に注記のイメージを示した。

図表 2-26　年金資産の期首残高と期末残高の調整表のイメージ

	前連結会計年度	当連結会計年度
期首における年金資産	XXX,XXX	XXX,XXX
期待運用収益	X,XXX	XX,XXX
数理計算上の差異の当期発生額	△X,XXX	△X,XXX
事業主からの拠出額	X,XXX	X,XXX
退職給付の支払額	△X,XXX	△X,XXX
企業結合の影響による増減額	―	X,XXX
制度の終了による増減額	―	X,XXX
その他	―	XXX
期末における年金資産	XXX,XXX	XXX,XXX

V　退職給付債務及び年金資産と貸借対照表に計上された退職給付に係る負債及び資産の調整表

・連結グループ会社のすべての確定給付制度を対象に、退職給付債務の額と年金資産の額を積立型制度と非積立型制度とに分けて開示する。連結財務諸表において退職給付制度ごとに「退職給付に係る負債」と「退職給付に係る資産」がそれぞれ生じる場合には区分して記載する。

・連結財務諸表を作成しない会社は、当該注記において未認識数理計算上の差異及び未認識過去勤務費用の残高を開示する。これは連結財務諸表を作成する会社が「退職給付に関する会計基準」第30項の（7）及び（8）に基づき開示する注記に代替する開示である。

・退職一時金制度に退職給付信託を設定した場合は積立型制度に記載する。
図表 2-27 に注記のイメージを示した。

図表 2-27　退職給付債務及び年金資産と貸借対照表に計上された退職給付に係る負債及び資産の調整表のイメージ

	前連結会計年度	当連結会計年度
積立型制度の退職給付債務	X,XXX	X,XXX
年金資産	△X,XXX	△X,XXX
	X,XXX	X,XXX
非積立型制度の退職給付債務	X,XXX	X,XXX
連結貸借対照表に計上された負債と資産の純額	X,XXX	X,XXX
	前連結会計年度	当連結会計年度
退職給付に係る負債	X,XXX	X,XXX
退職給付に係る資産	X,XXX	X,XXX
連結貸借対照表に計上された負債と資産の純額	X,XXX	X,XXX

VI　退職給付に関する損益

・当期純利益を構成する項目に計上した退職給付に関連する損益の内訳を注記する。
・「退職給付に関する会計基準の適用指針」第57項によれば、勤務費用、利息費用、期待運用収益、数理計算上の差異の当期の費用処理額、過去勤務費用の当期の費用処理額、その他（会計基準変更時差異の費用処理額、臨時に支払った割増退職金等）の内訳がわかるよう記載する。
・重要性の乏しい項目は集約して記載することができる。
・連結損益計算書上の退職給付費用は、売上原価や販売費及び一般管理費等の区分に分けて記載し、その一部は棚卸資産の原価となるため、当該注記の金額とは必ずしも一致しない。
　図表 2-28 に注記のイメージを示した。

図表 2-28　退職給付に関する損益のイメージ

	前連結会計年度	当連結会計年度
勤務費用	XXX	XXX
利息費用	XXX	XXX
期待運用収益	△XXX	△XXX
数理計算上の差異の当期の費用処理額	XXX	XXX
過去勤務費用の当期の費用処理額	XXX	XXX
臨時に支払った割増退職金	—	XXX
退職給付制度終了損益	—	XXX
その他	XXX	XXX
確定給付制度に係る退職給付費用	X,XXX	X,XXX

Ⅶ　その他の包括利益に計上された数理計算上の差異及び過去勤務費用の内訳／貸借対照表のその他の包括利益累計額に計上された未認識数理計算上の差異及び未認識過去勤務費用の内訳

（1）その他の包括利益に計上された数理計算上の差異及び過去勤務費用の内訳

・数理計算上の差異、過去勤務費用、会計基準変更時差異の項目ごとに「当期発生額」と「費用処理に係る組替調整額」の合計額を記載する。
・重要性が乏しい項目については集約して記載できる。
・連結包括利益計算書の注記や退職給付費用の内訳の注記との整合性や、「退職給付に関する会計基準の適用指針」の［開示例1］を考慮すれば、税効果を考慮する前の金額で記載することが考えられる。
・数理計算上の差異及び過去勤務費用の合計額は、税効果の影響や少数株主持

分等の影響があるため、連結包括利益計算書の「その他の包括利益」の金額とは必ずしも一致しない。

(2) 貸借対照表のその他の包括利益累計額に計上された未認識数理計算上の差異及び未認識過去勤務費用の内訳

・未認識数理計算上の差異、未認識過去勤務費用、会計基準変更時差異の未処理額の項目ごとに残高がわかるように記載する。
・重要性が乏しい項目については集約して記載できる。
・連結包括利益計算書の注記や退職給付費用の内訳の注記との整合性や、「退職給付に関する会計基準の適用指針」の［開示例1］を考慮すれば、税効果を考慮する前の金額で記載することが考えられる。
・未認識数理計算上の差異及び未認識過去勤務費用の合計額は、税効果の影響（親会社の税効果を含む）や少数株主持分、持分法適用被投資等の影響があるため、連結貸借対照表の純資産の部に計上した「退職給付に係る調整累計額」の金額とは必ずしも一致しない。
・外貨建ての未認識数理計算上の差異や未認識過去勤務費用の期首残高がある場合、これらを期末日レートで換算することに伴い、円貨建ての未認識数理計算上の差異や未認識過去勤務費用が増減する。

図表2-29に注記のイメージを示した。

図表2-29 その他の包括利益に計上された数理計算上の差異及び過去勤務費用の内訳、貸借対照表のその他の包括利益累計額に計上された未認識数理計算上の差異及び未認識過去勤務費用の内訳のイメージ

その他の包括利益で計上した項目（税効果控除前）の内訳は次のとおりである。		
	前連結会計年度	当連結会計年度
過去勤務費用	XXX	XXX
数理計算上の差異	XXX	XXX
合計	XXX	XXX
その他の包括利益累計額で計上した項目（税効果控除前）の内訳は次のとおりである。		
	前連結会計年度	当連結会計年度
未認識過去勤務費用	△XXX	△XXX
未認識数理計算上の差異	△XXX	△XXX
合計	△X,XXX	△X,XXX

Ⅷ 年金資産に関する事項（年金資産の主な内訳を含む）

年金資産の運用形態にかかわらず、次の記載が求められる。

① 年金資産の主な内訳として、株式、債券などの種類ごとの割合又は金額
② 退職給付信託が設定された企業年金制度において、年金資産の合計額に対する退職給付信託の額の割合が重要である場合には、その割合又は金額を別に付記
③ 長期期待運用収益率の設定方法に関する記載（年金資産の主要な種類との関連）

① 株式、債券、現金預金など運用対象資産の種類ごとに注記をするため、連結グループ全体で、資産運用先から年金資産の時価の内訳をタイムリーに入手できる体制を整える必要がある。生命保険一般勘定で運用している場合(※3)は、債券や株式等の内訳ごとに分類するのではなく、「生命保険一般勘定」等の名称で別掲することも考えられる。

また、国内外の複数の退職給付制度がある場合、「国内の制度」と「国外

の制度」など地域別に区分して開示することも考えられる。

> （※3）生命保険一般勘定
> 生命保険会社が提供するもので、元本保証に加え一定の利回り保証がある商品。複数の企業年金制度が有する資産を一括（合同）してひとつの勘定で運用する。債券や株式のほか、貸付金や不動産などの資産に運用している。

② 退職給付信託と年金資産合計額とを比べ、前者の額に一定の重要性があれば、その割合または金額を別個に付記する。退職一時金を対象に設定された退職給付信託については当該注記を強制されない。

退職給付信託は、分散投資される制度固有の年金資産とはリスク特性に大きな相違があることから開示が求められており、個々の企業の状況に応じて当該重要性を判断する。

③ 年金資産の主要な種類と関連づけて、長期期待運用収益率の設定方針（設定方法）を記載する。

図表 2-30 に注記のイメージを示した。

年金資産に係る開示拡充に伴い次の点に留意を要する。

・期待運用収益の開示と数理計算上の差異の発生額の開示（Ⅳ 図表 2-26 参照）により、当期のパフォーマンスが外部から一定程度判明する。外部利害関係者が年金資産の増減要因を一定程度把握できるようになっている。

・年金資産の項目別内訳（アセットアロケーション）が開示されるため、当該パフォーマンスをもたらした要因が判明し、外部利害関係者がリスクリターン分析をすることなども可能となっている。

図表 2-30 年金資産の主な内訳のイメージ

年金資産の主な内訳		
年金資産合計に対する主な分類ごとの比率は次のとおりである。		
	前連結会計年度	当連結会計年度
債券	XX%	XX%
株式	XX%	XX%
現金及び預金	XX%	XX%
生保一般勘定	XX%	XX%
その他	X%	X%
合計	100%	100%

年金資産合計には、企業年金制度に対して設定した退職給付信託が当連結会計年度にXX%、前連結会計年度にXX%含まれている。

長期期待運用収益率の設定方法に関する記載
年金資産の長期期待運用収益率を決定するため、現在及び予想される年金資産の配分と、年金資産を構成する多様な資産からの現在及び将来期待される長期の収益率を考慮している。

IX 数理計算上の計算基礎に関する事項

　割引率、長期期待運用収益率、その他の重要な計算基礎などの計算基礎に関する注記を行う。その他の重要な計算基礎として注記の対象になる可能性があるものとして、予想昇給率、年金選択率、再評価率（キャッシュバランスプラン）などが考えられる。

　図表 2-31 に注記のイメージを示した。

図表2-31　数理計算上の計算基礎に関する事項のイメージ

数理計算上の計算基礎に関する事項		
期末における主要な数理計算上の基礎（加重平均で表している）		
	前連結会計年度	当連結会計年度
割引率	XX %	XX %
長期期待運用収益率	XX %	XX %

X　その他の退職給付に関する事項

　必要に応じてその他の退職給付に関する事項を記載する。例えば、事業主が翌年度に支払うと予想される拠出の概算額や、事業主が翌年度に受給権者に支払うと予想される退職給付の概算額などを記載することも考えられる。

XI　その他の包括利益に関する注記

　退職給付に関する会計基準第30項の定め（(1)から(11)）とは別に、企業会計基準第25号「包括利益の表示に関する会計基準」に準拠して、以下のようにその他の包括利益の注記を行う。

・その他の包括利益の内訳項目は税効果を控除し後の金額で表示するが、各内訳項目を税効果を控除する前の金額で表示し、それらに関連する税効果の金額を一括して加減する方法で記載することもできる。いずれの場合も、その他の包括利益の各内訳項目別の税効果の金額を注記する。

・当期純利益を構成する項目のうち、当期または過去の期間にその他の包括利益に含まれていた部分は組替調整額として、その他の包括利益の内訳項目ごとに注記する。

・税効果調整前の「当期発生額」と「組替調整額」を合計した額は、原則として、(8)の未認識数理計算上の差異と未認識過去勤務費用の期首から期末

までの増減額と一致する。

図表 2-32 に注記のイメージを示した。

図表 2-32　その他の包括利益に関する注記のイメージ

	前連結会計年度	当連結会計年度
退職給付に係る調整額		
当期発生額	XXX	XXX
組替調整額	XXX	(XXX)
税効果調整前	XXX	(XXX)
税効果額	(XXX)	XXX
退職給付に係る調整額	XXX	(XXX)
持分法適用会社に対する持分相当額	X	X
その他の包括利益合計	XXX	(XXX)

XII　簡便法における注記

「退職給付に関する会計基準の適用指針」の［開示例 2］によれば、図表 2-33 のような注記を行う。

図表 2-33　簡便法における注記のイメージ

（退職給付に係る重要な会計方針）
（ア）退職給付に係る負債又は資産並びに退職給付費用の処理方法
　小規模企業等における簡便法の採用
　　連結財務諸表提出会社及び連結子会社は、退職給付に係る負債及び退職給付費用の計算に、退職給付に係る期末自己都合要支給額を退職給付債務とする方法を用いた簡便法を適用している。
（退職給付に係る注記）
1．採用している退職給付制度の概要

連結財務諸表提出会社及び連結子会社が有する確定給付企業年金制度及び退職一時金制度は、簡便法により退職給付に係る負債及び退職給付費用を計算している。

2. 確定給付制度

(1) 簡便法を適用した制度の、退職給付に係る負債の期首残高と期末残高の調整表

期首における退職給付に係る負債	20,600
退職給付費用	2,000
退職給付の支払額	△1,600
制度への拠出額	△500
期末における退職給付に係る負債	20,500

(2) 退職給付債務及び年金資産と貸借対照表に計上された退職給付に係る資産及び負債の調整表

積立型制度の退職給付債務	5,300
年金資産	△3,900
	1,400
非積立型制度の退職給付債務	19,100
貸借対照表に計上された負債と資産の純額	20,500
退職給付に係る負債	20,500
貸借対照表に計上された負債と資産の純額	20,500

(3) 退職給付に関連する損益

簡便法で計算した退職給付費用	2,000

(「退職給付に関する会計基準の適用指針」[開示例2] より引用)

XIII 複数事業主制度で確定拠出制度に準じた場合の注記

複数事業主制度で確定拠出制度に準じた会計処理を行っている場合、重要性

が乏しいケースを除き、以下を記載する。
- 年金制度全体の直近の積立状況等（年金資産の額、年金財政計算上の給付債務の額及びその差引額）
- 年金制度全体の掛金等に占める自社の割合やこれらの補足説明

また、その他実務上の留意点として以下がある。
- 貸借対照表日以前の直近時の実際数値をもとにするため、1年程度前の数値となる場合もある。
- 自社の割合には、掛金拠出額、加入人数、給与総額の自社割合も含まれる。また、自社の割合を算定するにあたり、期中平均等も用いることができる。
- 複数事業主制度がいくつかある場合、重要性があるものを除き合算して記載できる。

「退職給付に関する会計基準の適用指針」の［開示例3］によれば、複数事業主制度に係る注記として例えば図表2-34のような注記を行う。

図表2-34　複数事業主制度に係る注記

```
1. 採用している退職給付制度の概要（会計基準第33項（2））
（［開示例1］の見出し「1.」と同様の内容を記載する。）
　一部の連結子会社は、複数事業主制度の厚生年金基金制度に加入しており、このうち、自社の拠出に対応する年金資産の額を合理的に計算することができない制度については、確定拠出制度と同様に会計処理している。
（この設例においては、以下で見出し3.の項目だけを示しているが、見出し2.については［開示例1］と同様である。）
2. 確定拠出制度（会計基準第32項及び第33項（2））
　確定拠出制度（確定拠出制度と同様に会計処理する、複数事業主制度の厚生年金基金制度を含む。）への要拠出額は、X,XXX百万円であった。
要拠出額を退職給付費用として処理している複数事業主制度に関する事項
(1) 制度全体の積立状況に関する事項（XX年X月XX日現在）
　　　年金資産の額　　　　　　　　　　　X,XXX百万円
　　　年金財政計算上の給付債務の額　　　X,XXX百万円
　　　差引額　　　　　　　　　　　　　△XXX百万円
(2) 制度全体に占める当社グループの掛金拠出割合［又は加入人数割合あるいは給与総額割合］
　　　（自XX年X月XX日至XX年X月XX日［又はXX年X月XX日現在］
　　　　　　　　　　　　　　　　　　　　　　　　　X％
```

(3) 補足説明
　上記（1）の差引額の主な要因は、年金財政計算上の過去勤務債務残高 XXX 百万円［及び繰越不足金（又は別途積立金）XXX 百万円］である。本制度における過去勤務債務の償却方法は期間 X 年の元利均等償却であり、当社グループは、当期の連結財務諸表上、当該償却に充てられる特別掛金 XX 百万円を費用処理している。［また、年金財政計算上の繰越不足金 XXX 百万円については、財政再計算に基づき必要に応じて特別掛金率を引き上げる等の方法により処理されることとなる。］なお、［特別掛金の額はあらかじめ定められた掛金率を掛金拠出時の標準給与の額に乗じることで算定されるため、］上記（2）の割合は当社グループの実際の負担割合とは一致しない。

(注1) 上記（1）（2）については、時点が貸借対照表日と一致しないことがあるため、これを明示する必要がある（適用指針第 125 項参照）。
(注2) 上記（3）については、将来の負担額の見込みに関する補足説明（改訂適用指針第 124 項参照）の例として、差引額として算定された額に係る今後の取扱いや、指標としての掛金拠出割合等と将来の実際の負担割合との関係を記載している。また、財務諸表上の影響を示すため、損益計算書（又は損益及び包括利益計算書）上の費用処理額も示している。
(注3) 掛金拠出割合等が参加企業ごとの未償却過去勤務債務等の比率と明らかに乖離している場合（企業ごとに負担割合等が異なる部分がある場合）には、特別掛金に係る拠出割合を示すなど、適宜適切な補足説明を加える必要がある。
(注4) 複数の企業年金制度について注記する場合には、それぞれの重要性の程度に応じた記載をすることが考えられる（適用指針第 122 項参照）。このため、例えば、定量的な情報については次のような形式によることが考えられる。

（複数の企業年金制度について注記する場合の例）
（前提）A 制度、B 制度はそれぞれ単独でも重要性があり、その他の制度についても複数の制度を合算すると重要性があるものとする。

（例示）
(1) 制度全体の積立状況に関する事項（XX 年 X 月 XX 日現在）

	A 制度	B 制度	その他の制度
年金資産の額	XXX 百万円	XXX 百万円	XXX 百万円
年金財政計算上の給付債務の額	XXX 百万円	XXX 百万円	XXX 百万円
差引額	△XX 百万円	△XX 百万円	XX 百万円

(2) 制度全体に占める当社グループの掛金拠出割合（自 XX 年 X 月 XX 日至 XX 年 X 月 XX 日）

A 制度	B 制度	その他の制度
X %	X %	X %（加重平均値）

（「退職給付に関する会計基準の適用指針」［開示例 3］より引用）

9 長期期待運用収益率の考え方の明確化

　長期期待運用収益率の算定は、退職給付の支払いに充てられるまでの時期にわたる期待に基づく。つまり、年金資産が退職給付の支払いに充てられるまでの期間（長期）に対応した運用利回りを求めることになる。

　実務上は、従来から単年度の運用収益率を見積もるのは困難であることに加え、以下の理由もあり、長期的な運用収益率を想定して期待運用収益率を設定していたケースも過去にはあったようだ。

- 資産にはハイリスクハイリターン型株式などの「リスク資産」も多く含まれることがある。
- 市場連動型の銘柄も景気状況や経済環境を反映して短期的には変動を繰り返すことがある。
- 単年度でみればパフォーマンスには相当変動があり短期的には大きくブレるが、中長期的には長期期待運用収益率に収斂するとも考えられる。

　現行基準下では長期の期待運用収益率の設定方法が明確になっているため、年金財政計算上の「予定利率」と会計上の長期期待運用収益率とは、設定に当たっての考え方自体は近くなっている。

第3部

リスク分担型企業年金

1
リスク分担型企業年金の制度と会計処理

I　リスク分担型企業年金とは〜導入の背景と目的、制度の概要

　老後所得を充実し公的年金を補完する企業年金の普及、拡大が期待される中、企業年金制度の多様化や柔軟化を図り、制度としての選択肢を増やすことが急務となってきた。そこで、平成27年（2015年）6月に閣議決定された『「日本再興戦略」改訂2015』に基づき、厚生労働省に設置された社会保障審議会の企業年金部会にて柔軟で弾力的な給付設計（ハイブリッド型の企業年金）の導入と拠出の弾力化を目指して検討してきた。

　現行の企業年金制度には以下の特徴がある。将来発生する可能性のある「年金財政悪化リスク」、つまり、年金資産運用リスクにつき、DB制度ではその全てのリスクを『事業主』が、一方、DC制度ではその全てのリスクを『制度加入者』が負う制度となっている。

> **確定給付型企業年金制度（DB制度）**
> 　DB制度では、あらかじめ決まっている給付の算定方法に従い事業主は給付を賄えるように掛金拠出を行う仕組みである。このため、年金財政計算上の積立不足（数理債務（責任準備金）＞年金資産の状況）が生じると、年金資産運用リスクを負っている事業主が追加の掛金を拠出して当該積立不足を填補する。つまり、株価変動リスクや金利変動リスクを全て事業主が負う制度である。
>
> **確定拠出型企業年金制度（DC制度）**
> 　DC制度では、事業主はあらかじめ決まっている掛金を拠出し、追加の掛金拠出を求められない。個々の制度加入者が個人単位で運用する。掛金拠出額とその運用収益に基づき年金給付が行われる。つまり、株価変動リスクや金利変動リスクを全て制度加入者が負う制度である。

第3部 リスク分担型企業年金／1 リスク分担型企業年金の制度と会計処理

　DB制度及びDC制度のいずれも主として事業主が拠出する掛金額の累積とその運用収益を原資として給付を行う。期待運用収益に比して実際運用収益が下回れば、掛金額または給付額の調整を余儀なくされる。具体的には、DBでは掛金の増額にて、DCでは給付の減額という形で調整する。

　つまり、DB制度では、年金資産運用実績が期待運用収益に劣後することに伴い事業主が負担する掛金が増額するリスクがあり、また、DC制度では、年金資産運用実績が期待運用収益に劣後することに伴い制度加入者が受け取る給付を減額されるリスクがある。このようにDB制度、DC制度ともリスクが事業主、制度加入者のどちらか一方にリスクを負担させる仕組みである。

　こうした現行の企業年金制度が抱える課題を踏まえ、社会保障審議会の企業年金部会では、確定給付企業年金制度を改善し、ハイブリッド型の企業年金制度の導入や将来の景気変動を見越したより弾力的な企業年金制度の運営を可能とする制度の創設を目指し議論を進めた。具体的には、積立不足が生じた場合事業主の追加負担で補てんする『確定給付型企業年金（DB）』と、個人の運用結果に係る事業主の補てんがない『確定拠出型企業年金（DC）』との双方の性格を併せ持ち、事業主・加入者間でリスクを分け合う制度を目指した。その結果、新たな企業年金制度を構成する2つの仕組みの導入を検討してきた。

【一つ目の仕組み】事業主が拠出する掛金を安定化させる仕組みの導入
　不況時において事業主が拠出する掛金が増加することのないように、積立不足を予測した掛金（以下「リスク対応掛金」）を通常の掛金に上乗せして拠出できるようにしたもの。これは、景気変動を見越したより弾力的な企業年金制度の運営を可能にすることを目的としたものである。

【二つ目の仕組み】事業主が拠出する掛金を一定に保ちつつ将来発生する資産運用リスクを事業主と加入者で分担する制度（以下「リスク分担型企業年金」）の導入
　リスク分担型企業年金は、確定給付企業年金と確定拠出年金の両制度の特徴を組み合わせたものであり、事業主はリスク対応掛金を超える掛金の追加拠出は行わず、掛金を一定に保ちつつ、積立状況に応じて給付額を調整する制度である。
　具体的には、不況によりリスク対応掛金設定時の想定を超えるような積立不足が生じた場合、加入者や受給権者への給付減額で調整し、好況で運用成績がよく積立余剰が生じた場合、加入者や受給権者への給付増額で調整する仕組み。

その後、平成28年（2016年）12月14日に確定給付企業年金に関する政省令が改正公布され、将来の景気変動を見越したより弾力的な掛金拠出ができる仕組みとして「リスク対応掛金」が導入された（2017年1月1日より施行）これは、景気の変動に関わらず、一定程度平準化した掛金設定が可能となるよう、あらかじめ年金財政悪化時に想定される積立不足を測定し、当該水準を踏まえ拠出を行うことができる掛金である。

　また、このリスク対応掛金の仕組みを活用して、将来発生する年金財政が悪化するリスクを事業主・制度加入者間で柔軟に分担できる制度である「リスク

図表3-3　リスク対応掛金の仕組みとリスク分担型企業年金の仕組みのイメージ図

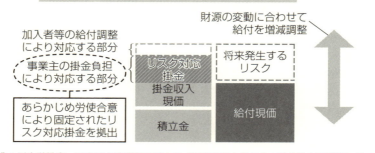

出典：厚生労働省　平成28年度税制改正大綱『確定給付企業年金の弾力的な運営等に係る税制上の所要の措置』より引用して転載

分担型企業年金」を併せて導入した。これは、従来の確定給付型企業年金制度（DB制度）と確定拠出型企業年金制度（DC制度）の中間的な制度と位置づけられ、柔軟で弾力的なハイブリッド型の給付設計を行うもので、平成28年度税制改正大綱により税制上の所要の措置が講じられた。

なお、リスク分担型企業年金は、リスク対応掛金の設定と併せて実施することが前提となっている。

なお、図表3-3には、厚生労働省が公表した平成28年度税制改正大綱『確定給付企業年金の弾力的な運営等に係る税制上の所要の措置』より、リスク対応掛金の仕組みのイメージ図と、リスク分担型企業年金の仕組みのイメージ図を引用して転載した。

図表3-3をもとに、確定給付企業年金制度の仕組みとリスク分担型企業年金の仕組みを比較したものが図表3-4である。

図表3-4 確定給付企業年金制度の仕組みとリスク分担型企業年金の仕組み（イメージ図）

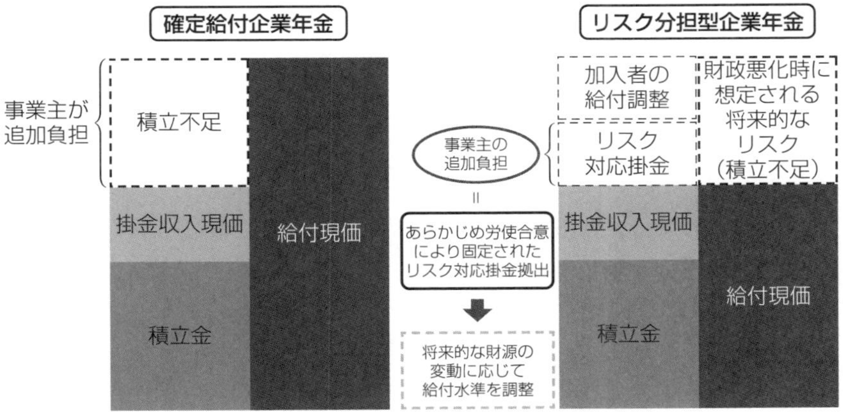

Ⅱ　リスク分担型企業年金と既存の企業年金制度との比較

リスク分担型企業年金では、主として資産運用リスクを事業主あるいは制度加入者の一方に負担させるのではなく、事業主と制度加入者の双方で負担する。

加えて、事業主が負担するリスク相当分は、年金資産運用の実績が期待運用収益を下回り積立不足が発生した後ではなく、事前に財源の手当を行う。

事業主や制度加入者の負担という観点から、リスク分担型企業年金を現行の年金制度と比較すると次のような差異がある。

（1）事業主の負担に係る比較

1　現行のDB制度
年金資産運用の実績が期待運用収益を下回り積立不足が発生した場合、事後的に掛金の水準が増加し、それを事業主が負担する。

2　リスク分担型企業年金
将来発生するリスクの一部をリスク対応掛金として追加的に拠出するが、将来、この範囲を超えて積立不足が生じた場合でも、当該不足は制度加入者の負担となる。当該不足は給付水準を減少させることで対応し、事業主が負担の追加を求められることはない。事業主の追加的な負担は、リスク対応掛金の拠出に限定される。

（2）制度加入者の負担に係る比較

1　現行のDC制度
年金資産運用の結果が直接的に給付に反映される。

2　リスク分担型企業年金
リスクの一部について、事業主がリスク対応掛金の拠出により事前に財源の手当てを行うため、その範囲では加入者の負担となる給付の調整は行われない。

以下の通り、運用実績が良く剰余が生じる場合も、運用実績が悪く積立不足が生じる場合も、いずれもその剰余や不足の一部は給付の調整には用いられない。このため、DC制度と比べ、給付が調整され加入者の負担となる度合いは低くなる。

【運用実績が好調で剰余が生じた場合】
給付が調整され給付水準が増加するが、財政悪化時に想定される積立不足相

当までは留保されることから、剰余の全てが給付の調整に用いられるわけでない。

【運用実績が低調で積立不足が生じた場合】

事業主が負担するリスク相当部分、つまり「リスク対応掛金により事業主が賄う部分」を超える積立不足が生じた場合は、給付が調整され加入者の負担として給付水準が減少する。

リスク分担型企業年金と既存の企業年金制度との比較を図表 3-5 にまとめている。

図表 3-5 リスク分担型企業年金と既存の企業年金制度との比較

	掛金	運用	給付	リスク分担
伝統的な DB	運用や財政状況によって変動	企業が一括で運用	規約に定めた給付を約束	企　業：運用実績のリスク 加入者：リスクを負わない
キャッシュバランスプラン	運用や財政状況によって変動	企業が一括で運用	規約に定めた給付を約束するが、指標により給付が変動	企　業：運用実績のリスク 加入者：指標が変動するリスク
リスク分担型企業年金	規約に定めた掛金継続的に拠出	企業が一括で運用	運用次第で変動	企　業：リスク対応掛金の拠出 加入者：運用実績リスク
伝統的な DC	規約に定めた掛金を継続的に拠出	加入者が個別に運用	運用次第で変動	企　業：リスクを負わない 加入者：運用実績リスク

Ⅲ　リスク対応掛金の導入とその仕組み、構造

(1) 現行の掛金拠出の構造

　DB制度における掛金は予想給付額（予定利率、予定脱退率、予定昇給率などの計算基礎率に基づき算定）と予想運用収益額に照らし、将来にわたり財政の均衡を保つように設計される（図表3-6を参照）。

図表3-6　予定利率引き下げによる掛金の変動

　企業年金の財政状況は、好況時には好転し不況時に悪化する傾向があり、従来の掛金拠出の仕組みでは、年金財政が悪化する財政悪化時（不況時）に追加拠出を要する。

図表3-7　将来発生するリスクに備えた掛金拠出を行わない従来のDB制度

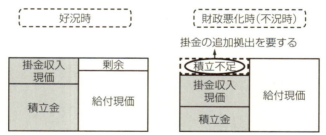

出典：厚生労働省　平成28年度税制改正大綱『確定給付企業年金の弾力的な運営等に係る税制上の所要の措置』をもとに筆者が作成

(2) 財政悪化を想定したリスク対応掛金の導入

　(1)の構造を是正するため、将来発生し得る年金財政悪化リスクに備え掛金を追加拠出する仕組みを導入した。好況時に掛金を追加して拠出して増額することで、拠出額の平準化も期待できる（図表3-8参照）。

第3部　リスク分担型企業年金／1　リスク分担型企業年金の制度と会計処理

図表3-8　リスク対応掛金拠出のイメージ

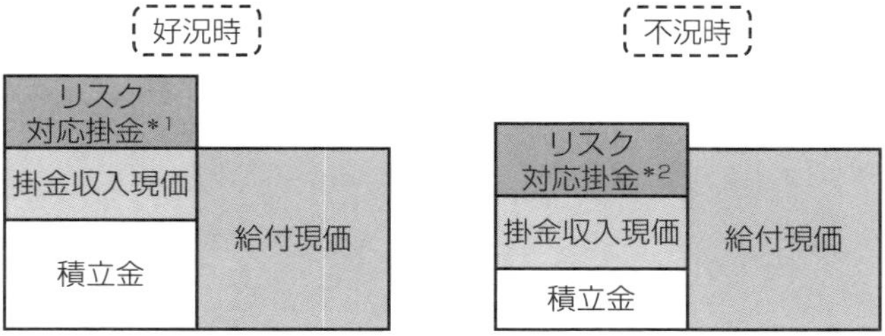

［好況時］　　　　　　　　　［不況時］

（図）

＊1：積立不足が発生していなくても、将来発生しうるリスクに備え、あらかじめ掛金を拠出する仕組み
＊2：リスク対応掛金の拠出により積立不足が生じにくい
出典：厚生労働省　平成28年度税制改正大綱『確定給付企業年金の弾力的な運営等に係る税制上の所要の措置』をもとに筆者が作成

また、不況期など年金財政悪化時の掛金増加につながらないよう、あらかじめ財政悪化時に想定される積立不足を測定し、その水準を踏まえて掛金を拠出できる仕組みを導入した（図表3-9参照）。

図表3-9　リスク対応掛金の導入

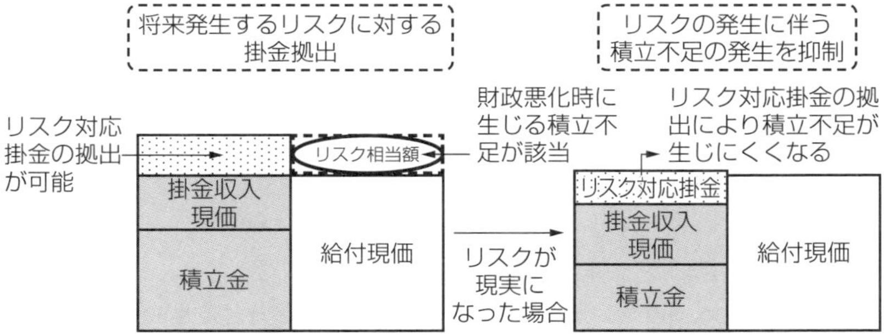

（図）

出典：厚生労働省　平成28年度税制改正大綱『確定給付企業年金の弾力的な運営等に係る税制上の所要の措置』をもとに筆者が作成

こうした仕組みの導入によりこれまで用いられてきた標準掛金と特別掛金に加え、新たにリスク対応掛金を用いることになるが、リスク対応掛金は、掛金を5年から20年の範囲で拠出する。

現行の積立不足の償却期間が最大20年であることから、リスク対応掛金は、

20年程度に一度発生する可能性のある損失に耐え得るものとして算出された財政悪化リスク相当額の水準を踏まえて決定する（図表3-10参照）。

図表3-10　財政悪化リスク相当額のイメージ

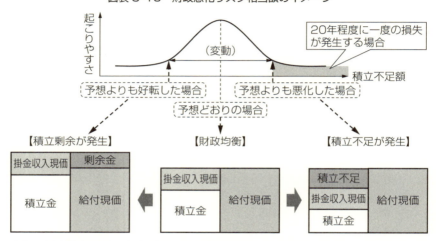

出典：厚生労働省　平成28年度税制改正大綱『確定給付企業年金の弾力的な運営等に係る税制上の所要の措置』をもとに筆者が作成

（3）財政悪化リスク相当額の測定方法

財政悪化リスク相当額は、通常の予測を超えて財政の安定が損なわれる危険に対応する額であり、その計算方法は以下の2つがある。

1　標準算定方法

将来発生するリスクとして、将来の積立金の価格変動による積立金の減少を想定することとし、資産区分ごとの資産残高に所定の係数を乗じた額の合計額に基づき算定する。

一律の手法を用い、指定されたパラメータにより計算する方法である。

2　特別算定方法

企業独自の事情等を反映できるよう、厚生労働大臣の承認または許可を得て、確定給付企業年金の実情に合った方式により、各企業独自の計算を行うも

のである。この方法は、各企業年金の任意により活用できるほか、標準算定方法（①）によると適切な計算ができないケースとして所定の条件に該当する場合に活用できる。

　財政悪化リスク相当額は、財政再計算時まで見直さない。資産構成割合を大幅に見直す場合や、財政悪化リスク相当額が大きく変動すると見込まれる場合には、財政再計算を実施して財政悪化リスク相当額を再度算定する。

（4）リスク対応掛金の設定方法

　従来の確定給付企業年金の掛金には「標準掛金（将来の加入期間分の予測給付額に充てる）」と、過去勤務債務を償却するための「特別掛金」があるが、既述のとおり、リスク分担型企業年金では、これらにリスク対応掛金が加わる。

　一度設定したリスク対応掛金額は大きな状況の変化がない限り変更できない。これは、恣意的な掛金拠出による過剰な損金算入を防止するという税制上の要請による。

　一方、リスク対応掛金のうち、財政悪化リスク相当額を超過した部分については、財政再計算時等においてリスク対応掛金を減少させる必要がある。

　なお、リスク対応掛金を変更できるのは主として以下のケースである。

・財政悪化リスク相当額のうち財源が確保されていない部分が前回財政再計算時より増加するケース
・新たに過去勤務債務が発生するケース
・制度の分割や合併などの大きな変更があったケース

　リスク対応掛金は、財政再計算時に設定する。財政悪化リスク相当額のうち積立てが行われていない額、すなわち、将来発生するリスクの範囲で規約に定める額を複数年度で分割して拠出する。リスク対応掛金は、将来のリスクに備える目的で設定するので、特別掛金よりも償却期間を長期に設定する。

　各事業年度における拠出額の定め方には①均等拠出、②弾力拠出、③定率拠出等がある。

図表 3-11　リスク対応掛金の設定方法

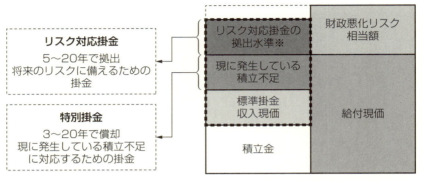

出典：厚生労働省　平成28年度税制改正大綱『確定給付企業年金の弾力的な運営等に係る税制上の所要の措置』をもとに筆者が作成

① 均等拠出

5年から20年の範囲であらかじめ規約で定める期間で均等額を拠出する方法

② 弾力拠出

均等拠出をベースとしつつ年度によって所定の範囲内で拠出額を増加させる方法

毎事業年度の拠出額を上下限の範囲内で規約に定める。

③ 定率拠出

リスク対応掛金として拠出しようとする額の残高に対して15％から50％の範囲であらかじめ規約に定める一定割合を毎年度拠出する方法

図表3-12に①から③のイメージ図を示した。なお、リスク対応掛金を拠出できないケースは以下のとおりである。

・財政悪化リスク相当額の財源が年金資産で確保されているケース

　財政悪化リスクに対応できるだけの年金資産を保有しているため、リスク対応掛金は拠出できない。

・財政悪化リスク相当額がゼロとなるケース

　例えば、リスク係数がゼロの資産だけで運用している企業年金は標準的

図表3-12 リスク対応掛金拠出の方法

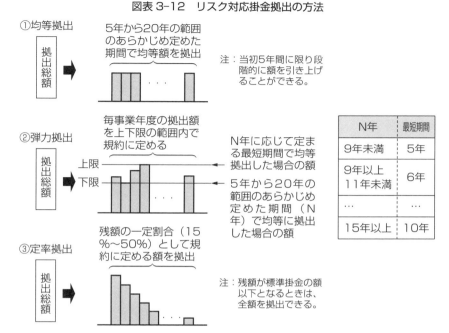

出典：厚生労働省　平成28年度税制改正大綱『確定給付企業年金の弾力的な運営等に係る税制上の所要の措置』をもとに筆者が作成

な算定方法により財政悪化リスク相当額を算定する場合や、確定給付企業年金法施行規則第52条に定める簡易な基準により掛金を算定している場合等が該当する。

(5) 新たな財政均衡の考え方

リスク対応掛金の拠出を可能にすることで、あらかじめ給付に費用な額以上の財源を手当てすることが可能となる。現行の財政均衡の考え方では、財源が給付に一致している状態を財政均衡の状態としているため、積立金の減少が積立剰余の発生（掛金減少）や積立不足の発生（掛金増加）に直接結びつく仕組みとなっている。

財源の水準は、景気変動等に伴い常に変動することとなるが、新しい財政均衡の考え方として、将来発生するリスクの範囲内である限りは、財政均衡の状態にあるとすることで、掛金額が景気循環の影響を受けにくい、安定的な財政運営が可能となる。

　図表 3-13 に、新旧の財政均衡の考え方を図示した。

　新たな財政均衡の考え方に沿えば、積立剰余や積立不足の状態は、図表 3-

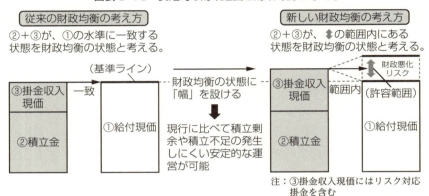

図表 3-13　安定的な財政運営と財政均衡の考え方

出典：厚生労働省　平成28年度税制改正大綱『確定給付企業年金の弾力的な運営等に係る税制上の所要の措置』をもとに筆者が作成

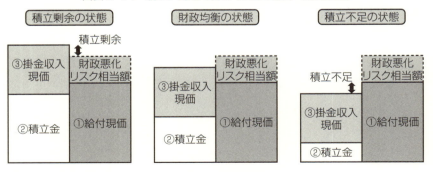

図表 3-14　新しい財政均衡の考え方に基づく財政運営

注：上記3ケースとも「③掛金収入現価」にはリスク対応掛金を含む
出典：厚生労働省　平成28年度税制改正大綱『確定給付企業年金の弾力的な運営等に係る税制上の所要の措置』をもとに筆者が作成

14に示すとおりに認識する。この新しい財政均衡の考え方は、リスク対応掛金を拠出する制度だけでなく、すべての確定給付企業年金制度に適用される。

Ⅳ　リスク分担型企業年金の導入とその仕組み、構造

(1) リスク分担型企業年金の基本的な特徴

1　確定給付型企業年金と同じ給付の形態

　財政状況に関わらず掛金が固定される新しい仕組みで、給付の形態は従来の確定給付型企業年金と変わらない。

2　労使によるリスク分担を行うハイブリッド型制度

　事業主は、将来発生するリスク、年金財政悪化リスクに備えリスク対応掛金を拠出する。制度加入者等は、財政状況に応じて給付額を自動的に調整し、財政状況が悪化すれば給付が減額される。

3　退職給付会計上の取扱い

　実質的に追加拠出義務を負っていなければ、確定拠出型年金制度と同様に退職給付債務の認識は要せず、貸借対照表上オフバランスとなる。

4　制度運営上の留意事項

　運用結果に応じて給付額が調整される可能性がある仕組みであるため、制度運営において制度加入者等の十分な理解と丁寧な合意が必要となる。例えば、制度加入者等が積立金の運用の意思決定に関わることなどが求められる。

(2) リスク分担型企業年金の基本的な仕組み

　リスク分担型企業年金は、リスク対応掛金の仕組みを活用して、事業主が拠出するリスク対応掛金を、将来発生するリスク、すなわち、財政悪化リスク相当額のうち事業主が負担する部分と定めておく仕組みである。これにより将来発生するリスクを労使でどのように分担するかを、あらかじめ労使合意により定めておく仕組みが設計できる。

　財政悪化リスク相当額のうち事業主が負担しない部分は、加入者等の給付額

図表 3-15-1　リスク分担型企業年金の基本的仕組み

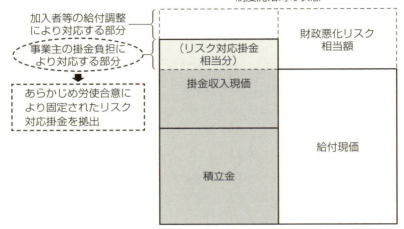

出典：厚生労働省　平成28年度税制改正大綱『確定給付企業年金の弾力的な運営等に係る税制上の所要の措置』をもとに筆者が作成

を調整することにより対応する。リスク分担型企業年金の基本的な仕組みを図表 3-15-1 に示した。

　また、リスク分担型企業年金の基本的なイメージ図を図表 3-15-2 に示した。

(3) 財政決算時における給付額の調整

　リスク分担型企業年金では、給付に対する財源のバランスが変化するため、毎年度の決算において給付を増減することにより財政の均衡を図る。単年度での給付の変動を抑制するため、複数年度で調整を平滑化することも可能とする。少なくとも 5 年ごとに実施する財政再計算では、掛金（率）は維持しつつ最新の情勢を反映して将来の推計を行い、給付現価や掛金収入現価及び財政悪化リスク相当額を計算する。

　なお、給付改善等の制度設計に関する新たな労使合意がない限り、掛金（率）の変更は行わない。給付額の調整は加入者のみならず年金受給者も対象

第3部 リスク分担型企業年金／1 リスク分担型企業年金の制度と会計処理

図表3-15-2 リスク分担型企業年金の基本的なイメージ図

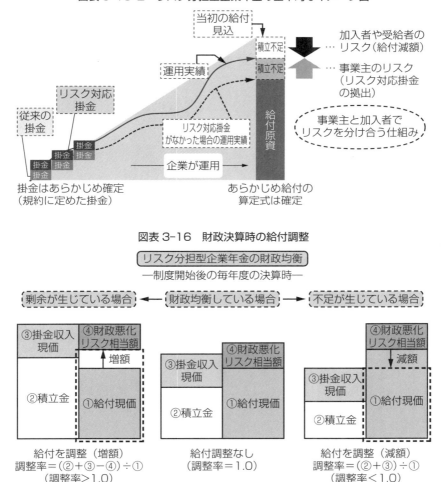

出典：厚生労働省　平成28年度税制改正大綱『確定給付企業年金の弾力的な運営等に係る税制上の所要の措置』をもとに筆者が作成

となる。

　財政決算時における給付額の調整及び財政均衡のイメージを図表3-16に示した。

233

(4) リスク分担型企業年金の掛金設定方法

リスク分担型企業年金では、制度導入時に、従来の確定給付企業年金と同様の掛金区分（標準掛金、特別掛金、リスク対応掛金）に基づき算定した額の合算額に基づき掛金（率）を設定する。新規に制度を開始する場合や制度が成熟していない場合は、積立金が十分でなく、財政悪化リスク等を適切に見込めないため、一定期間経過後の積立金の額を推計し、当該推計額に基づきリスクを見込む。リスク分担型企業年金では、一度設定した掛金（率）は、新たな労使合意を行わない限り固定する仕組みであるため、制度導入時に適切なリスクを見込むことが必要となる。

リスク分担型企業年金の掛金設定方法のイメージを図表 3-17 に示した。

図表 3-17　リスク分担型企業年金における掛金の設定方法

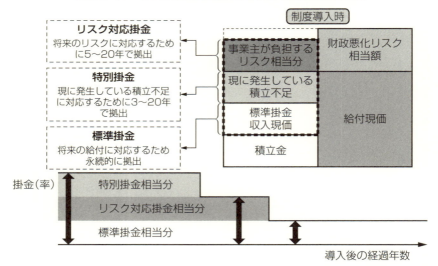

出典：厚生労働省　平成28年度税制改正大綱『確定給付企業年金の弾力的な運営等に係る税制上の所要の措置』をもとに筆者が作成

(5) リスク分担型企業年金における財政再計算時の取扱い

リスク分担型企業年金では、財政再計算を行っても掛金（率）の変更は行わ

ない。昇給率、退職率などの計算基礎率を見直すことにより将来発生する財政悪化リスク相当額や給付現価及び掛金収入現価が変化するため、調整率が見直される場合がある。

財政再計算時の取扱いのイメージを図表3-18に示した。

図表3-18 リスク分担型企業年金における財政再計算時の取扱い

＜財政再計算時のイメージ＞

①財政再計算実施前

②財政再計算により基礎率を見直し、収支バランスが変化する場合

財政再計算で掛金（率）は見直さないが、基礎率（予定利率、予定脱退率等）の見直しを行うため、**掛金収入現価、給付現価や将来発生するリスクが変化**

③収支がバランスするよう調整率を変更

掛金収入現価、給付現価や将来発生するリスクの変化に伴い、**調整率が変化**

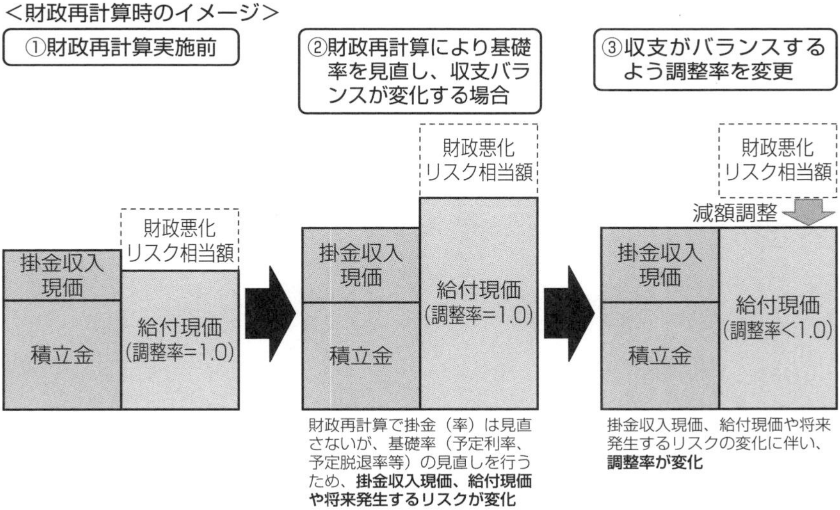

出典：厚生労働省　平成28年度税制改正大綱『確定給付企業年金の弾力的な運営等に係る税制上の所要の措置』をもとに筆者が作成

（6）リスク分担型企業年金における財政悪化リスク相当額の測定方法

リスク分担型企業年金における将来発生する財政悪化リスク相当額の算定方法として、①所定方法により算定する「標準方式」と、②厚生労働大臣の承認を得て制度の実情に合わせ算定する「特別方式」が定められている。

リスク分担型企業年金においては、最初に設定した掛金を固定する仕組みであり、将来発生するリスクの大きさを制度導入時から適切に見込む必要がある。そこで、①標準方式では、以下を考慮する。

（ⅰ）将来の積立金の価格変動により積立金が減少する「価格変動リスク」

(ⅱ) 今後の金融経済環境等の変化に伴い予定利率が低下する「予定利率低下リスク」

(ⅰ) 及び (ⅱ) のリスクを合算することで、制度導入時の予定利率の変動リスクを加味する。

①標準方式では、係数の定められていない資産（その他の資産）の割合が10％以上の場合や、予定昇給率や予定脱退率等の計算基礎率の変動が重要と認められる場合には、②特別方式によらなければならない。

①標準方式のイメージ図を図表3-19に示した。

図表3-19　将来発生するリスクの具体的な測定方法（標準方式）【制度開始時のイメージ】

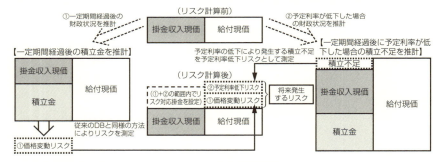

注：上記4図表中の「掛金収入現価」は全てリスク対応掛金を除く
出典：厚生労働省　平成28年度税制改正大綱『確定給付企業年金の弾力的な運営等に係る税制上の所要の措置』をもとに筆者が作成

(7) リスク分担型企業年金における制度導入時及び資産運用の意思決定、情報開示

1 制度加入者の意思決定参画

リスク分担型企業年金は、資産の運用結果等により制度加入者及び受給者の給付が調整される可能性がある仕組みである。このため、制度開始時の意思決定に加え、制度実施後も制度加入者等が適切に意思決定に参画できる仕組みを構築することが重要である。

2 リスク分担型企業年金実施に伴う手続き

リスク分担型企業年金を実施するに当たり、次の手続きを経て規約の変更を行う。

(ⅰ) 基金型企業年金では、労使の代表で構成される代議員会における議決を要する。

(ⅱ) 規約型企業年金では、制度加入者の過半数で組織する労働組合（労働組合がない場合は加入者の過半数を代表する者）の同意を取得することを要する。

3 制度開始時の労使による意思決定

リスク分担型企業年金を開始する場合、その給付設計や、事業主が拠出するリスク対応掛金の水準及び計算基礎率の妥当性等につき、労使による意思決定を行う必要がある。

4 年金資産運用に関する意思決定

リスク分担型企業年金では、資産運用の成果により制度加入者や受給者の給付額が調整される可能性がある仕組みとなっている。このため、従来の確定給付企業年金制度とは異なり、加入者がそうしたリスク負担に見合う形で運用の意思決定に参画できる仕組みが必要となる。

この際、制度開始時の意思決定だけでなく制度実施後も制度加入者や受給者が適切に意思決定に参画できる仕組みを設ける必要がある。

具体的には、加入者の代表が参画する委員会を設置することを基本とし、委員会は業務の執行を行う理事会または事業主に対して提言等を行うことが考えられる。

5 加入者及び受給者への情報開示

リスク分担型企業年金では、制度加入者及び受給者が将来発生するリスクを負担するため、制度加入者のみならず年金受給者にも業務概況を周知する必要がある。この点も、年金受給権者への周知が努力義務と位置付けられていた従来の確定給付企業年金制度の取扱いとは異なる。

また、リスク分担型企業年金では、財政状況に応じて年金額が改訂される仕

組みなので、周知すべき事項の中には以下のような年金額の改定を見通すうえで有用な情報が追加されている。
・年金額改定のルール
・過去5年間程度の調整率の推移と、当該調整率の算定根拠となったデータ
・その他調整率に重要な影響を及ぼすと認められる事項

(8) リスク分担型企業年金移行時における給付の減額判定

新旧の制度間等で移行する場合、同意手続きが必要なケースがあるので留意を要する。

① 従来型の確定給付企業年金制度からリスク分担型企業年金に移行するケース

将来発生する財政悪化リスク相当額のうち、将来の掛金収入現価等で措置されている割合が2分の1を下回っている場合は、増額調整よりも減額調整が生じる可能性が高い。

このため、給付減額に係る同意手続きが必要となる。

② リスク分担型企業年金から従来型の確定給付企業年金制度に移行するケース

将来発生する財政悪化リスク相当額のうち、将来の掛金収入現価等で措置されている割合が2分の1を上回っている場合は、給付減額に係る同意手続きが必要となる。

なお、リスク分担型企業年金と従来型の確定給付企業年金制度との間の移行は、給付の性質を大きく変更するものであるため、給付減額の同意手続きが必要とされない場合でも、現行の給付減額に係る手続きの一部は課されることになる。

リスク分担型企業年金移行時の財政状況と同意手続きの要否に関して図表3-20に示した。

図表3-20　リスク分担型企業年金移行時の給付減額判定

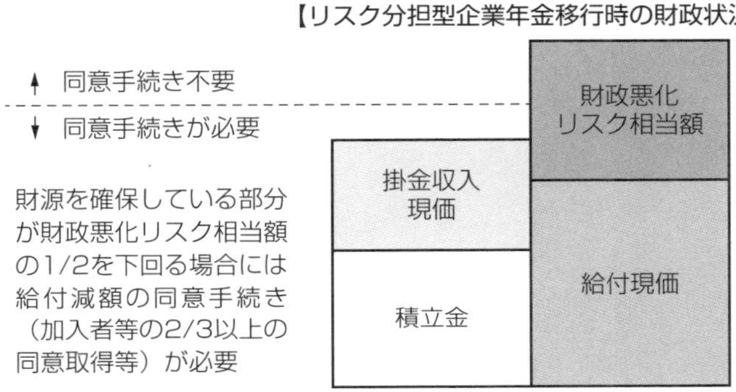

【リスク分担型企業年金移行時の財政状況】

↑ 同意手続き不要
↓ 同意手続きが必要

財源を確保している部分が財政悪化リスク相当額の1/2を下回る場合には給付減額の同意手続き（加入者等の2/3以上の同意取得等）が必要

（図：掛金収入現価、財政悪化リスク相当額、積立金、給付現価）

出典：厚生労働省　平成28年度税制改正大綱『確定給付企業年金の弾力的な運営等に係る税制上の所要の措置』をもとに筆者が作成

Ⅴ　リスク分担型企業年金の会計処理

　企業会計基準委員会（ASBJ）は、平成28年12月16日に、実務対応報告第33号「リスク分担型企業年金の会計処理に関する実務上の取扱い（以下「本実務対応報告」）」を公表し、リスク分担型企業年金の会計処理及び開示を明らかにした。また、これに伴い、改正企業会計基準第26号「退職給付に関する会計基準」及び、改正企業会計基準適用指針第1号「退職給付制度間の移行等に関する会計処理」を公表した。

　本実務対応報告等の内容を踏まえ、リスク分担型企業年金の会計上の取扱いを解説する。

（1）会計上の退職給付制度の分類

　退職給付会計基準では、事業主が掛金の追加拠出義務を負っていない制度を『確定拠出制度（DC制度）』と分類している。確定拠出制度（DC制度）と確定給付制度（DB制度）とを分類する考え方は以下のとおりである。

　確定拠出制度に分類されれば、退職給付債務の認識をする必要はなく、貸借対照表上オフバランスとなる。会計処理としては、制度に基づく要拠出額を毎

月費用処理するのみとなる。

> 【確定拠出制度】
> 　一定の掛金を外部に積み立て（①）、事業主である企業が、当該掛金以外に退職給付に係る追加的な拠出義務を負わない（②）退職給付制度をいう（退職給付会計基準第4項）
> 【確定給付制度】
> 　確定給付制度以外の退職給付制度をいう（退職給付会計基準第5項）

（下線及び番号は筆者加筆）

　リスク分担型企業年金は、確定給付企業年金法に基づき実施される制度のうち、従来の算定方法による給付額に、積立水準に応じて定まる調整率を乗じて給付額を算定する企業年金制度である。掛金は、標準掛金相当額、特別掛金相当額及びリスク対応掛金相当額を合算した額を規約に定める。リスク分担型企業年金を導入する際に規約に定めた掛金は、新たな労使合意に基づく規約の改定がない限り見直されない。

　退職給付会計基準では、確定拠出制度を「一定の掛金を外部に積み立て（①）」「当該（一定の）掛金以外に退職給付に係る追加的な拠出義務を負わない（②）」退職給付制度と定義している。このため、リスク分担型企業年金がこれらの要件を満たすか否かが判断の基準となる。

　結論として、以下の通り、リスク分担型企業年金は一定の要件を満たせば、確定拠出制度に分類する。

> 【結論】
> 　リスク分担型企業年金のうち、企業の拠出義務が、給付に充当する各期の掛金として、制度導入時の規約に定められた標準掛金相当額、特別掛金相当額及びリスク対応掛金相当額の拠出に限定され、企業が当該掛金相当額の他に拠出義務を実質的に負っていないものは、確定拠出制度に分類する。

　本実務対応報告では、結論に至る根拠を導くため、次に示す通り、上記①と

②の観点から検討した。
　①　一定の掛金を外部に積み立てているか
　　リスク分担型企業年金では、リスク対応掛金相当額の拠出方法があらかじめ定められ、また、各期のリスク対応掛金相当額が当該制度の導入時にあらかじめ規約に定められるため、一定の掛金を外部に積み立てているものと考えられる。
　②　一定の掛金以外に退職給付に係る追加的な拠出義務を負わないか
　　リスク分担型企業年金では、年金財政状態に応じて自動的に給付が増減し、財政の均衡が図られる。このため、企業（事業主）に追加の掛金拠出が要求されないことが想定され、基本的に、企業（事業主）は追加的な拠出義務を負っていないと判断できる。
　以上、①及び②の検討の結果から、リスク分担型企業年金は一定の要件を満たせば確定拠出制度に分類すると結論付けた。

(2) 分類の再判定

　リスク分担型企業年金では導入時に定めた掛金を原則として変更しないが、新たな労使合意がなされた場合は、規約の改定を通じて掛金の変更が可能である。このため、制度導入時には確定拠出制度に分類されたとしても、新たな労使合意のもと規約が改訂されれば、確定拠出制度に該当しなくなる可能性がある。

　例えば、制度導入後に年金財政状況が悪化し、これに伴い給付が減額調整される可能性が高まったケースを考えよう。このケースで労使合意に基づき掛金を増額する変更をした場合、(1)で示した「一定の掛金以外に退職給付に係る追加的な拠出義務を負わない（②）」という要件を満たさないとみなされる場合があり得る。

　リスク分担型企業年金は、新たな労使合意に基づく規約の改訂の都度、会計上の退職給付制度の分類を再判定することになる。

(3) 確定拠出制度に分類されるリスク分担型企業年金の会計処理

本実務対応報告では、確定拠出制度に分類されるリスク分担型企業年金の会計処理について、以下のように定めた。結論として、以下の通り、リスク分担型企業年金は原則として各期の掛金の金額を各期において費用処理する。

> 【結論】
> 確定拠出制度（退職給付会計基準）に分類されるリスク分担型企業年金においては、規約に基づきあらかじめ定められた各期の掛金の金額を、各期において費用処理する。
> （注）リスク分担型企業年金への移行の会計処理において未払金等として計上した特別掛金相当額を除く（後述 **(4)** 参照）

本実務対応報告では、このような結論となった根拠を、以下の通り、2つの背景から説明している。

1 各期の費用処理額

リスク分担型企業年金における各期のリスク対応掛金相当額は、一定の幅の範囲内で掛金を拠出する方法が認められている。このため、費用配分の観点から各期の費用処理額が論点となる。この点、財政悪化リスク相当額に対応するために拠出するリスク対応掛金相当額は、拠出の総額は決まっているものの、各期における労働サービスの提供との対応関係は必ずしも明らかではない。また、労働サービスの価値は信頼性をもって測定することができないため、一般に支払額をもって報酬費用とみなされている点も踏まえ、規約に基づきあらかじめ定められた各期の掛金の金額を、各期において費用処理することとした。

2 制度導入時におけるリスク対応掛金相当額総額の負債計上

リスク分担型企業年金では、制度の導入時にリスク対応掛金相当額総額が算定され、基金の解散または規約の終了がない限りは、企業（事業主）はリスク対応掛金相当額を拠出する義務を負っている。このため、当該制度の導入時に総額を負債として全額計上すべきか否かが問題となる。この点、以下の理由により、リスク対応掛金相当額の総額を負債として計上する必要はないこととさ

れた。

- 基金の解散または規約の終了時には、リスク対応掛金相当額の未拠出分に係る拠出は求められていないこと。
- 特別掛金相当額など過去に発生した積立不足に対応するものは負債の計上が必要だが、リスク対応掛金相当額は将来発生し得るリスクに備えて設定されるものであり、性格が異なるため、費用計上に対応した負債を計上する必要はないこと。
- 総額の債務性に着目してリスク対応掛金相当額の総額を負債に計上するとともに、各期における費用配分を勘案し、見合いの資産を計上したとしても、当該負債及び資産より得られる情報は、必ずしも有用ではないこと。

(4) 確定拠出制度に分類されるリスク分担型企業年金への移行時の取扱い

確定給付制度から確定拠出制度に分類されるリスク分担型企業年金へ移行する場合、退職給付制度の終了に該当し、資産移管を伴う確定拠出制度への移行と同様に、終了の会計処理を適用する。具体的には以下の会計処理を行う。

【リスク分担型企業年金への移行時の会計処理】
（ⅰ）リスク分担型企業年金への移行時点で、移行した部分に係る退職給付債務とリスク分担型企業年金へ移行した資産の額との差額を損益として認識する。
（ⅱ）移行した部分に係る未認識数理計算上の差異及び未認識過去勤務費用を、移行時点における退職給付債務の比率その他合理的な方法により算定し、損益として認識する。
（ⅲ）移行時点で、リスク分担型企業年金の規約に特別掛金相当額を定めた場合、当該特別掛金相当額の総額を未払金等として計上する。
（ⅳ）上記（ⅰ）から（ⅲ）で認識される損益は、原則として特別損益に純額で表示する。

（ⅲ）に示す通り、特別掛金相当額はリスク対応掛金相当額の処理とは異なり、移行時点でそれが定められている場合は、当該特別掛金相当額の総額を未払金等として計上する。これについて、特別掛金相当額は過去に発生した積立

不足に対応するものであり、移行前の確定給付制度に関する事業主からの支払または現金拠出額の確定額に該当する。このため、退職給付制度の終了に伴い、当該特別掛金相当額の総額を負債として計上することが適切と考えられる。

ここで、簡単な設例を用いて、確定給付制度から確定拠出制度に分類されるリスク分担型企業年金へ移行する際の会計処理を確認する。

> **設例**
>
> 　以下の前提条件のもと、確定給付制度から確定拠出制度に分類されるリスク分担型企業年金へ移行する移行時点で、リスク分担型企業年金の規約に特別掛金相当額を定めている。
> 〈前提条件〉
> ■X社は01年4月1日に確定給付企業年金から確定拠出制度に分類されるリスク分担型企業年金へ移行
> ■移行前の確定給付企業年金の退職給付債務は6,000で、年金資産は3,500、未認識の数理計算上の差異100、退職給付引当金2,400(6,000-3,500-100)、数理計算上の差異は実際運用収益が期待運用収益を下回ったことにより生じた借方不利差異
> ■移行前の確定給付企業年金の年金資産3,500全額をリスク分担型企業年金に移換
> ■移行の時点で規約に定める特別掛金相当額の総額は500
> ■税効果会計は考慮しない

移行前と移行後の積立状況を図表3-21に示した。

図表3-21　移行前後の財政状況

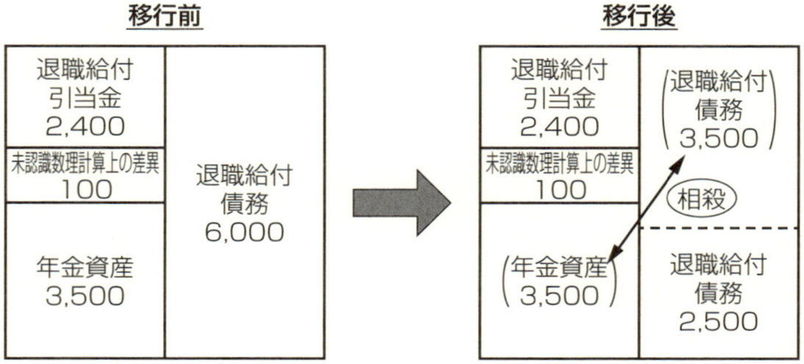

移行前

退職給付引当金 2,400	退職給付債務 6,000
未認識数理計算上の差異 100	
年金資産 3,500	

移行後

退職給付引当金 2,400	退職給付債務 3,500
未認識数理計算上の差異 100	（相殺）
年金資産 3,500	退職給付債務 2,500

本設例につき、前述の【リスク分担型企業年金への移行時の会計処理】（ⅰ）から（ⅳ）に従い、会計処理を行うと以下のとおりである。

（ⅰ）移行した部分に係る退職給付債務と移行した年金資産額の差額を損益として認識

（借）退職給付引当金 2,500　　（貸）退職給付費用 2,500
　　　　　　　　　　　　　　　　　　　（終了損益）

　　移行する退職給付債務（6,000）－移行する年金資産（3,500）＝2,500

（ⅱ）移行した部分に係る未認識数理計算上の差異100を損益として認識

（借）退職給付費用 100　　（貸）退職給付引当金 100
　　　（終了損益）

（ⅲ）移行した時点の特別掛金相当額の総額を未払金等として計上

（借）退職給付費用 500　　（貸）未払金 500
　　　（終了損益）

（ⅳ）（ⅰ）から（ⅲ）で認識される損益は、原則として特別損益に純額で表示1,900（2,500-100-500）を退職給付費用（終了損益）として特別利益に計上

(5) 確定拠出制度に分類されるリスク分担型企業年金の注記事項

　リスク分担型企業年金は、新たに導入される制度であり、確定拠出年金とは異なる特性を有することから、確定拠出制度に分類される場合の注記項目の追加を検討した。その結果、制度の特徴に関する情報と、リスク対応掛金に関する情報の注記を求めることとした。具体的には、確定拠出制度に分類されるリスク分担型企業年金において、以下の事項を注記する。

【注記事項】

① 企業が採用するリスク分担型企業年金の概要

　例えば、次の内容を記載する。

・標準掛金相当額の他にリスク対応掛金相当額があらかじめ規約に定められること
・毎事業年度におけるリスク分担型企業年金の財政状態に応じて給付額が増減し、年金に関する財政の均衡が図られること

② リスク分担型企業年金に係る退職給付費用の額
③ 翌期以降に拠出することが要求されるリスク対応掛金相当額及び当該リスク対応掛金相当額の拠出に関する残存年数

(6) リスク分担型企業年金における実務対応上の留意事項

リスク分担型企業年金を導入するにあたり、実務上考慮すべき事項の例をあげておく。

1 分類の再判定に伴う確定給付制度に分類される可能性

リスク分担型企業年金は、将来の積立不足の一部を、労使合意により、あらかじめリスク対応掛金として拠出することで追加の掛金拠出を免れ、事前に定められた拠出とすることで、より安定的な制度運営を可能とする。追加的な拠出義務を負わないことで会計上も確定拠出制度に分類され、退職給付債務の認識は要しない。

一方、年金財政状況の悪化に伴い給付が減額調整される状況となり、制度加入者等からの要請等に応じ調整率に基づき給付が下がることを阻止するため、労使合意に基づき掛金を増額変更した場合、会計上、分類の再判定に伴い確定給付制度に再分類される可能性があることに留意を要する。

2 リスク対応掛金の導入と退職給付制度の分類

リスク対応掛金は、会計上あくまで企業(事業主)による追加的な掛金拠出である。このため、当該リスク対応掛金が既存の会計上の確定給付制度に導入されたとしても、会計上の退職給付制度の分類に変更が生じるものではない。

3 実質的な追加拠出義務の有無

リスク分担型企業年金を確定拠出制度に分類するにあたり、「実質的な追加拠出義務の有無」の判断の基準が問題となる。本実務対応報告では、「当該判断には個々の企業における事実関係に即した判断が求められるため、本実務対

応報告で取扱いを示した場合を除いて、具体的な判断基準を示していない（第20項）」としている。このため、制度の設計主旨及び全体像、労使合意の状況、制度加入者への説明内容など、広範に追加拠出義務の有無を判断するために必要な情報を得て検討することが望まれる。

また、リスク分担型企業年金単独では企業（事業主）に追加的な負担は求められていないが、退職給付制度全体でみればリスク分担型企業年金の減額調整に応じて給付を増額するケースがある。例えば、既存の確定給付制度の一部をリスク分担型企業年金に内枠移行するケースを考えてみる。このケースでは、退職者に支払われる給付総額は既存の確定給付制度の下で定められた金額のまま変わらない可能性がある。そうであれば、リスク分担型企業年金から支払われる金額が減額調整されたとしても、同額を既存の確定給付制度にて増額して支払うことになる。こうした増額は、実質的な追加拠出と変わらない。

企業（事業主）が追加的な拠出義務を実質的に負っているか否かの判断において、こうした給付を増額する義務も考慮する必要がある。

4 特別掛金の取扱い

特別掛金とは、年金財政計算における過去勤務債務の額に基づき計算される掛金で、すでに発生した積立不足を填補するために設定される掛金である。

リスク分担型企業年金では、標準掛金相当額、特別掛金相当額、リスク対応掛金相当額を合算した額が規約に定められる。リスク分担型企業年金に移行する際に積立不足があれば、特別掛金が設定されるが、当該特別掛金は移行時点でその支払総額は確定しておりリスク分担型企業年金への移行後は見直されない。このため、移行前の確定給付制度に係る事業主からの支払または現金拠出額の確定額に該当し、移行時点において当該特別掛金相当額の総額を未払金等として計上するとともに一時の費用として処理する。

リスク分担型企業年金への移行時点において、一時の費用処理に伴う損益の影響が大きくなる場合があるので、影響額を検討しておく必要がある。

5 特例掛金の取扱い

特例掛金とは、年金資産が近々給付に窮する程度に減少する状況において設

定される掛金、あるいは、次回の財政再計算までに予想される運用損失等に備えて設定する掛金などをいう。例えば、ある事業年度において積立金の額が無くなりそうな状況が見込まれる場合に当該事業年度中における給付に充てるために必要な掛金を拠出するケースが考えられる。

　リスク分担型企業年金への移行に当たり特例掛金を拠出する場合、特例掛金の拠出に係る事項をあらかじめ規約に定める必要がある。規約に定めることで特例掛金を拠出することが可能となるが、一般的にはこの場合、企業（事業主）は追加的な拠出義務を実質的に負っていると考えられる。

　企業（事業主）が追加的な拠出義務を実質的に負っていれば、当該制度は確定給付制度として会計処理する。一方、将来拠出する他の掛金を減額することで、掛金の現価総額が変わらないように拠出する旨を規約に定めていれば、追加的な拠出義務は生じないため、確定拠出制度として会計処理できる。

第4部

Q&A 実務でよく問題となる15のテーマ

Q1 アセットシーリング

> アセットシーリングや最低積立要件に関して、どのような場合に該当し、また該当する場合、どのような根拠でどのように会計処理すればいいのか。

A ①IFRS（国際会計基準）を適用している、②確定給付企業年金制度を実施している、③積立超過の場合または積立超過でなくとも特別掛金や特例掛金等がある、を満たす企業につき、Ⅰ資産上限規定、Ⅱ最低積立要件を検討する。Ⅰは将来の掛金減額によるものを主として検討し、Ⅱは会計上の負債を追加計上すべきケースにつき検討する。アセットシーリングや最低積立要件に抵触している場合は、企業が掛金率の決定等を通じて当該抵触を解消するための意思決定をする必要がある。

Ⅰ　アセットシーリングとは

　積立超過、つまり、年金資産が退職給付債務を超えている場合の取扱いである。日本の会計基準ではその超過分をそのまま会計上認識できる。一方、IFRSでは、資産上限額の計算を行ったうえで、超過分がその資産上限額を超えなければ全額を資産計上できるが、資産上限額を超えた場合は、資産上限額までしか計上できない取り扱いである。また、積立超過でない場合、確定給付企業年金制度の特別掛金や特例掛金等が設定されているケースでは、掛金を考慮した積立状況を把握し、追加の負債計上を求められることもある。日本基準だけで財務諸表を作成するケース、退職一時金制度だけの企業のケースでは、アセットシーリングは関係がない。

II アセットシーリングの検討が求められる企業とは

原則以下の3つにすべて該当すればアセットシーリングを検討し、資産上限額の算定を検討する必要がある。

① IFRS（国際会計基準）を適用している
② 確定給付企業年金制度を実施している
③ 積立超過の場合または積立超過でなくとも特別掛金や特例掛金等がある

III アセットシーリングの基本的な考え方

年金資産が退職給付債務を超過する「資産余剰」等のケースでは、前払年金費用が資産として計上される。この資産は「資産性」、すなわち、年金資産として回収可能性があるか否かを判定するのが、「資産上限規定」となる。また、年金財政上の積立不足のうち、会計上の負債を超える「積立義務」を負う場合、会計上の負債として追加計上するという「最低積立要件」がある。

(1) 資産上限規定

経済的な便益の有無を検討する必要があるが、経済的利益には、「年金制度からの資産返還によるもの」と「将来の掛金減額によるもの」とがある。

◤1◢ 年金制度からの資産返還によるもの

年金制度に積み上がった積立金が企業に戻ってきてそれを自由に使えるなら、資産計上できる。年金制度への拠出金が企業に返還できないなら、他には使えないので資産計上はできない。日本の確定給付企業年金制度は原則として年金資産を事業主に返還できない。したがって、「年金制度からの資産返還」は日本の年金制度においてはおおむね当てはまらない。

◤2◢ 将来の掛金減額によるもの

年金制度の積立超過が将来の掛金減額に用いられる場合、その減額見込額を将来の掛金減額による経済的便益とみなす。年金資産があることで、将来払うはずの掛金が減額されるのなら、減額部分について資産計上できるという考え

方である。年金資産があることで将来掛金が減額されるため、経済的便益があると考えられるからである。これに該当する場合は、「制度への将来掛金の減額の形で利用可能な経済的便益の現在価値」をどう決算日に評価するかを検討する必要がある。

なお、「年金制度へ支払う将来の掛金の減額の形で企業が利用可能な経済的便益の現在価値」とは、通常、「予測給付現価」と「退職給付債務」の差額である「将来の勤務費用の現在価値」部分を算定し、そこから「将来の標準掛金の現在価値」を控除した部分が該当する。「年金制度へ支払う将来の掛金の減額の形で企業が利用可能な経済的便益の現在価値」は、「予測給付現価」から「将来の標準掛金の現価価値」を控除した年金財政上の「数理債務」から、「退職給付債務」を控除した額となる。

資産の上限額の算定においては、「制度へ支払う将来の掛金の減額の形で企業が利用可能な経済的便益の現在価値」を求めることになるが、それは、「将来の勤務費用の現在価値（＝予測給付現価－退職給付債務）」－「将来の標準掛金の現在価値」、として算定される。

（2）最低積立要件

最低積立要件とは、年金制度の積立不足を償却するための掛金（特別掛金）等をスケジュールに沿って拠出している場合、その現在価値のうち、資産返還あるいは将来の掛金減額による「経済的利益」を超過する額について、会計上の負債を追加計上する要件をいう。最低積立要件による負債の追加計上に係るフローチャートを図表4-1に示した。

図表 4-1　最低積立要件による負債の追加計上のフローチャート

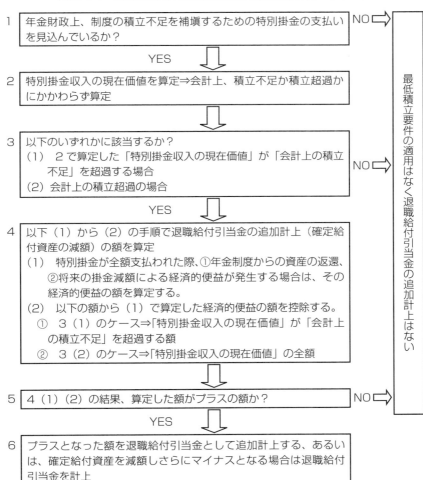

（＊）　フローチャートで「退職給付引当金」とした箇所は、IFRS 上は「確定給付負債の純額」という用語を用いる。

Ⅳ　アセットシーリング、最低積立要件に抵触する可能性があるケース

　年金財政上の「数理債務」から、「退職給付債務」を控除した額となる。Ⅲ(1)で述べたように、「年金制度へ支払う将来の掛金の減額の形で企業が利用可能な経済的便益の現在価値」は、年金財政上の「数理債務」から、「退職給付債務」を控除した額となる。また、「年金財政上の積立不足（特別掛金収入の現在価値）」と「会計上の積立不足」との差額も年金財政上の「数理債務」から、「退職給付債務」を控除した額となる。数理債務も退職給付債務もともに実際に給付に要するコストの積み上げであり、中長期的には一致する。このため、「年金制度へ支払う将来の掛金の減額の形で企業が利用可能な経済的便益の現在価値」も中長期的にはゼロとなり、最終的には、アセットシーリングや最低積立要件に抵触する状況は生じないともいえる。

　ただし、中途の段階では数理債務と退職給付債務とではコスト配分の方法が違い、その結果の積み上がりの状況も違うため、アセットシーリングや最低積立要件に抵触している可能性がある。抵触している場合は、企業が掛金率の決定等を通じて当該抵触を解消するための意思決定をする必要がある。ある時点で考えた場合、アセットシーリングや最低積立要件に抵触するケースとして、例えば以下が考えられる。

(1) 積立計画を超えて積立てが推移しているケース

　年金財政において剰余金が生じているが、掛金が見直されていないケース等が該当する。このケースでは、経済的便益を超える資産超過部分があり、アセットシーリング等に該当する可能性がある。

(2) 積立計画が保守的なケース

　年金財政上の予定利率が会計上の割引率より低く設定されているケース等が該当する。このケースでは、保守的な予定利率のもと「積み立てられているべき年金資産」と「現存する年金資産」との差額（現価）である「特別掛金収入

現価」が比較的多く発生していることも考えられる。このため、最低積立要件等に抵触する可能性がある。

V 実務上の留意事項

(1) 判断は制度ごとか掛金ごとか

　最低積立要件等に該当するかどうかを判定する際に、制度ごとに判断するのか、掛金ごとに判断するのかが問題となる。国際会計基準（IAS19）では「企業が当該資産から企業に流入すると予想される将来の便益の現在価値を超える金額を資産に計上してはならない」としており、これを素直に解釈すれば、「実際に給付に要するコスト」である将来の勤務費用の現在価値を超える拠出は、「将来掛金の減額に係る経済的便益」がないことになり、シーリングの対象となると考えられる。日本の確定給付制度（DB制度）に最低積立要件という概念があると判断するのであれば、すべての掛金について、最低積立要件に該当すると判断することも考えられる。

　一方、掛金ごとに判断することが望ましいとの考え方もある。標準掛金は給付に要するコストにあてる掛金であり、将来の給付を賄うコストである。特別掛金は制度の継続性の観点から、年金制度上の積立不足を補塡するための掛金である。このように両者の設定目的や性格の違い等を考慮すれば、掛金の種類ごとに判断するとの考え方にも合理性がある。この場合、掛金の種類ごとに最低積立要件に抵触するケースとそうでないケースとに処理が分かれることになる。

(2) リスク対応掛金等の掛金は将来の勤務との対応で考えるのか、過去の勤務との対応で考えるのか

　リスク対応掛金は、将来発生する可能性のあるリスクに備えるものであり、「将来の勤務に関する最低積立要件」という考え方もある。一方、規約に定められた時点でリスク対応掛金も最低積立要件に該当すると考えられ、「将来」ではなく「過去」の勤務に関する最低積立要件との考え方もある。

Q2
賃上げに伴う会計処理

給与テーブルの変更等で全体の給与が増えた場合、それによる退職給付債務の増加分を数理計算上の差異とすべきか、過去勤務費用とすべきか。

A すべての従業員の基本給を一律でアップするいわゆるベースアップについては、数理計算上の差異として取り扱う。一方、給付水準の改訂に伴うと判断されるものについては、過去勤務費用として取り扱う。

　日本基準において、給与比例制をとっている場合、給与テーブルの変更等により全体の給与が増えた場合、それによる退職給付債務の増加分を数理計算上の差異とすべきか、過去勤務費用とすべきかの検討が必要となる。

　全ての従業員の基本給を一律でアップするなど合理的に見込まれるベースアップは昇給率に反映させ、数理計算上の差異として取り扱うことが合理的である。

　一方、例えば年功的な制度からメリハリをつけるような給与制度に変更する場合などは、給付水準等の改定に伴う退職給付債務の増減額と認識して、過去勤務費用として扱う。

　ベースアップについては、一度きりの制度なのか、毎年継続するのかにかかわらず、数理計算上の差異として処理することが合理的と思われる。

　一方、例えば、給与水準の逆転現象が生じる等、単なるベースアップとはいえないような制度改定の場合には、過去勤務費用として処理することが適切と考えられる。

次に、過去勤務費用部分と数理計算上の差異部分とに「分割して処理する」方法を採る場合は、退職給付債務を3通り計算しなければならないこともあり、全額を過去勤務費用等として処理することが実務上は比較的多いと思われる。
　一般的には、過去勤務費用と数理計算上の差異の償却年数は同一であることが比較的多く、償却開始のタイミングがずれるだけのケースが多いためである。
　また、具体的なベアの水準の見込み方については、給与比例制を前提とすれば、給与テーブルが改訂されるので、予想退職給付の金額にそのままベアの率（例えば年齢ごとに給与テーブルからベアの率を出す）を乗じることになると思われる。
　なお、「分割して処理する」ケースとして例えば、若年層はベースアップのみで、一定の年齢以上は賃金の逆転現象が生じるといった場合には、理論的には、若年層と一定年齢以上で分けて処理することも考えられる。

Q3
後加重な給付の補正の要否

> どの程度の後加重であれば、均等補正を要すると考えるべきか。

A　①できるだけ定額（均等）補正を行うことを原則とする考え方や、②「給付の受給権確定を実質的に遅らせているもの」等に限定して均等補正を行う、とする考え方がある。給付算定式は、もともと会社への貢献度を期待して設定することが想定される。したがって、「意図的で影響が大きい」給付の操作がない限りは、給付算定式に沿った給付の配分を認めるという考え方も実務上合理的であると思われる。

期間配分方法として「給付算定式基準」を採る場合、勤務期間の後期における給付算定式に従った給付が、前期よりも著しく高い水準となるときには、当該期間の給付額が均等に生じるとみなして均等補正した給付算定式に従う必要がある。

後加重に伴う均等補正のイメージを図表4-2に示した。

均等補正を要する後加重がどの程度であるかについての判断基準や目安は基準等で特に示されていない。第2部2「期間帰属方法の見直し」でふれた通り、次の2つの考え方があり、それらに沿った取扱いが考えられる。

I　できるだけ定額（均等）補正を行うことを原則とする考え方

これは、定額補正を行う場合と行わない場合とで退職給付債務の計算結果に

図表4-2　後加重に伴う均等補正

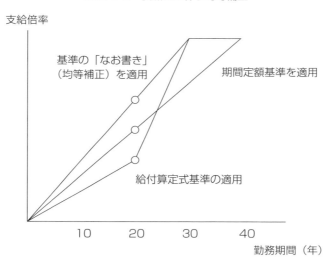

重要な差異がない場合に限って定額補正をしなくてもよい、とする考え方である。

　給付が最終給与に比例する制度において、勤務の後期における従業員の勤務が前期の勤務より高い水準の給付を生じさせる場合には、支給倍率のグラフで「下に凸」となる。給付の算定方法にポイント制を採っており、ポイントが減っていないケースなどは、同様に「下に凸」となる。この立場に立てば、各期への給付の帰属額が単調増加している場合、すなわち、下に凸となるグラフを有する場合は、すべて「著しく高い」に該当し、定額補正を行うことになる。

Ⅱ 「給付の受給権確定を実質的に遅らせているもの」等に限定して均等補正を行うとする考え方

　総給付の全部または過大な部分を勤務の後期に配分し、給付の受給権確定を実質的に遅らせている給付算定式をもつものだけを定額補正する、という考え

方である。

　この考え方では、給与比例制で支給倍率が不連続に増加するケース等を除いて定額補正を行わないことになる。

　つまり、相当程度の後加重で極端な不連続（ジャンプ）給付等を対象に定額補正を求めることになる。

　Ⅰ、Ⅱの考え方を踏まえて、実務上の対応として、例えば、以下が考えられる。

① 給付の決め方に長期勤続者を優遇する意図がある、あるいは、支給倍率やポイントの付与に格差があり、定額補正をする場合としない場合とで退職給付債務が大きく異なるなどの実態がある場合は、定額補正をする。

② 単に役割や資格等で差異を設けた結果として、給付カーブが「下に凸」になっているに過ぎず、給付の受給権確定を実質的に遅らせている実態はない場合は、定額補正は行わない。

③ ポイントの付与点数に大きな格差を意図的に設けており、結果として、「下に凸」の程度も大きい場合は、定額補正も検討する。

④ 勤務期間と付与ポイントの差との間に相関関係はなく、ポイントの付与はあくまで会社への貢献度等に起因するものである場合、中途入社が多く、勤務期間が短い従業員にも高いポイントを付与する場合など、は定額補正を行わないことを検討する。

　給付算定式は、もともと会社への貢献度を期待して設定することが考えられる。したがって、上記①③に示されたような「意図的で影響が大きい」給付の操作がない限りは、給付算定式に沿った給付の配分を認めるという考え方も実務上合理的であると思われる。

第 4 部　Q&A 実務でよく問題となる15のテーマ／Q4

Q4
将来勤務部分を確定拠出年金制度に移行した場合の期間定額法の問題点

> 退職金規程の100％を確定給付企業年金制度に移行し、最終給与比例の給付算定式によっていた会社が、今般、その将来勤務部分の比較的多くの部分を確定拠出年金制度に移行した。全体の給付水準に著しい変動はない。期間配分方法として期間定額法を採っているが、移行にあたり生じた過去勤務費用（マイナス）を一時に利益計上している。この会計処理は適正か。

A　この会計処理は適正とはいえない。全勤務期間ではなく、減額の前後で配分期間を区別して按分計算した期間定額基準など、合理的な期間配分方法を検討する必要がある。

　将来勤務期間に係る給付の大幅減額等でも同じ論点があるが、本件は、制度変更に伴い、将来勤務期間に係る給付の比較的多くの部分を確定拠出年金制度に移行するため、確定給付年金部分の給付カーブが移行の前後で大きく異なってくる。
　図表4-3に本件のイメージ図を示した。
　本件では、移行の前後で、過去勤務期間に係る給付水準に著しい変動がないように制度設計したにも関わらず、期間定額基準により全勤務期間にわたり期間配分したため、制度移行時に多額のマイナスの過去勤務費用が発生した（図表4-3中A）。これを一時に償却することによって利益を計上している。加えて、移行時以降に毎期勤務費用が生じてくる（図表4-3中B）。
　過去勤務期間にも確定拠出年金制度への移行に伴う確定給付部分の大幅減額の影響を負担させれば、将来の期間にわたり多額の勤務費用が発生する。これ

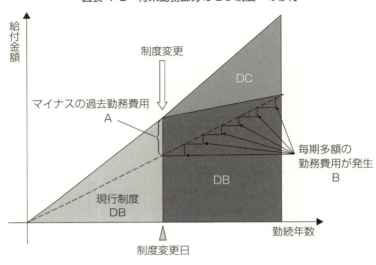

図表 4-3 将来勤務部分の DC 制度への移行

により、役務提供の実態から乖離して、勤務の対価とは認められないコストが将来の各期に配分される。

　本件では、制度変更により制度移行前の期末要支給額が削減されたわけではない。将来勤務期間に係る給付の比較的多くの部分を確定拠出年金制度へ移行したことに伴い、将来勤務期間に係る確定給付年金部分の給付が減額されたに過ぎない。

　したがって、移行時に認識している退職給付債務を減額し、マイナスの過去勤務費用として処理することは妥当とはいえない。

　将来期間に係る確定給付年金部分の給付削減の影響を、過去勤務期間ではなく、将来勤務期間に負担させる期間配分方法によれば、過去勤務期間に係る部分から過去勤務費用は発生しない。したがって、本件では、全勤務期間ではなく、減額の前後で配分期間を区別して按分計算した期間定額基準を採るなど、合理的な期間配分方法を検討する必要がある。

第4部 Q&A 実務でよく問題となる15のテーマ／Q5

Q5
原則法と簡便法との間の変更に係る会計処理

従業員数の増加に伴い、退職給付債務の算定について簡便法から原則法に変更する予定である。変更時に生じた退職給付債務の差額を将来の期間にわたり費用処理することは適正な処理か。

　適正な処理ではない。遅延認識はできず一時の損益として処理すべきである。

　簡便法から原則法への変更は、当期になって合理的な数理計算を実施することが可能になったなど、変更することに合理的な理由がある場合に認められる。変更にあたっての退職給付債務や勤務費用の算定方法は以下が考えられる。
　① 当期の退職給付費用及び当期末の退職給付債務を簡便法で算定し、これと原則法による退職給付債務との差額を求める方法
　② 当期末の退職給付債務を原則法で算定し、当期の退職給付費用の計算は簡便法で行う方法

　原則法への移行に伴って生じる「原則法による退職給付債務」と「簡便法による退職給付債務」との差額は、基礎率の仮定と実際との差額ではなく、また、数理計算の過程で生じる差額でもない。したがって、数理計算上の差異としての性格を有しておらず、遅延認識する根拠がないため、一時の損益として処理することが合理的である。①の差額は一時に費用処理することになり、①と②の方法は同じ結果となる。

　なお、原則法から簡便法に変更する場合は、当期に合理的な数理計算ができ

なくなったなど特別な理由がなければ認められない。変更できる場合でも、原則法を適用して生じた数理計算上の差異は、数理計算を行わない簡便法には引き継げない。

　したがって、当該差異は一時の損益として処理する。

Q6
年俸制導入に伴う退職給付債務の取扱い

当社では、一定職階以上の役職者に限り従来の報酬制度から年俸制へと移行した。年俸制へ移行した役職者については、将来の給付を合理的に見積もることができないと判断し簡便法を適用して退職給付債務を算定する予定である。この取扱いは合理的か。

　年俸制を導入する者も数理計算して予測給付債務を退職給付債務にすべきである。

　従来の報酬制度による従業員と年俸制の対象者とでは、昇給のパターン、給付の捉え方等が相違するため、退職金規程を別々に作成した場合、年俸制対象者とその他の従業員とでそれぞれグルーピングし、別々に退職給付債務を算定するとの考え方がある。
　この場合、年俸対象者だけでみれば、数理計算を合理的に実施できるだけの母集団がないことから、簡便法を適用し退職給付債務を算定することも考えられる。
　一方、以下の2つの観点から判断して、年俸制を導入する者も数理計算して予測給付債務を退職給付債務にすべきと思われる。

(1) 年俸対象者とその他従業員とを別々に認識すべきか

　年俸対象者とその他従業員とでは、通常、勤務形態や給付の発生態様が大きく異なるわけではない。単に職階の差異に伴う報酬支払方法の差異に過ぎない場合が多いと思われる。したがって、両者を分けずに認識することが合理的で

ある。

(2) 予測給付債務を測定できるか

　一定の職階の役職者につき年俸制へ移行した場合でも、現時点の報酬水準を年齢（勤続年数）と報酬との関係を示す平面上等にプロットすることにより、将来の昇給の程度を予測することはできる。今後の昇給の傾向が年俸制導入前と比較して大きく変わる場合でも、その報酬実績が出てきた時点で数理計算に反映することで足りる。

　また、以下の点を考慮することで、将来の昇給の傾向を把握することができる。

① 経営者の方針や人事政策として、対象となる役職者の全体としての昇給の程度を見込んでいることが一般的である。

② 昇格の標準モデルに基づく標準的な年俸パターンや、年俸対象者に係る査定方法及び査定基準を人事が策定していることが一般的である。

　①及び②から、両者は別々に認識する必要はなく、また、予測給付債務の算定も通常可能と思われるため、年俸対象者についても数理計算して予測給付債務を退職給付債務にすべきである。

Q7
数理計算上の差異に係る償却方法の変更

当社は数理計算上の差異を発生年度に一時に償却する会計方針を採っている。昇給率の引き下げや運用実績の改善等により数理計算上の有利差異が多額に生じ、退職給付費用が全体でマイナスとなった。この場合、以下の処理は認められるか。
(1) 数理計算上の差異を一時償却することで毎期期間損益が大きく変動するため、期間損益を平準化する目的で、従業員の平均残存勤務期間で償却し、発生年度の翌期から償却する方法に変更する
(2) 数理計算上の差異の部分とその他の退職給付費用とを切り離し、前者を特別利益に計上する

A　(1)の処理は、変更の理由が合理的でないため、原則として認められない。(2)の処理も認められない。営業費用のマイナスとして処理する。

　退職給付債務の計算では、将来給付の見積もりにあたり、適正な基礎率を設定する。しかし、計算結果には一定のバラツキが生じることが予定されている。こうした数理計算上のバラツキは、確率統計に依拠する計算に不可避のものであり、適正な基礎率のもとでは、将来の一定期間で相殺されることが期待される。そこで、退職給付会計では、下記の①から④の考え方に基づき、数理計算上の差異を各期の確定的な損益として期間損益に直接影響させることを排除し、遅延認識を認めた。
　①　基礎率は最善の見積もりを行い設定すべきであること
　②　①を前提とすれば、期間損益への影響をできるだけ排除するため、遅延

認識する期間は比較的長期に設定することが望ましいこと
　③　①及び②を前提とすれば、数理計算上の差異の各期への配分額である各期の償却費は、営業費用の性格を有すること
　④　原則法においては、数理計算に関する上記のような根拠により遅延認識を特別に認めているが、簡便法により退職給付債務を算定する場合は、数理計算を前提としていないため、遅延認識は認められないこと

Ⅰ　償却年数及び償却方法の変更は認められるか

　合理的な理由により変更する場合を除き、償却年数及び償却方法の変更は認められない。一度決めた償却年数及び償却方法は継続的に適用する。数理計算上の差異は、将来の期間における相殺効果に対する期待を根拠に遅延認識が認められるため、償却年数及び償却方法を変更する場合、この「相殺効果」との関係を合理的に説明する必要がある。例えば、従業員の勤務実態や退職給付制度の大幅な変更に伴い、新たに発生する数理計算上の差異に将来の相殺効果が認められるようになり、遅延認識を行うことがより合理的なケース等が考えられる。

　本件は、多額な数理計算上の差異の処理が毎期の損益に影響を与え、適正な期間損益計算を歪めることを変更理由にしている。しかし、遅延認識は期間損益の平準化という観点から認められたものではなく、変更の合理的な理由にはならない。したがって、正当な理由による会計方針の変更として認めることはできない。

Ⅱ　数理計算上の差異の部分を特別利益に計上できるか

　上記①から④の考え方に基づき、数理計算上の差異を各期の確定的な損益として期間損益に直接影響させないようにするために遅延認識を認めた。その結果、各期の償却費は営業費用と位置付けられる。数理計算上の差異を発生した

期に一時に償却する方法を選択することは、毎期生じる可能性のある数理計算上の大きな変動性を営業損益に反映することを認めたことを意味する。したがって、退職給付費用の総額がマイナスになる場合でも、営業費用のマイナスとして処理する必要があり、数理計算上の差異の部分を特別利益に計上することは、原則として認められない。

Q8 割引率の設定方法

確定給付企業年金制度における退職給付債務算定のための割引率の設定にあたり以下の取扱いはどうなるか。
(1) 具体的に参照するデータや算定の方法はどのように対応すればよいか
(2) 平均残存勤務期間が概ね15年のため、割引期間を15年とした。この場合、10年物と20年物の利回りを単純に平均する直線補間する方法を採っているが問題はないか
(3) 確定給付企業年金と退職一時金とで違う割引率を適用することは可能か

(1) 格付マトリックス表やブルームバーグ等の情報ベンダーが公表している利回り情報等を参考にしてデータを採り、それをもとに算定する。
(2) 実際の利回りデータが存在する期間では、実務上は、直線補間法も認められる場合がある。
(3) それぞれの実態に合った割引率を適用することが合理的である。

I　参照するデータと算定方法

　日本証券業協会が公表している「格付マトリックス表」やブルームバーグ等の情報ベンダーが公表している利回り情報を参考にしてデータを採る方法がある。金融庁から指定を受けていた格付機関は7社（①日本格付投資情報センター、②日本格付研究所、③ムーディーズ・インベスターズ・サービス、④スタンダード・アンド・プアーズ、⑤フィッチIBCA、⑥ダフ・アンド・フェルプス・クレジット、⑦トムソン・バンクウオッチ）あったが、これらのうち、

例えば、ブルームバーグでは、①から④の情報を提供している。

データの集計は月末時点又は月次平均等で行い、該当する格付の銘柄につき基準気配の単純平均値等を用いて算定する。国債は月末または月次平均の流通利回りを用いる。具体的には、月末時に各々の格付に該当する銘柄のうち、基準気配に採用されるものを選び、これにつき、例えば割引期間が10年なら、残存期間が10年以上11年未満のものについて、個別に複利利回りを計算して修正した利回りを用いて単純平均する。

残存期間10年ちょうどなら当該利回りを用いる。この方法を適用して算定した利回りを図表4-4に示した。図表中A表では、ある年の月末データをも

図表4-4 債券利回りデータ（00/4〜06/3の平均）

A表【月末データ　5年平均表】

	10年　4社平均				20年4社平均			
	AA10年	AAA10年	国債10年	平均	AA20年	AAA20年	国債20年	平均
00／4〜01／3	1.976	1.908	1.646	1.843	2.613	2.734	2.131	2.493
01／4〜02／3	1.698	1.529	1.362	1.530	2.638	2.652	2.004	2.431
02／4〜03／3	1.364	1.245	1.083	1.231	2.197	2.186	1.673	2.019
03／4〜04／3	1.311	1.342	1.163	1.272	2.134	2.076	1.635	1.948
04／4〜05／3	1.676	1.631	1.520	1.609	2.673	2.634	2.126	2.478
05／4〜06／3	1.577	1.382	1.436	1.465	2.454	2.414	1.995	2.288
直近5年平均	1.525	1.426	1.313	1.421	2.419	2.392	1.886	2.233

B表【月末データ　5年平均表】

	10年　4社平均				20年4社平均			
	AA10年	AAA10年	国債10年	平均	AA20年	AAA20年	国債20年	平均
00／4〜01／3	1.984	1.877	1.656	1.839	2.584	2.729	2.152	2.488
01／4〜02／3	1.701	1.535	1.365	1.534	2.646	2.659	2.010	2.438
02／4〜03／3	1.398	1.207	1.117	1.240	2.232	2.261	1.716	2.070
03／4〜04／3	1.278	1.476	1.129	1.294	2.088	2.027	1.596	1.904
04／4〜05／3	1.701	1.638	1.529	1.623	2.680	2.636	2.131	2.482
05／4〜06／3	1.575	1.551	1.434	1.520	2.471	2.432	2.005	2.303
直近5年平均	1.531	1.482	1.315	1.442	2.424	2.403	1.892	2.239

とに5年間の平均利回りを算定している。また、図表中B表では、月平均のデータを用いた場合の平均利回りを算定した結果である。

II　直線補間の方法について

　単純平均による直線補間の方法は理論的ではない。一方、直線補間の方法が認められる場合もある。国債は無リスク証券でありその利回り（イールド）は、対数収益率としての性質があり、そのイールドカーブは対数近似する方法が理論的である。

　Excel等で近似値計算を用いれば、対数近似した値を算定できる。一方、ある限られた年限間だけを知りたい場合は、直線補間でも適切な近似値を得られる場合がある。これは、対数グラフが緩やかな弧を描くことから、隣り合うデータ間を直線補間しても大きな誤差が生じにくいからである。

　また、対数近似する順イールドの場合は、上に凸のカーブとなるため、ある年限間を直線近似すると対数近似よりも低めの数値が出る場合が多い。このため、割引率の指標としてより保守的に設定することができるので、隣り合うデータ間を直掩補間する方法は、簡便的な方法として認められる。

　一方、隣り合うデータ間を直線補間した数値を使って他の年限間を推定することは認められない。直線補間した年限間の傾きを反映した近似値を算定するため、当該他の年限間の傾きとの乖離が大きくなるからである。これでは適切な近似値とはいえないからである。

　実務上は、実際の利回りデータが存在する期間、例えば、10年と20年、あるいは、20年と30年、では、多くの場合、直線補間する方法も認められる。しかし、例えば30年超など当該期間から外れる年限を算定する場合や、隣り合うデータ以外を直接補間する場合、例えば、10年と30年とを直接補間する場合などは、傾き誤差が比較的大きくなる可能性があるため認められないと思われる。

Ⅲ 異なる割引率の使用

　給付の平均発生期間は採用する退職給付制度によってそれぞれ異なる。これは給付の発生の仕方が退職給付制度によって相違するためである。

　例えば、退職一時金だけなら、概ね従業員の平均残存勤務年数に近似した年数で給付が発生する。一方、年金制度を有する場合は、平均年金支給期間を加味することで、対象期間はより長期にわたる。

　特に終身年金制度を有している場合にはこの傾向が顕著になる。保証期間付きの終身年金制度では、退職者の一時金選択率が比較的低い場合、給付の平均発生期間は一時金制度のみの場合と比較して相当長期間にわたる。

　こうした給付発生の態様や実態を割引計算に適切に反映する観点から、給付の発生の仕方が大きく異なり、給付の平均発生期間が相当程度異なる制度については、それぞれの実態に応じた適切な割引率を適用すべきである。

Q9
ポイント制導入に伴うポイント基準の採用と会計処理

従来、退職金が最終給与に比例する退職一時金制度を採用していたが、今般、給付算定式にポイント制を導入し、新たな退職給付制度へ移行した。これに伴い退職給付債務等を算定する際の期間配分方法を、従来の期間定額基準からポイント基準に変更した。この変更に関して、
(1) この変更は認められるか。また、この変更は会計方針の変更に該当するか。
(2) この変更に伴い生じた退職給付債務の差額を将来の期間に繰り延べて費用化することはできるか。

(1) 原則として会計事実の変更に該当し、会計方針の変更としては取り扱わない。
(2) 広義の数理計算上の差異に該当し、遅延認識することができると思われる。

I 期間定額基準からポイント基準への変更

退職給付債務や勤務費用の算定にあたっては、各期の労働の対価を合理的に反映する期間配分方法を適用する。退職給付制度に適合した最善の期間配分方法は一意的に決まることが原則である。また、合理的な変更理由がない場合には、一度採用した期間配分方法を変更することはできない。

本件のように、ポイント制導入に伴う制度変更を契機として退職給付債務等を算定する際の期間配分方法を見直す場合、ポイントの増加が各期の労働の対価を合理的に反映するか否かという実態に応じて、最善の期間配分方法が一意

的に決まることが基本的な考え方である。

したがって、ポイントの増加が各期の労働の対価を合理的に反映する場合は、変更が求められる。これは、制度変更に伴って最も適切な期間配分方法を選択したのであり、会計事実の変更に該当すると判断し、会計方針の変更としては取り扱わない。ただし、変更の旨や影響額等を追加情報として注記する必要がある。

一方、従来から給付算定にあたりポイント制を適用してきており、かつ、期間配分方法として期間定額基準を採っていた場合は、ポイント基準に変更する理由を合理的に説明できるだけの新たな会計事実が生じていない限り、変更は原則として認められない。

Ⅱ　遅延認識の可否

遅延認識の可否に係る判断にあたり、制度変更前後の退職給付債務の差額の性格を理解する必要がある。当該差額は、退職給付に係る制度の変更による退職給付債務の増減額（A）と、期間配分方法の変更による退職給付債務の増減額（B）から構成される。このうち前者は過去勤務費用に該当する。一方、後者は、退職給付債務を算定する数理計算の過程において生じた差額であり、数理計算上の差異としての性格を有し、当該差額は遅延認識することができると思われる。

数理計算上の差異を厳密に解釈すれば、基礎率の予定と実績との差から生じた差異と、基礎率自体の変更に伴う差異に限定されるとも考えられる。この考え方によれば、Bの差額は数理計算上の差異の定義に該当せず、一時の損益として処理すべきとの考え方もある。また、Bの差額が数理計算上の差異に該当すると判断された場合でも、将来の期間で差異が消滅する可能性が高いとはいえないことから、一時の損益として処理すべきとの考え方もある。

しかし、以下の点も含めて総合的に判断すれば、当該差異につき遅延認識を認めることが妥当と判断する。

① 当該差額は退職給付債務を算定する数理計算の過程で生じた差額であり、広義の数理計算上の差異と判断できる。数理計算上の差異である以上は遅延認識を認めるべきであること
② 退職給付会計の枠組みを考えると、制度が継続する状況下で、当該差異を一時の損益としなければならない根拠が乏しいこと

Q10 ポイント制導入後に確定拠出年金制度へ移行した場合の会計処理

> 従来、最終給与比例により退職金を算定する退職一時金制度を採っていたが、今般、給付算定式にポイント制を導入した。そのうえで、給付総額の6割を確定拠出年金制度に移行した。「ポイント制導入後で確定拠出年金制度移行後の退職一時金制度に係る退職給付債務」を算定し、これと「給付算定式が最終給与比例の退職一時金制度に係る退職給付債務」との差額を「移行により消滅した退職給付債務」とみなして終了損益を計上する予定である。この会計処理は適正か。

A　この会計処理では適正な終了損益を算定できない。「ポイント制導入後で確定拠出年金制度移行前の退職一時金制度に係る退職給付債務」を算定し、この金額と「ポイント制導入後で確定拠出年金制度移行後の退職一時金制度に係る退職給付債務」とを比較して終了損益を算定する必要がある。

　「ポイント制導入後で確定拠出年金制度移行前の退職一時金制度に係る退職給付債務」と「給付算定式が最終給与比例の退職一時金制度に係る退職給付債務」との差額を過去勤務費用としたうえで、「ポイント制導入後で確定拠出年金制度移行前の退職一時金制度に係る退職給付債務」と「ポイント制導入後で確定拠出年金制度移行後の退職一時金制度に係る退職給付債務」との差額を「移行により消滅した退職給付債務」とみなして終了損益を算定する必要がある。
　つまり、給付算定式を変更した段階で退職給付債務が増減している可能性があるため、過去勤務費用を把握するための退職給付債務算定を行う必要がある。

以下の数値例に基づき、損益への影響を確認してみよう。

- 「給付算定式が最終給与比例の退職一時金制度」の退職給付債務 5,000、退職給付引当金 5,000
- 「ポイント制導入後で確定拠出年金制度移行前の退職一時金制度」の退職給付債務 4,500、退職給付引当金 5,000 で過去勤務費用▲500
- 「ポイント制導入後で確定拠出年金制度移行後の退職一時金制度」の退職給付債務 1,800、退職給付引当金 2,000 で▲過去勤務費用 200
- 確定拠出年金制度への移換額 3,000
- 未認識項目はないものとする

移行に伴い消滅する退職給付債務 4,500×0.6＝2,700 から、確定拠出年金制度への移換額 3,000 と、移行部分に対応する過去勤務費用の一時償却額▲500×0.6＝▲300 とを控除すると、結果はゼロとなり、損益に及ぼす影響はないはずである。一方、本件の算定方法によれば、過去勤務費用が発生せず、移行に伴い消滅する退職給付債務が 4,500×0.6＝2,700 と算定されるため、当該方法では損益が適正に計算されない。

Q11 将来勤務部分を確定給付企業年金に移行した場合の会計処理

退職一時金制度から将来勤務部分の一部を確定給付企業年金制度に移行し、残りの部分を退職一時金制度とする。移行の前後で給付総額の水準はほとんど変わらない。過去勤務費用は発生時に一時に償却することとしている。退職一時金部分は、将来の給付が減少するため、当該減少部分を過去勤務費用としたうえで、一時の利益として処理する方針である。この会計処理は妥当といえるか。

A 妥当とはいえない。給付総額に概ね変化がないにもかかわらずマイナスの過去勤務費用が生じ、これを一時に償却することで利益を先行計上する会計処理は認められない。将来勤務期間に係る給付減額を過去勤務期間に影響させるべきではない。

　過去の給付に係る掛金負担を回避するため、将来勤務部分のみを確定給付企業年金制度へ移行させるケースがあり、本件もそれに該当する。ここでは、将来期間の給付減額の影響を過去勤務期間に影響させることが妥当か否かが問題となる。

　本件では、図表4-5に示したとおり、将来勤務部分の一部を確定給付企業年金制度に移行する時点では、確定給付企業年金制度に係る退職給付債務は生じない。

　一方、退職一時金制度では、将来勤務部分の給付が減少するため、この減少部分を過去勤務費用とする処理の妥当性が問題となる。

　会計処理の方法は以下の2通りが考えられる。

図表 4-5 将来勤務部分を確定給付企業年金制度に一部移行

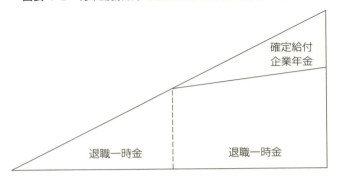

第Ⅰ法：将来の一時金給付が当初予定より減少するため、期間定額基準により費用の期間を按分している場合は、退職給付債務も減少し、移行前後の退職給付債務の差額をマイナスの過去勤務費用とする方法

第Ⅱ法：将来の期間に係る給付の増減を過去勤務期間に影響させないことが合理的であるため、過去勤務部分に係る給付は固定して、過去勤務費用は生じないとする考え方

第Ⅰ法によれば、従業員にとって制度移行の前後で給付総額が概ね変わらないにもかかわらず、過去勤務費用が生じるという矛盾が生じる。退職給付債務を過去の勤務の対価の集積ととらえれば、将来勤務部分の給付の増減を原因として過去勤務費用は発生しないと考えるべきである。したがって、第Ⅱ法の会計処理が合理的である。この問題は、退職給付債務や勤務費用を算定する際の期間配分方法として、「全勤務期間期間定額基準」を適用することにより生じる問題である。

なお、第Ⅱ法を採ると、退職給付債務等の算定にあたり、改訂日の前後で分けて期間按分計算を行うなどの工夫が必要になる。

Q12
キャッシュバランスプランの会計処理の留意点

キャッシュバランスプラン（CB）への移行に関して、
(1) 制度の財政運営は確定給付企業年金制度と変わる点はあるか
(2) 将来の給付を見積もるうえで、将来付与する利息ポイント（再評価率）を予測する必要があるが、この利息ポイントは割引率と連動させる必要はあるか

(1) 年金財政運営は確定給付企業年金制度と同じで、年金資産の運用リスクは事業主が負う。掛金も年金数理計算に基づいて算定する。
(2) それぞれ最善の見積もりによって設定する必要がある。金利変動リスクのヘッジ効果を意図して制度設計した場合は、通常、割引率との連動も考慮する。

I　キャッシュバランスプラン（CB）の財政運営

　拠出付与額と年金制度への掛金は別の概念であり、CB でも掛金は他の確定給付企業年金制度と同様に、年金数理計算に基づいて算定する。また、年金財政運営も確定給付企業年金制度と同じで、年金資産の運用リスクは事業主が負うため、年金財政上の過不足は事業主に帰属する。このため、CB 制度の予定利率の引き下げに伴い、事業主が負担する掛金は増加する。つまり、CB 制度では、金利変動リスクの一部を制度への加入者等に転嫁できるが、運用リスクそのものは相変わらず事業主が負い、当該リスクは掛金の負担増として顕現する。年金制度を維持しながら、運用リスクそのものから完全に解放されるには、確定拠出年金制度に移行する必要がある。

281

II 利息ポイントの割引率との連動の必要性

　再評価率と割引率は、それぞれ最善の見積もりによって設定する。一方、金利変動リスクのヘッジ効果、すなわち、国債の利回りが下がり割引率が下落しても同時に給付が減少することにより退職給付債務を安定化させる効果、を意図して制度設計をした場合は、割引率との連動も考慮することが一般的である。

　割引率の設定に当たり、過去5年平均を採っている場合や、重要性の基準、すなわち、退職給付債務が10％以上変動しなければ期首に用いた割引率を変更しないとする基準によっている場合は、再評価率の設定にあたっても、これらの影響を考慮することが一般的である。ただし、予定再評価率の設定においては、重要性の基準を直接用いることはできない。

　また、時間区分を設けて利息の設定を行う方法も考えられる。具体的には、例えば、今後1～5年間の短期金利、10～30年の中期金利、30年超の長期金利など、時間軸によって別々の論拠で別々の利息を設定する方法が考えられる。

　この方法は、年金ALM上の管理手法としては活用できる考え方だが、その客観性に問題があるほか、割引率も一律の設定を行っており、両者の整合の問題も残る。

　このため、会計上の基礎率を設定する方法としては課題があると思われる。

　なお、年金財政計算上も予定再評価率を見込んで掛金の計算をする。財政計算上見込む予定再評価率も、原則は足元の金利、または、過去数年間の平均金利をもとにする。あわせて、次の①～③等も考慮して、総合的に判断して決めることになる。

　① 制度設計時に想定した利回り
　② 利息ポイントにつけている上下限の範囲
　③ 安全割増を考慮して責任準備金が過小とならないための配慮

　年金財政上の予定再評価率は、会計上の予定再評価率とは必ずしも一致しない場合がある。しかし、各々合理的に見積もった結果であれば、両者が相違しても特に問題にならないものと思われる。

Q13
退職給付債務を仮想勘定残高により評価することの可否

> キャッシュバランスプラン（CB）において退職給付債務を評価するにあたり、将来の昇給の程度、及び退職確率や将来の金利水準を考慮した、将来の給付予測額を見積もることをしないで、仮想勘定残高の合計額により評価する予定である。この評価方法は会計上妥当な処理といえるか。

A 仮想勘定残高の合計額により評価することは原則として認められない。ただし、退職給付債務等の算定に際して期間配分方法としてポイント基準を適用することは可能である。

これにより、仮想勘定残高による評価に近い結果を得ることができる。

給与関連制度における給付では、原則として「予測単位積増方式」を適用して退職給付債務等を算定する。昇給率や退職率を合理的に設定して将来の給付について最善の見積もりを行う。

一方、CBでは、「利息ポイント」を含むがこの部分は給与に関連しない。CBは、年間給与クレジットに基づき退職給付を約束したもので、給与関連部分と給与に関連しない部分とを併せ持つ制度である。利息部分は将来の昇給と関係がなく、「予測単位積増方式」を適用して退職給付債務等を算定すべきか否かが議論になる。

CB制度では、変動する利息ポイントに変動利率を採っている場合、将来給付の変動幅が大きく、将来給付を合理的に予測することが困難になる。このため、仮想勘定残高により退職給付債務等を評価することもやむを得ないとの考え方もある。

しかし、仮想勘定残高により評価すると、将来の給付を見積もるという手続きを経ずに退職給付債務等を見積もることになる。これは期末要支給額による評価を原則として認めていない退職給付会計の基本的な考え方と整合しない。したがって、原則として、予測単位積増方式を適用して退職給付債務等を算定する。

この際、将来の給付を合理的に見積もったうえで、発生した給付を測定するための期間配分方法として、期間定額基準またはポイント基準を採ることが考

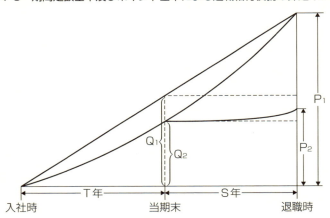

図表4-6　期間定額基準及びポイント基準による退職給付債務の算定イメージ

P_1：退職時の個人別仮想勘定残高（退職金予想額）
Q_1：P_1を期間定額基準により按分した金額　$Q_1 = P_1 \times T/(T+S)$
Q_2：期末現在の個人別仮想勘定残高
P_2：Q_2にS年間分の利息（再評価率により算定）を乗じたもの
　　　$P_2 = Q_2 \times (1+再評価率)^S$

期間定額基準による按分率＝$T/(T+S)$
ポイント基準による按分率＝P_2/P_1
期間定額基準による期末までに発生していると認められる額＝$P_1 \times T/(T+S)$
　　　　　　　　　　　　　　　　　　　　　　　　　　　　　　　＝Q_1
ポイント基準による期末までに発生していると認められる額＝$P_1 \times P_2/P_1 = P_2$

えられる。

　ここで、ポイント基準を適用し、再評価率を割引率と一致させるケースを考えよう。このケースにおける退職給付債務は、退職一時金のベースで考えると、現在のポイント累計である「期末現在の個人別仮想勘定残高」と一致する。図表4-6に期間定額基準及びポイント基準による退職給付債務算定のイメージ（CB制度）を示した。

　ただし、次に示すケースでは、期間配分方法としてポイント基準を適用することは望ましくないので留意を要する。

　①　一定の期間（旧定年年齢以降の期間など）、拠出付与額を付与しない制度
　②　ポイント以外の付加的な給付を行うケース、例えば、定年加算や功労加算等の加算給付、あるいは、終身年金や割高な給付利率等の年金優遇措置

Q14
成果型制度における期間配分方法

> 成果や評価を重視したポイント制を導入しており、退職給付債務等を算定する際の期間配分方法として期間定額基準を適用している。何か検討すべき点はあるか。

A　成果や評価を重視したポイント制を導入している場合等で、退職給付債務等を算定する際の期間配分方法を決めるにあたっては、Ⅰ 労働の対価性の問題、Ⅱ 数理計算の信頼性の問題を十分に検討したうえで、適切な期間配分方法を選択する必要がある。

　給付の算定においてポイント制を採っている場合でも、将来の昇給や昇ポイントを予測して、将来の退職給付見込額を予測する必要がある。したがって、退職給付債務等の算定の際に適用する期間配分方法について、ポイント基準を適用する場合でも、将来付与されるポイントを予測する必要がある。

　成果や評価、能力などを重視した制度設計を進めた退職給付制度において、期間配分方法として期間定額基準を採っている場合、主として次の点が課題となる。

> **Ⅰ　労働の対価性の問題**
> 　成果型の制度は、勤続年数と関係なく会社への貢献度等を重視するため、労働の対価として各期均等に給付を獲得するという仮定が合理性を持たない場合があること
> **Ⅱ　数理計算の信頼性の問題**
> 　成果型の制度では、将来の昇給(昇ポイント)を合理的に見込み、将来の退職給付見込額を合理的に見積もることが困難な場合があること

I　労働の対価性の問題

　実際の付与ポイントがゼロポイントの年度がある等、当期のポイントの増加が、各期の労働の対価を合理的に反映していると認められない場合、ポイント基準を採ることはできない。一方、能力や成果、評価等を重視したポイント制では、原則として、各期の会社への貢献度等に応じて付与されるポイントが決まる。

　この場合、各期に付与されるポイントは、当期の役務の対価として機能するもので、過去の勤務期間における評価の影響は及ばないと考えることが合理的である。

　したがって、給付が勤務期間にわたり均等に発生するとみなす期間定額基準の考え方は、労働の対価性という観点から、また、制度設計の主旨の観点から、合理性を欠く場合がある。

II　数理計算の信頼性の問題

　能力や成果、評価を重視した成果型の制度では、将来の昇給（昇ポイント）を合理的に見込み、将来の退職給付見込額を合理的に見積もることが困難な場合がある。

　特に、制度導入当初で未だ実績もない段階では、標準的なパターンと推定されるモデル昇格者を設定して昇給（昇ポイント）を見積もっても、数理計算上の差異が多額に生じる可能性がある。将来付与されるポイントの精度が必ずしも十分といえず、実際の昇給（昇ポイント）の実績と乖離が生じるからである。また、そもそも、将来付与される評価ポイント等を高い精度で予測すること自体難しいといえる。

　このように、毎期の成果や評価に付与するポイントの割合が高い場合等成果型の色彩が強いポイント制においては、将来付与するポイントを合理的に予測することが困難である。そのため、期間定額基準を適用して退職給付債務等を算定すると、高い信頼性をもって数理計算上の見積もりを行うことは困難な場

合がある。

　一方、期間配分方法としてポイント基準を適用する場合には、退職時に見込まれる退職給付の総額を見積もることなく、現在の累積ポイントに基づいて評価することができる。つまり、退職給付債務等の算定にあたり、将来の昇給、昇ポイントを予測し、予想給付額を見積もる必要がない。足元の累積額のみで退職給付債務等の評価ができるという点で、期末要支給額の算定方法に類似している。

　ポイント基準を適用した場合の退職給付債務及び勤務費用の算定方法を、図表 4-7 に示した。

　成果や評価を重視したポイント制を導入している場合等で、退職給付債務等を算定する際の期間配分方法を決めるにあたっては、Ⅰ 労働の対価性の問題、Ⅱ 数理計算の信頼性の問題を十分に検討したうえで、適切な期間配分方法を選択する必要がある。

図表 4-7　ポイント基準を適用した場合の退職給付債務及び勤務費用の算定方法

```
退職給付債務＝退職時に見込まれる退職給付の総額 × 退職率 × 期末までの発生額
　　　　　　　を求める按分率 × 割引係数
　　　　　＝（退職時のポイント累計 × ポイント単価）× 退職事由別係数
　　　　　　　× 退職率 ×（現在のポイント累計 ÷ 退職時のポイント累計）×
　　　　　　　割引係数
　　　　　＝現在のポイント累計 × ポイント単価 × 退職事由別係数 × 退職率
　　　　　　　× 割引係数
```

```
勤務費用＝退職時に見込まれる退職給付の総額 × 退職率 × 当期の発生額を求める
　　　　　按分率 × 割引係数
　　　　＝（退職時のポイント累計 × ポイント単価）× 退職事由別係数 × 退職率
　　　　　×（当期付与されるポイント ÷ 退職時のポイント累計）× 割引係数
　　　　＝当期付与されるポイント × ポイント単価 × 退職事由別係数 × 退職率
　　　　　× 割引係数
```

Q15
貸借対照表日前のデータ等の利用

> 貸借対照表日時点での退職給付債務を算定するにあたり、貸借対照表日から1年6か月前の人事データを及び給与データや数理計算上の仮定（基礎率）を用いてデータ等基準日時点における退職給付債務の金額を算定し、その金額に勤務費用及び利息費用の金額を加算した後、給付支払額の実績値を減算した金額により計算した。この方法によって算出した貸借対照表日時点の退職給付債務の金額は適正であるか。

A 適正な期間損益を算定するという観点から、この退職給付債務の金額は適正とはいえない。データ等（人事データを及び給与データや数理計算上の仮定（基礎率））の基準日と貸借対照表日との間隔をできるだけ小さくする必要がある。少なくとも、貸借対照表日から概ね1年以内の一定日におけるデータ等を用いてデータ等基準日時点における退職給付債務の金額を算定し、その金額に勤務費用及び利息費用の金額を加算した後、給付支払額の実績値を減算した金額により貸借対照表日時点における退職給付債務の金額を算定する必要がある。

退職給付会計において、当期末および前期末の実際退職給付債務と当期末の予定退職給付債務ならびに実際給付支払額、勤務費用、利息費用、数理計算上の差異との関係を整理すると次の関係が成り立つ。

> Ⅰ　当期末予定退職給付債務＝前期末実際退職給付債務＋当期勤務費用（予定）＋当期利息費用（予定）－当期実際給付支払額──Ⅰ式

> Ⅱ 当期末実際退職給付債務＝当期末予定退職給付債務＋数理計算上の差異
> 　　　　　　　　　　＝前期末実際退職給付債務＋当期勤務費用（予定）＋当期利息費用（予定）－当期実際給付支払額＋数理計算上の差異――Ⅱ式

　このように、当期末実際退職給付債務と当期末予定退職給付債務との差額が数理計算上の差異として認識される（Ⅱ式）。これを算式であらわすと次のようになる。

　このうち、Ⅰについては、原則期首時点ですでに把握されている（前期末の実際退職給付債務とともに測定されている）数理計算の結果を利用して、当期の勤務費用、利息費用を算定しこれを期首退職給付債務に加算する。一方、Ⅱの当期末時点における退職給付債務および翌期の勤務費用の算定は、本来、貸借対照表日（当期末時点）のデータ（給与等の従業員データ）を使用して、貸借対照表日を評価基準日として行うべきである。
　しかし、データ等の収集や数理計算等に一定の時間を要すること等を勘案して、貸借対照表日前の一定日のデータ等を利用して、当期末時点における退職給付債務および翌期の勤務費用の算定を行うことが認められている。「貸借対照表日前のデータ等の利用」には、次の2つの内容が含まれる。
　（1）計算対象となった従業員等のデータについて、貸借対照表日前の一定日のデータを利用すること
　（2）当期末の実際退職給付債務および翌期の勤務費用に係る評価を行う際に評価の対象とする時点や基礎率を設定する時点を貸借対照表日前の一定日とすること
　また、貸借対照表日前の一定日であるデータ等の基準日から貸借対照表日までの期間を調整期間（補正期間）という。

このように、当期末の実際退職給付債務や翌期の勤務費用を算定する際に、貸借対照表日前の一定日のデータ等（人事、給与データや基礎率等）を利用する場合には、使用するデータ等の基準となる日から貸借対照表日までの期間（調整期間）における退職給付債務および勤務費用等の異動について、適切に調整する必要がある。当該調整を行う際の具体的な方法として、適用指針に、2つの方法が例示されている。下図を用いて2つの方法を説明する。

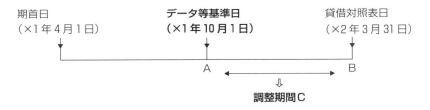

第1法（1）は、上図A時点のデータや基礎率を用いて、いったんA時点の退職給付債務等を算定したうえで、調整期間Cに係る勤務費用、利息費用、給付支払額を調整することによって評価額を補正し、貸借対照表日の退職給付債務等を算定する方法である。

第2法（2）は、A時点のデータや基礎率を用いて、貸借対照表日Bにおける退職給付債務等を算定する方法で、人員等の異動データに基づき退職者等に係る退職給付債務を控除する等の方法により評価額を補正する。

第1法の補正計算はあくまで理論上の仮定計算であるため、実態を踏まえて調整計算の妥当性を検討する必要がある。これは、制度が安定的な状況にあること、およびデータ等の基準日が貸借対照表日から1年を超えないことを前提として認められる方法である。したがって、例えば、データ等の基準日から貸借対照表日までに比較的大量の退職が生じた場合や、基礎率を見積もった際に前提とした状況が変化した場合などは、貸借対照表日現在で退職給付債務を棚卸した場合と比較して重要な差異が生じる場合がある。この場合には、当該補正計算の結果をそのまま用いることは適当ではない。

また、適切な期間損益の把握という観点からは、データ等の基準日と貸借対

照表日との間隔を可能な限り小さくする必要がある。

第2法（2）によっている場合には、異動データに係る影響をもれなく調整することや、年金受給者・待期者についても適時、的確に調整することが必要である。

適用指針の2つの方法について、計算式とイメージ図を図表4-8に示した。

図表4-8　適用指針の2つの方法の計算式とイメージ図

〈第1法(1)の算定方法〉

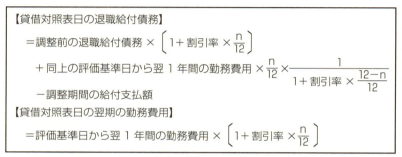

（注）　nは調整期間とし、また、調整期間中の給付支払額には予定の金額を用いることができるものとする。

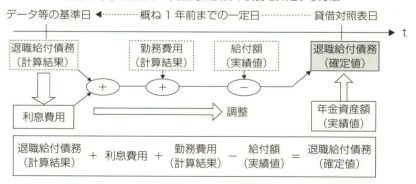

292

〈第2法(2)の算定方法〉

【貸借対照表日の退職給付債務】
　　　＝データ等基準日のデータに基づく貸借対照表日の退職給付債務
　　　　± 異動データに係る退職給付債務
【貸借対照表日の翌期の勤務費用】
　　　＝データ等基準日のデータに基づく貸借対照表日の翌期の勤務費用
　　　　± 異動データに係る翌期の勤務費用

（注）　調整期間中の新入者に係る補正の影響が軽微であると考えられる場合は、退職者に係る異動データのみによって調整することができる。また、当該者に係る退職給付債務として給付支払額の実績を用いることができる。さらに、調整期間中に予定されている定年退職者等については事前に除外しておく方法も考えられる。

　なお、調整期間中の異動データによる補正の影響が全体として軽微であると考えられる場合には、調整そのものを省略することもできる。

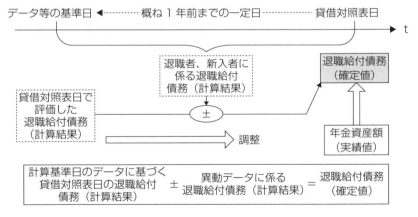

第2法(2)　データ等の基準日における従業員等について貸借対照表日で退職給付債務を計算し、調整期間中の退職者・新入者に係る異動データを反映する方法

索　引

〔あ〕

アクチュアリー（年金数理人） ………………… 4
アセットシーリング ………………………… 250
イールド …………………………………… 272
イールドカーブ …………………………… 142
著しく後加重 ………………………………… 27
IFRSを任意適用 ………………………… 139
インフレ率 ………………………………… 155
内枠移行 …………………………………… 247
S字型に近いカーブ ……………………… 139
オルタナティブ投資 ……………………… 166

〔か〕

会計事実の変更に伴う会計上の
　見積りの変更 ……………………………… 52
会計方針の変更 …………………………… 52
回廊アプローチ（コリドーアプローチ）… 170
格付機関 …………………………………… 33
格付マトリックス表 ……………………… 270
確定給付型の年金制度 …………………… 3
確定拠出型の年金制度 …………………… 3
確定拠出年金 ……………………………… 3
掛金減額 …………………………………… 251
掛金率 ……………………………………… 250
仮想勘定残高 ……………………………… 283
ガバナンスの向上 ………………………… 168
株価変動リスク …………………………… 218
為替換算調整勘定 ………………………… 186
企業会計基準委員会（ASBJ）…………… 239
基金型企業年金 …………………………… 3
期待値 ……………………………………… 11
規程の改訂日 ……………………………… 58
期末自己都合要支給額 …………………… 86

規約型企業年金 …………………………… 3
キャッシュバランスプラン（CB）…… 3,281
給付現価 …………………………………… 96
給付算定式 ………………………………… 258
給付の大幅減額 …………………………… 261
給付利率 …………………………………… 36
給与テーブル ……………………………… 257
給与比例制 ………………………………… 257
拠出クレジット …………………………… 200
拠出付与額 ………………………………… 281
均等補正 …………………………………… 30
金利期間構造モデル ……………………… 143
金利変動リスク …………………………… 218
組替調整 …………………………………… 56
繰延税金資産の回収可能性 ……………… 167
経済的な便益 ……………………………… 251
経済変数 …………………………………… 127
原価性 ……………………………………… 55
公正価値 …………………………………… 33
厚生年金基金 ……………………………… 3
厚生年金基金制度の基本部分 …………… 40
厚生年金基金制度の代行返上 …………… 120
子会社等への投資 ………………………… 183
個人別仮想勘定残高 ……………………… 285
5点移動平均法 …………………………… 18
コリドーアプローチ（回廊アプローチ）… 170
コリドールール …………………………… 116
転がし計算 ………………………………… 63

〔さ〕

最終給与比例 ……………………………… 261
最終給与比例制度 ………………………… 130
最小二乗法 ………………………………… 17
財政均衡 …………………………………… 230

財政均衡の状態	229	選択一時金	37
財政再計算	232	早期退職優遇制度	138
最善の見積もり	267	相殺効果	268
最低積立要件	250	遡及適用	171
再評価率	50	損金経理要件	100
CB（キャッシュバランスプラン）	3,281	損金算入限度額	99
支給開始年齢	40		
支給係数	27	〔た〕	
支給倍率	259	代議員会	237
施行日	58	代行部分に係る将来支給義務免除	120
資産移管	243	退職給付債務計算ソフト	60
資産上限額	250	退職事由	27
資産上限規定	250	対数近似	272
資産返還	251	対数収益率	272
社会保障審議会の企業年金部会	218	大数の法則	12
ジャンプ給付	30	他益信託	46
終了損益	277	脱退残存表	34
受給権確定	258	縦割り型の企業年金制度	86
純資産の変動リスク	167	単一の割引率	141
少数株主持分	206	単調増加	30
将来解消年度が長期となる 将来減算一時差異	179	弾力的な企業年金制度	219
将来減算一時差異	79	中小企業退職金共済	3
申告調整	100	調整率	235,238,240,246
信託財産	44	直線補間法	270
信用リスク	33	賃金の後払い	12
数理計算上の仮定	289	追加拠出義務	239
数理計算上のバラツキ	267	積立剰余	229
数理債務	86,254	積立不足の償却期間	225
据置利率	39	定額補正	258
スケジューリング	179	定年加算	137
スポットレート	35,142	DB制度	255
税制上の要請	227	データ等基準日	289
生存確率	39	データ等の基準日	64
政府機関債	35	適格な資産	42
生命統計表	156	デュレーション	147
生命保険一般勘定	206	特別掛金	93,225,227,234,247,250
責任準備金	86	特別方式	235
全勤務期間期間定額基準	280	特例掛金	250

索 引

〔な〕

内部利益率 … 147
日本再興戦略 … 218
日本版 401（k） … 3
年金 ALM … 282
年金現価率 … 40
年金財政方式 … 104
年金資産のオンバランス化 … 165
年金数理計算 … 4
年金数理人（アクチュアリー） … 4
年金負債対応投資 … 151
年俸制 … 265
納税主体 … 177

〔は〕

ハイブリッド型の企業年金制度 … 219
ハイブリッド型の給付設計 … 221
パフォーマンス … 48
PBO（Projected Benefit Obligation） … 2
標準掛金 … 93,225,227,234
標準掛金収入現価 … 96
標準掛金率 … 98
標準加入者 … 16
標準方式 … 235
不連続給付 … 30
平均残存勤務期間 … 270
平成28年度税制改正大綱 … 221
ベースアップ … 57,256
ポートフォリオ … 48
ポートフォリオの見直し … 166
母集団 … 11
保証期間 … 38
補正期間 … 290

補整給与 … 16
補整退職率 … 18

〔ま〕

未償却過去勤務債務に係る掛金率 … 106
未配布資金 … 43
持分法適用被投資 … 206

〔や〕

有価証券評価差額 … 186
優良社債 … 35
優良社債 … 142
予測給付現価 … 252
予測給付債務 … 265
予測単位積蔵方式 … 283
予定運用収益 … 93
予定再評価率 … 282
予定脱退率 … 34
予定利率 … 48

〔ら〕

リサイクル … 77
リスク・リターン特性 … 166
リスク資産 … 48,215
リスクフリー債券 … 34
リスクマネジメント … 168
利息クレジット … 200
利息ポイント … 283
利付債 … 142
労使合意 … 241,246
労働協約 … 12
労働組合の同意 … 237

〔わ〕

割引債 … 142

著者紹介

井上　雅彦
（いのうえ　まさひこ）

公認会計士　（公社）日本証券アナリスト協会検定会員
1986年一橋大学商学部卒業。保険会社を経て1988年中央監査法人（現みすず監査法人）入所、1999年より中央青山監査法人パートナー、2007年より2024年まで有限責任監査法人トーマツパートナー。2024年より独立開業し、一般財団法人会計教育研修機構シニアフェローを務める。
これまで、日本公認会計士協会公的年金専門部会専門委員、同協会業種別監査委員会委員、同協会厚生年金基金理事、同協会基金特別プロジェクト専門委員及び運営委員、非営利法人委員会農業協同組合専門部会専門委員等を歴任。

主な著書として、以下がある。

[単著]
『事業再編に伴う退職給付制度の設計と会計実務』（中央経済社　日本公認会計士協会第35回学術賞（会員特別賞）受賞）
『キーワードでわかる退職給付会計（三訂増補版）』（税務研究会出版局）
『キーワードでわかるリースの法律・会計・税務（第5版）』（税務研究会出版局）
『Q&A リースの会計・税務（第3版）』（日本経済新聞社）
『この1冊でわかるリースの税務・会計・法律』（中経出版）
『リース会計実務の手引き（第2版）』（税務経理協会）
『改正リース会計の手引き（公開草案対応版）』（税務経理協会）

[編著・監修]
『会計用語辞典』（編著、日本経済新聞社）
『できる支店長になるための7つの方法（農協の支店長が果たすべき役割)』（編著、きんざい）
『金融機関のための農業ビジネスの基本と取引のポイント（第2版）』（監修、経済法令研究会）
『JA職員のための融資・査定・経営相談に活かす決算書の読み方』（監修、経済法令研究会）
『相続相談ができる農協職員になるための7つのステップ』（監修、全国共同出版）
『実務に役立つJA会計ハンドブック』（監修、全国共同出版）
『できる副支店長になるための7つのステップ（強い支店には優秀なNO.2がいる)』（監

修、全国共同出版）

[共著]

『退職給付債務の算定方法の選択とインパクト』（2人共著：中央経済社）

『退職給付制度見直しの会計実務（第2版）』（2人共著：中央経済社）

『新しい退職給付制度の設計と会計実務』（2人共著：日本経済新聞社）

『Q&A リース・ノンバンクファイナンス取引の実務』（2人共著：日本経済新聞出版社）

『退職給付会計の実務 Q&A』（2人共著：税務研究会出版局）

『公開草案から読み解く新リース会計基準（案）の実務対応』（2人共著：税務研究会出版局）

『新リース会計の実務対応と勘所』（2人共著：税務研究会出版局）

[分担執筆]

『企業年金の会計と税務』（日本経済新聞社）

『詳解 退職給付会計の実務』（中央経済社）

『連結財務諸表の作成実務』（中央経済社）

『有価証券報告書の記載実務』（中央経済社）

『公会計・監査用語辞典』（ぎょうせい）

『Q&A 企業再構築の実務』（新日本法規出版）

退職給付会計実務の手引き
期中及び決算の実務一巡・数理計算・退職給付制度
〔第3版〕

2015年1月1日　初　版　発　行
2018年3月1日　第2版発行
2025年6月20日　第3版発行

著　　者	井上雅彦
発　行　者	大坪克行
発　行　所	株式会社 税務経理協会 〒161-0033東京都新宿区下落合1丁目1番1号 http://www.zeikei.co.jp 03-6304-0505
印　刷　所	株式会社技秀堂
製　本　所	牧製本印刷株式会社
編　　集	吉冨智子

本書についての
ご意見・ご感想はコチラ

http://www.zeikei.co.jp/contact/

本書の無断複製は著作権法上の例外を除き禁じられています。複製される場合は、そのつど事前に、出版者著作権管理機構（電話03-5244-5088, FAX03-5244-5089, e-mail: info@jcopy.or.jp）の許諾を得てください。

JCOPY ＜出版者著作権管理機構 委託出版物＞

ISBN 978-4-419-07259-9　C3034

© 井上雅彦 2025 Printed in Japan